A batalha de toda mulher

A batalha de toda mulher

Descubra o plano de Deus para a satisfação sexual e emocional

Nova edição
Inclui caderno de exercícios

SHANNON ETHRIDGE

Traduzido por Neyd Siqueira

MUNDO CRISTÃO

Copyright © 2003 por Shannon Ethridge
Publicado originalmente por WaterBrook, selo da Random House, uma divisão da Penguin Random House LLC.

Os textos bíblicos foram extraídos da *Nova Versão Transformadora* (NVT), da Tyndale House Foundation, salvo as seguintes indicações: *Nova Bíblia Viva* (NBV), da Bíblica Inc.; e *A Mensagem*, de Eugene Peterson, publicada pela Editora Vida.

Tradução do caderno de exercícios por Emirson Justino.

Todos os direitos reservados e protegidos pela Lei 9.610, de 19/02/1998.

É expressamente proibida a reprodução total ou parcial deste livro, por quaisquer meios (eletrônicos, mecânicos, fotográficos, gravação e outros), sem prévia autorização, por escrito, da editora.

Edição
Daniel Faria
Revisão
Denis Timm
Produção
Felipe Marques
Diagramação
Marina Timm
Colaboração
Ana Luiza Ferreira
Natália Custódio
Ilustração de capa
Kamylla Flores
Capa
Ricardo Shoji

CIP-Brasil. Catalogação na publicação
Sindicato Nacional dos Editores de Livros, RJ

E85b

    Ethridge, Shannon
      A batalha de toda mulher : descubra o plano de Deus para a satisfação sexual e emocional / Shannon Ethridge ; tradução Neyd Siqueira. - 1. ed. - São Paulo : Mundo Cristão, 2022.

      Tradução de: Every woman's battle
      ISBN 978-65-5988-121-5

      1. Sexo - Aspectos religiosos - Cristianismo. 2. Amor - Aspectos religiosos - Cristianismo. 3. Mulheres - Comportamento sexual. 4. Mulheres - Vida cristã. I. Siqueira, Neyd. II. Título.

22-77575   CDD: 241.664
                                         CDU: 27-447-055.2

Meri Gleice Rodrigues de Souza - Bibliotecária - CRB-7/6439

Categoria: Relacionamentos
1ª edição: fevereiro de 2006
2ª edição: agosto de 2022 | 1ª reimpressão: 2024

Publicado no Brasil com todos os direitos reservados por:
Editora Mundo Cristão
Rua Antônio Carlos Tacconi, 69
São Paulo, SP, Brasil
CEP 04810-020
Telefone: (11) 2127-4147
www.mundocristao.com.br

*Para meu marido, Greg.
Obrigada por sua obediência a Deus
e confiança em mim.
Seu amor tem sido minha força
e meu escudo em meio a cada batalha.*

Sumário

Prefácio de Stephen Arterburn — 9
Agradecimentos — 13
Introdução — 15

Parte I: Compreendendo onde estamos
   1. A batalha não é só do homem! — 19
   2. Um novo olhar para a integridade sexual — 32
   3. Sete mitos que intensificam nossa luta — 43
   4. Hora de uma nova revolução — 61

Parte II: Esboçando uma nova defesa
   5. Levando cativo os pensamentos — 79
   6. Guardando o coração — 96
   7. Cerrando os lábios — 112
   8. Construindo fronteiras mais sólidas — 126

Parte III: Abraçando a vitória na retirada
   9. Doce rendição — 141
   10. Reconstruindo pontes — 153
   11. Recuando com o Senhor — 172
   12. Tudo em paz na frente doméstica — 188

Posfácio de Stephen Arterburn — 197
Caderno de exercícios — 201
Notas — 261

Prefácio

• • • • • • • • • •

(por Stephen Arterburn)

Alguns anos atrás, trabalhei com Fred Stoeker para produzir o livro *A batalha de todo homem*. A princípio relutei em me envolver com o projeto porque não achava que os homens desejariam ler um livro expondo a batalha que todos eles travam para combater a lascívia e a impureza sexual. Quando, porém, mais de 400 mil exemplares da série *A batalha* foram vendidos em dois anos, isso me surpreendeu e incentivou. Fiquei perplexo com o fato de os livros permanecerem na lista de mais vendidos e encorajado ao ver homens em igrejas de todo o mundo examinando uma área na vida deles que até então permanecia em completo segredo. Uma sinceridade renovada levou esperança a muitos homens presos na armadilha do silêncio e do pecado.

Certa manhã, fui apresentado a uma jovem chamada Danielle. Ela me entregou dois livros que pareciam ter sido deixados na chuva e atropelados por um caminhão de lixo. Os livros eram *A batalha de todo homem* e *O desejo de toda mulher*. Danielle explicou que a aparência esfarrapada deles era porque seu marido, David, os lera e estudara muito. Ela contou que David estava liderando um grupo de homens baseando-se nesses livros e que esta era a segunda vez que ele fazia isso. Considero surpreendente essa dedicação a esse material e ao assunto em pauta.

Durante nossa conversa, Danielle contou também que sua igreja estava iniciando um novo projeto. Eles começaram a usar o material de *A batalha de todo homem* e criaram um grupo para mulheres tratando do mesmo assunto. Tirei de minha pasta o manuscrito de *A batalha de toda mulher*, e ela ficou emocionada. Não tanto, porém, quanto eu, ao ver o entusiasmo dela em ajudar outras mulheres a descobrirem a verdade que seu marido e aquele grupo de homens haviam encontrado.

Desde que auxiliei a escrever *A batalha de todo homem*, muitas mulheres me perguntaram: "Onde está o livro para a nossa batalha?". Em *A batalha de todo homem* coloquei meu endereço de *e-mail* e pedi aos leitores que entrassem em contato direto comigo. Tenho me ocupado bastante em responder a milhares de *e-mails* de homens comprometidos com a integridade e a pureza sexuais. Os homens, no entanto, não foram os únicos que se comunicaram comigo. Mulheres também leram o livro, e muitas fizeram as mesmas perguntas que os homens. Foi com base nesses *e-mails* e discussões com mulheres como Danielle que *A batalha de toda mulher* emergiu.

Embora possa não parecer tão óbvio para as mulheres como o é para os homens, há uma batalha que quase toda mulher terá de travar: a batalha da integridade emocional e sexual. A batalha da mulher de modo geral não começa com um olhar lascivo ou erradio, como acontece com o homem. Apesar de as mulheres também serem visualmente estimuladas, sua luta normalmente é mais sutil e começa em território muito mais profundo. Para as mulheres, a batalha quase sempre começa com um coração cheio de decepção.

A decepção da mulher com os homens, as circunstâncias, Deus, a vida, o dinheiro, os filhos e o futuro podem levar seu coração a desviar-se. Se for solteira pode voltar-se para a fantasia e a autossatisfação, prejudicando seu potencial para desenvolver uma ligação sexual sadia com seu futuro marido. Se for casada pode começar a comparar seu marido a outros homens e, ao fazer isso, ele nunca está à altura. É até possível que se mostre obcecada ao pensar em tudo que ele não é e que poderia ser. Talvez possa expressar seus desejos de que ele seja diferente e melhor, fazendo críticas e queixas em praticamente todas as conversas. As coisas ficam tão sérias que ela começa a sentir que tem direito a algo melhor, um outro que possa satisfazer suas necessidades como ela realmente merece. Sem saber, ela trai o marido em quase todos os seus pensamentos a respeito dele e com alguém que considere acima dele. A cada comparação a desconexão entre os dois aumenta e se aprofunda, e a possibilidade de que ela venha a ter um caso emocional ou até sexual se torna cada vez maior. Mesmo que não faça nada disso, sua rejeição ao marido destrói para ela a possibilidade de experimentar a satisfação que tanto deseja.

Creio que as mulheres buscam uma ligação que seja profunda com os homens e que aumente até atingir uma intimidade inseparável, resultando em grande satisfação tanto no âmbito da amizade como da parceria sexual. Para que isso aconteça, entretanto, homens e mulheres precisam ter uma vida sexualmente íntegra. Para os homens, isso significa manter a mente e o coração longe de outras mulheres, inclusive de imagens pornográficas e memórias sensuais do passado. Para as mulheres, significa aceitar o marido em lugar de rejeitá-lo. Significa superar a decepção para manter sadia a ligação com ele.

Quando ouvi a história de Shannon e a conheci, percebi que ela reunia condições para escrever este livro, pois havia experimentado as tentações que a maioria das mulheres tem vergonha ou medo de admitir. Durante anos ela teve um coração erradio — já não tem mais. Seu coração foi curado quando aceitou o plano de Deus para a satisfação sexual e emocional. Sua franqueza, sabedoria, honestidade e integridade também podem ajudar você a viver de forma íntegra nos níveis emocional e sexual.

A sexualidade de cada mulher deve ser integrada ao todo de sua vida a fim de obter condições para crescer e amadurecer. Isso significa integrar seus pensamentos e suas fantasias a seu casamento. Quando agir dessa forma, você se sentirá completa, ajustada e saudável. O perigo de viver em seu mundo particular de fantasias e satisfação é que você acaba em uma vida segmentada, com fantasias secretas, práticas sexuais secretas e obsessões. Se isso descreve você, este livro lhe mostrará como integrar todas as partes de seu ser, de modo a tornar-se uma mulher completa e saudável, fiel e intimamente ligada a seu parceiro e a Deus.

Se você esteve vagueando no mundo decepcionante do que foi e do que poderia ser, *A batalha de toda mulher* a trará de volta à realidade do que Deus quer que você seja e do que o seu casamento pode ser. Casada ou solteira, pode encontrar ajuda e esperança nestas páginas. Oro para que, quando terminar a leitura, esteja em um caminho de crescimento e maturidade espiritual que lhe permita apresentar-se pura diante do Senhor e experimentar a verdadeira satisfação sexual e emocional.

Que Deus a abençoe ricamente por seu desejo de buscar a verdade dele.

• • • • •

P.S.: Este livro foi escrito principalmente para mulheres que são casadas ou que planejam casar-se. Se você for solteira, este livro será inestimável enquanto imagina um casamento que a completará sob todos os aspectos. Se não estiver planejando casar-se, ajudará você a aconselhar sabiamente suas amigas.

Agradecimentos

• • • • • • • • • •

Em primeiro lugar agradeço profundamente a Jesus Cristo, o Amor pelo qual ansiei durante toda a minha vida. Obrigada por revelar-se a mim e confiar-me a sua visão para o ministério Well Women. Obrigada também pela dádiva magnífica de ter um marido piedoso. Greg, onde eu estaria se você não me amasse como Cristo amou a igreja, especialmente em meio a meus momentos menos "dignos de amor"? Seu exemplo de fidelidade durante os últimos treze anos provou que o amor verdadeiro e incondicional não é apenas um conto de fadas. Escritor algum poderia compor palavras suficientemente profundas para expressar meu amor e compromisso com você.

Agradeço a meus filhos, Erin e Matthew, por acreditarem em mim e me incentivarem. O brilho e o riso que vocês trazem a cada dia são mesmo difíceis de descrever. De todos os títulos que uso na vida, o que me causa mais orgulho é o de "Supermãe". Vocês são filhos incríveis!

Papai e mamãe... ah, como aprecio a disciplina, a paciência e as orações de vocês. Fui muito feliz em tê-los como pais, e mais feliz ainda agora que os tenho como amigos. Para Jay e Wanda, obrigada por me amarem como a uma filha e por criarem um filho tão maravilhoso. Que alegria ter pais e sogros sempre prontos a vir em nosso auxílio.

Agradeço a todas as minhas "outras mães" da classe da escola dominical Little Flock por orarem a meu favor durante os picos e os vales da vida. Seus exemplos me incentivaram muito!

Agradeço aos queridos amigos que me ajudaram a ver a Luz quando eu estava cega pelas artimanhas de Satanás. Lisa, quem quer que tenha dito que o sangue fala mais alto, não tinha ideia da forte amizade que nos prende! Amo você.

Obrigada a Ron e Katie Luce, David Hasz e todos os meus colaboradores em Cristo do ministério Teen Mania. Seu encorajamento, inspiração e confiança foram providenciadas por Deus para que eu continuasse com este manuscrito e ministério. É uma honra e um privilégio trabalhar com vocês para levantar uma geração de transformadores do mundo! Kim Blackstock e Tracy Kartes, vocês estiveram ao meu lado num período vital do processo de escrever, e sou muito grata à ajuda que me deram.

Obrigada a Jack Hill, Dean Sherman e todos os nossos amigos da Mercy Ships International, com sincero apreço pela sabedoria adquirida e por nos permitirem levar esperança e cura a mulheres em outras partes do mundo.

Para meus esplêndidos mentores, Jerry Speight e Susan Duke, vocês foram como o vento a impulsionar minhas asas! Jerry, você me encorajou a percorrer caminhos que nunca pensei trilhar. E Susana, minha amiga acolhedora, obrigada por cuidar de mim e me dar coragem extra para seguir adiante!

Um agradecimento especial para os que estiveram ao meu lado, a fim de entregar este projeto nas mãos de muitas outras mulheres. Linda Glasford e Greg Johnson, obrigada por compreenderem esta visão e se arriscarem por mim. Nem todas as rosas e conchas marinhas do mundo poderiam expressar a magnitude de minha admiração. Stephen Arterburn e Fred Stoeker, obrigada por compartilharem de minha paixão por iniciar um novo tipo de revolução! Que privilégio ser convidada para participar com vocês deste movimento. À minha incrível editora, Liz Heaney, e a toda maravilhosa equipe da Water-Brook Press, um sincero agradecimento pela paciência e pelo profissionalismo ao ajudarem-me a fazer deste livro algo que, assim eu oro, venha a ser instrumento para mudar muitas vidas.

Introdução

• • • • • • • • •

Certo dia, meu marido, Greg, trouxe para casa o livro *A batalha de todo homem*, jogou-o para mim e disse com ar sério e impassível: "Acho que você deveria escrever *A batalha de toda mulher*".

Minha primeira reação foi dizer: "Tem certeza?". Não por sentir-me desqualificada para escrever um livro assim (sou diplomada na escola de golpes pesados quando se trata de reconhecer e vencer tentações sexuais e emocionais), mas eu já havia tentado, por mais de um ano, publicar um manuscrito exatamente sobre esses temas. Vez após vez, ouvi as editoras dizerem: "As mulheres não lidam o suficiente com questões sexuais para que um livro sobre esse assunto alcance boas vendas".

Enquanto isso, *A batalha de todo homem* estava chegando ao topo da lista de mais vendidos. Fiquei pensando em como as pessoas podiam ser tão ingênuas a ponto de imaginar que a integridade sexual é um problema estritamente masculino. Homens e mulheres foram criados por Deus como seres sexuais, não foram? Não se dança uma valsa sozinho, e para cada homem que cai nas garras da tentação sexual, há uma mulher caindo com ele. Ao mesmo tempo que muitos homens limitam seus casos ao que podem apreciar lascivamente com os olhos, as mulheres se submetem avidamente a fantasias ou casos sentimentais. Algumas comparam o marido a outros homens e ficam desiludidas por considerá-los fracassados e insuficientes. Muitas de nós, portanto, deixamos de reconhecer como abrimos mão de nossa integridade sexual, como nos privamos daquilo pelo que mais ansiamos: verdadeira intimidade e satisfação.

Curiosa para saber a razão de meu marido ter gostado tanto de *A batalha de todo homem*, li vorazmente o livro. Fiquei então pensando: "Muitos desses problemas não são comuns só aos homens, mas também às mulheres! Eles apenas se manifestam de forma diferente!".

Stephen Arterburn estava ouvindo exatamente a mesma coisa de um grande número de mulheres e julgou inadiável a necessidade do livro. Eu mal sabia que dentro de poucos meses Deus reuniria, de maneira divina, Steve e eu neste projeto (graças a meus amigos Ron e Katie Luce, nossos agentes literários da Alive Communications e os visionários da WaterBrook Press).

Anime-se então e saiba que seus gritos de socorro foram ouvidos. Este livro é um manual de instruções que ajudará você a evitar a transigência sexual e emocional, mostrando como experimentar o plano de Deus para a satisfação sexual e emocional. Escrevi também um abrangente caderno de exercícios para acompanhar *A batalha de toda mulher*. Ele lhe será útil para que examine sua própria vida, a fim de desenvolver um plano prático para vencer sua batalha particular pela integridade sexual e emocional.

Você quer ser uma mulher íntegra sexual e emocionalmente? Com a ajuda de Deus você pode. Vamos começar.

Parte I

Compreendendo onde estamos

1

A batalha não é só do homem!

• • • • • • • • •

Vocês tropeçarão em plena luz do dia [...].
Meu povo está sendo destruído porque não me conhece.

OSEIAS 4.5-6

Certa vez, eu estava tendo casos extraconjugais com cinco homens diferentes.

O primeiro foi Scott. Eu o conheci quando trabalhava como voluntária num acampamento de verão. Scott era extrovertido e conversador. O que primeiro me atraiu para ele foi sua facilidade em bater papo com qualquer pessoa, não só para conversas superficiais, mas também para assuntos profundos e significativos. Quando eu entrava na sala ele me dava muita atenção, perguntando tudo sobre como iam as coisas e como eu estava me sentindo. Meu marido, em comparação, era um homem de poucas palavras, o tipo forte e silencioso.

Em seguida veio meu treinador de mergulho, Mark. Com seu cabelo volumoso e grisalho, ele se parecia com o ator Lloyd Bridges. A experiência e amor de Mark pelo mergulho me intrigavam. Ele me incentivou a vencer o medo e me ajudou a descobrir meu lado aventureiro debaixo d'água. Sentia-me segura perto dele, como uma filha sente-se segura junto do pai. Meu marido, por sua vez, era apenas alguns anos mais velho do que eu e não despertava em mim um sentimento de proteção e segurança como Mark.

Tom era meu professor de contabilidade na universidade. O que me chamava a atenção nele eram seu espírito brincalhão e sua inteligência. Eu esperava que contabilidade fosse a mais tediosa das matérias, mas Tom conseguia torná-la a parte mais divertida e interessante de meu dia. Meu marido também era um contador inteligente, mas não me fazia rir como Tom. Sua espirituosidade era pálida comparada com a de Tom.

Ray veio mais tarde. Fomos namorados antes de me casar com Greg. Ray era um romântico à moda antiga, enchia-me de elogios e me atordoava com sua paixão arrebatadora. Experimentei ao lado de Ray uma centelha mágica que o relacionamento com meu marido parece nunca ter tido. Ray havia estabelecido um padrão de romantismo que meu marido não podia alcançar.

Por último havia o Clark. Ele tinha uma beleza rude, mas ao mesmo tempo suave e gentil. Eu ficava à espera de encontrar-me com ele todas as noites de sexta-feira. No momento em que eu chegava ao balcão da locadora, o dono ia automaticamente para a seção de clássicos e pegava qualquer filme de Clark Gable. Qualquer um servia. Eu gostava de todos. Mesmo com seus dois metros de altura, meu marido não era páreo para o Clark.

Embora eu não estivesse tendo relações sexuais com nenhum desses outros homens, ainda assim estava tendo um caso com cada um deles, um caso mental e/ou emocional. Minhas fantasias de ser a amada de Clark Gable, lembranças de meu relacionamento romântico com Ray, fascinação pela espirituosidade de Tom, a maturidade de Mark e os talentos comunicativos de Scott afetavam meu casamento de um modo tão danoso quanto uma relação sexual.

Eu estava ignorando as inúmeras qualidades de meu marido por estar focando os atributos negativos dele ou me concentrando nos atributos positivos de um desses outros homens. Pelo fato de viver com Greg, eu via não só o que era bom nele, como também o que era mau e feio. Ele deixava a tampa da privada levantada de madrugada. Roncava e tinha mau hálito pela manhã. Escovava os dentes e deixava a pasta na pia. Eu sentia às vezes que Greg não era capaz de fazer nada que me agradasse. Com todas as minhas críticas, ele provavelmente achava que não podia mesmo fazer nada que me satisfizesse.

Os defeitos dos outros homens, porém, estavam fora de alcance para mim. Olhava para eles e não via nada além de suas brilhantes qualidades, do tipo das que inicialmente eu tinha visto em Greg, mas das quais me esquecera com o passar dos anos por causa de todas as comparações que eu fazia.

Eu me sentia distante e desiludida. Ele poderia excitar-me como os outros homens faziam? Eu ainda o amava? Será que algum dia ele corresponderia aos meus sonhos? Algum dia eu poderia viver bem com meu parceiro "menos que perfeito"?

Felizmente, as respostas positivas a essas perguntas emergiram no momento em que terminei aqueles casos e mudei meu padrão de medida. Alegro-me por poder dizer que nosso casamento de treze anos continua forte e nunca esteve melhor (embora, como qualquer outro casal, tenhamos nossos momentos difíceis). Sou agradecida por nunca ter trocado Greg por outro modelo e ainda mais grata porque ele também não desistiu de mim. Juntos, descobrimos um nível de intimidade que não sabíamos existir, tudo porque deixei de comparar e criticar, passando a aceitar a singularidade de meu marido.

Durante a última década em que vim buscando minha cura desses (e de outros) problemas e passei a ensinar sobre o tema da pureza sexual e restauração, compreendi finalmente que, de uma ou de outra maneira, a integridade sexual e emocional é uma batalha que toda mulher trava. Muitas mulheres, entretanto, estão lutando com os olhos fechados porque não percebem sequer que estão travando uma batalha. Muitas delas creem que só porque não estão envolvidas sexualmente, não têm problemas com a integridade sexual e emocional. Como resultado, deixam-se levar por pensamentos e comportamentos que comprometem sua integridade e lhes roubam a verdadeira satisfação sexual e emocional.

Deixe-me mostrar o que quero dizer, apresentando a você algumas mulheres cujos olhos estão fechados para as concessões que estão fazendo.

• • • • •

Rebeca tem um casamento feliz há mais de dez anos e diz que o marido é muito delicado e carinhoso na cama.

> Craig tem se mostrado tão cuidadoso com o meu prazer quanto com o dele. Sinto que é importante para ele que eu tenha um orgasmo, por isso, na maior parte do tempo em que estamos fazendo amor, eu só fecho os olhos e imagino estar com outro homem. Não se trata de um homem que conheço. É só um rosto e um corpo imaginários que me excitam por serem desconhecidos e parecerem perigosos, entende? A ideia de ser seduzida por esse estranho em algum lugar exótico me faz desejar o sexo. Parece que não posso sentir esse desejo em casa sentada com meu marido. Não se trata de ele não ser atraente, mas fico mais excitada quando penso numa ligação perigosa com alguém cujas meias eu não tenha de recolher do chão.
>
> De fato, eu poderia nunca fazer tal coisa (pelo menos penso que não faria), mas me sinto obrigada a atingir um clímax, e fantasiar outros homens parece ser a única maneira de chegar lá. Não vejo nada errado no que faço, mas outro dia brinquei a respeito disso com Craig, e agora ele está criando uma tempestade num copo d'água. Diz que se sente traído por eu não estar "mentalmente presente" com ele enquanto fazemos amor. Diz que não há diferença entre o que estou fazendo e ele ver pornografia, mas não concordo. Não há nada de errado com isso se eu nunca for realmente infiel a ele, há? Toda mulher age desse modo, não é?

• • • • •

Carol é uma mulher muito atraente, de 45 anos, casada há vinte anos. Ela e o marido, Chris, são líderes em sua igreja e servem como conselheiros para os casais da congregação que precisam de ajuda em seu relacionamento. Chris, entretanto, viaja muito por causa de seu emprego e Carol fica sozinha em algumas situações de aconselhamento bem complicadas.

Há alguns meses, Carol recebeu um chamado às nove da noite de Steve, membro antigo de sua classe da escola dominical. Todos sabiam que a mulher de Steve era alcoólatra fazia anos e naquela noite sua embriaguez levara Steve a procurar ajuda. Ele perguntou a Carol se podia ir até sua casa e conversar um pouco com ela e Chris.

"Eu sabia que não era prudente convidar Steve para nossa casa na ausência de Chris. Afinal de contas, ele estava muito vulnerável e era bastante atraente. Sugeri que nos encontrássemos para um café numa padaria próxima. Sua angústia tocou as cordas do meu coração. Conversamos até depois da meia-noite, sugeri que orássemos juntos e depois fôssemos para casa, já que a padaria estava fechando."

Quando Carol inclinou a cabeça com as mãos entrelaçadas sobre a mesa, ela sentiu as mãos fortes de Steve cobrirem as suas e ouviu enquanto ele derramava o coração ao orar: "Senhor, ajude minha esposa a ver como as coisas seriam se ela apenas ficasse sóbria. Ajude-a a ser mais paciente e atenciosa... como a Carol".

Meses depois, havia noites nas quais Carol ficava imaginando tornar-se ainda mais íntima de Steve. Na verdade, o clima entre ela e Chris entrou em curto-circuito, à medida que Carol muitas vezes se mostra zangada ou deprimida sem razão aparente. "Na escola dominical, toda vez que ouço Steve falar, parece que me sinto presa a cada palavra e imagino o que mais poderia fazer para aliviar sua dor sem levantar suspeitas de que agora tenho forte sentimentos em relação a ele. Em certas ocasiões digo a mim mesma que deveria confessar isso ao Chris e ao nosso pastor, e abandonar o aconselhamento matrimonial por algum tempo. Todavia, há muitos outros dias em que penso: *Você não está fazendo nada para prejudicar o casamento deles, portanto deixe de sentir-se culpada! Só porque acha Steve atraente, não significa que não deve tentar ajudá-lo*".

• • • • •

Com 28 anos e solteira, Sandra vem se masturbando com frequência há mais de quinze anos. Seu problema começou aos 12, quando encontrou um dos romances da mãe. Leitora voraz, Sandra logo passou a devorar vários livros por semana, excitando-se sexualmente e usando a masturbação para "aliviar-se". Sandra confessa:

> Na época em que me formei no ensino médio, eu costumava segurar firmemente o livro com uma das mãos e estimular-me com a outra. Embora sentisse no íntimo que agia errado, sempre justificava minha atitude. Afinal, a Bíblia não proibia isso. Deus fizera meu corpo receptivo e certamente não me negaria esse prazer, não é? Uma vez que ele não me dera um marido, senti que tinha esse direito. Ele com certeza não esperava que eu fosse esperar tanto tempo, concorda? Quem eu estava prejudicando? Não havia mais ninguém envolvido.
>
> No entanto, sempre senti que havia uma barreira entre mim e Deus. Senti que ele me chamava para abandonar esse comportamento, para afastar-me disso. O desejo, entretanto, é muito forte. Deixei de ler os romances há vários anos, mas continuo fantasiando quando estou deitada sozinha e geralmente acabo me masturbando. Sempre digo a mim mesma: "Vou ser obediente amanhã ou na próxima semana, mas no momento tenho necessidade disso". Algumas vezes até fico zangada com Deus e penso: *Se o Senhor me desse um marido eu não teria esse problema!*

• • • • •

Lacy está casada há sete anos e tem dois filhos pequenos. Embora ela e o marido, David, se entendessem muito bem enquanto namorados, as coisas entre eles foram piorando depois do casamento por causa de pressões financeiras. Tendo ficado desempregado no ano anterior, David se viu obrigado a fazer bicos para chegar ao fim do mês. Aceitou um trabalho de entregador de jornais num bairro do outro lado da cidade. Ele levanta às quatro da manhã para cumprir suas responsabilidades de entrega dos jornais e depois faz qualquer trabalho que a agência de empregos temporários indique para aquele dia. Lacy reclama:

David só pensa em trabalhar, jantar e depois ir direto para a cama. Ele mostra pouco interesse em passar tempo comigo ou me ajudar com as crianças. Ainda bem que não queremos mais filhos, porque agora raramente fazemos sexo.

Fico com inveja quando vejo outros maridos fazendo compras no supermercado com a esposa, indo à igreja com a família, levando os filhos ao parque e coisas do tipo. Confessei isso a uma amiga certo dia, e ela me disse que a grama sempre é mais verde do outro lado da cerca. Pregou um pequeno sermão para mim sobre cobiçar o marido da vizinha e então me calei.

Embora eu nunca tenha pedido divórcio porque levo a sério meus votos de casamento, muitas vezes imagino se David morrerá antes de mim para que eu possa algum dia ter a chance de viver um casamento mais feliz e bem-sucedido com um marido atencioso. Sonho com isso frequentemente, e na maioria das vezes quando ainda estou deitada pela manhã depois de David já ter saído para a entrega dos jornais. Naquele momento em que estou meio acordada e meio dormindo, sonho sair com outro homem que deseje nos levar para comer fora ou com um novo marido que esteja na cozinha fazendo preparativos para me trazer café na cama.

Semeie concessão, colha destruição

Embora nenhuma dessas mulheres pudesse ser julgada num tribunal por infidelidade e condenada por adultério, será que elas não estiveram semeando as sementes da concessão?

As Escrituras nos advertem justamente sobre isso:

Quem vive apenas para satisfazer sua natureza humana colherá dessa natureza ruína e morte.

Gálatas 6.8

A tentação vem de nossos próprios desejos, que nos seduzem e nos arrastam. Esses desejos dão à luz o pecado, e quando o pecado se desenvolve plenamente, gera a morte.

Tiago 1.14-15

Nessas passagens bíblicas somos chamadas para uma vida reta. O princípio é este: a busca de satisfação dos desejos carnais sempre acabará em morte. Quando plantamos as sementes da concessão emocional e mental, nossa colheita será a destruição relacional. Pergunte a Jean.

Apanhada na rede da intriga

Jean está no final da casa dos trinta e é casada com Kevin, um vendedor de computadores. Quando os filhos entraram na escola, Jean decidiu refazer antigas amizades em seu tempo livre. Ao ver o valor elevado da conta telefônica, Kevin insistiu que Jean aprendesse a usar o *e-mail* para cortar as despesas daqueles reencontros que ela estava tendo! Por ser um vendedor experiente, Kevin convenceu Jean de que ela poderia aprender a usar a internet como qualquer outra pessoa.

Ela gostou daquele novo passatempo de enviar *e-mails* fofos, visitar *sites* para descobrir promoções de desconto, dar lances em leilões de objetos de arte, escanear e enviar fotos para as redes sociais e assim por diante. Em seguida Jean descobriu as salas de bate-papo.

Alguns minutos diários numa dessas salas aumentaram para várias horas a cada dia. Certa manhã, enquanto esperava que as amigas escrevessem, ela leu uma pergunta de alguém com o apelido de MiamiMike.

— Há alguém aí ou estou sozinho nesta sala?

Depois de alguns momentos, Jean respondeu:

— Parece que estamos só nós dois!

Quando as amigas de Jean finalmente entraram na sala de bate-papo, meia hora mais tarde, ela e Mike já haviam descoberto muita coisa a respeito um do outro — muita coisa em comum. Jean crescera na Flórida e era louca por praia. Ao ler sobre o condomínio de frente para o mar onde Mike morava, enquanto ela estava em Minnesota sentada em sua casa coberta pela neve, Jean pôs-se a ansiar por um clima mais quente.

Ela começou a deixar os filhos na escola e voltar direto para casa a fim de se conectar à internet, sabendo que Mike a esperava. Certa vez Mike pediu-lhe que acessasse outra vez à noite, para conversarem antes que ele fosse se deitar. Naquela noite, Jean pôs os filhos na cama, deitou-se ao lado de Kevin até que ele adormecesse e saiu do quarto na ponta dos pés, indo para o escritório onde Mike a aguardava. Jean sentiu que estava enganando o marido, mas pensou: "Afinal de contas, Mike está a centenas de quilômetros de distância! O que poderia acontecer tendo todo esse espaço entre nós?".

O laço emocional entre Jean e MiamiMike apertou até ficar firme como o cimento. Algumas semanas mais tarde, Jean não pôde mais conter a curiosidade e perguntou a Kevin se poderia voar para a Flórida no fim de semana para reunir-se com algumas velhas amigas da escola. "Claro, querida, eu dou conta", respondeu Kevin, pensando ter feito um favor a ela. Na verdade, deu-lhe corda suficiente para se enforcar.

Após 72 horas, ela se encontrava num avião rumo a Miami. Agradavelmente surpreso, MiamiMike encontrou-se com ela no aeroporto e a levou para seu apartamento, onde uma garrafa de champanhe gelada e duas taças de cristal os aguardavam ao lado de uma banheira aquecida. (Vamos voltar a falar de Jean mais adiante neste livro.)

A batalha não é só do homem!

Jesus afirmou:

> Vocês ouviram o que foi dito: "Não cometa adultério". Eu, porém, lhes digo que quem olhar para uma mulher com cobiça já cometeu adultério com ela em seu coração.
>
> Mateus 5.27-28

Estaria ele aqui falando apenas aos homens? Claro que não! A fim de ajudar-nos a aplicar essa passagem à nossa vida, vamos parafrasear o versículo:

> Eu, porém, lhes digo que qualquer mulher que olhar para um homem com desejo já cometeu adultério com ele em seu coração.

Quando ouço as pessoas dizerem que as mulheres não lutam com questões sexuais como os homens, não posso fazer outra coisa senão ficar pensando de que planeta elas são ou debaixo de que pedra estiveram escondidas. É possível que na verdade queiram dizer que o ato *físico* do sexo não seja uma tentação predominante para as mulheres como é para os homens.

Homens e mulheres lutam de formas diferentes quando a questão é a integridade sexual. Enquanto a batalha do homem começa com o que ele absorve com os olhos, a da mulher tem início no coração e nos pensamentos. O homem deve proteger seus olhos a fim de manter a integridade sexual, e pelo fato de Deus ter feito as mulheres mais estimuladas emocional e mentalmente, devemos proteger de perto nosso coração e mente tanto quanto nosso corpo se desejamos experimentar o plano de Deus para a satisfação sexual e emocional. A batalha da mulher é pela integridade sexual *e* emocional.

Embora o homem precise de uma ligação mental, emocional e espiritual, suas necessidades físicas tendem a ocupar o lugar do motorista enquanto as demais ficam no banco de trás. O inverso acontece com as mulheres. Se existe uma necessidade específica que nos domina, trata-se certamente de nossas necessidades emocionais. É por isso que dizem que os homens *dão amor para conseguir sexo* e as mulheres *dão sexo para obter amor*. Essa declaração não pretende ser polêmica — é simplesmente assim que Deus nos fez.

Outra diferença singular entre homens e mulheres é que muitos deles são capazes de entregar o corpo a uma parceira sem necessidade de dar-lhe sua mente, coração ou alma, enquanto as mulheres são relativamente incapazes disso. Ele pode aproveitar o ato do sexo sem comprometer o coração ou unir-se espiritualmente ao objeto de seu desejo físico. O corpo da mulher, porém, só é dado a alguém em quem ela pensa noite e dia e com quem seu coração e seu espírito já estão ligados (a não ser que haja um comportamento emocional ou um hábito compulsivo disfuncional envolvido). Quando ela entrega a mente, o coração e a alma, o corpo geralmente vai junto. Os quatro aspectos estão intrincadamente ligados (falaremos mais sobre isso no próximo capítulo).

HOMENS	MULHERES
• desejam intimidade física	• desejam intimidade emocional
• dão amor para conseguir sexo	• fazem sexo para obter amor
• o corpo pode desligar-se da mente, do coração e da alma	• corpo, mente, coração e alma completamente interligados
• estimulados pelo que veem	• estimuladas pelo que ouvem
• ciclo recorrente de necessidades físicas	• ciclo recorrente de necessidades emocionais
• vulneráveis à infidelidade na ausência de toque físico	• vulneráveis à infidelidade na ausência de ligação emocional

Figura 1.1

Enquanto os homens são principalmente despertados pelo que veem, as mulheres são mais estimuladas pelo que ouvem. Ele pode ter fantasias no que se refere a observar uma mulher despir-se, mas ela fantasia sobre ele sussurrando coisas doces em seu ouvido. A tentação de olhar pornografia pode ser avassaladora para um homem, enquanto as mulheres prefeririam ler o diálogo amoroso num romance. Os homens querem olhar e tocar, enquanto as mulheres preferem muito mais conversar e relacionar-se.

A maioria dos homens experimenta uma necessidade regular e recorrente de alívio físico, sexual. Alguns sentem essa necessidade intensa a cada dois dias. Outros a experimentam duas vezes por semana ou até menos (de acordo com a idade). Embora a frequência da necessidade varie de homem para homem, cada um tem o seu "ciclo" sexual próprio no qual experimenta esses desejos físicos. Talvez seja difícil para algumas mulheres entender que o sexo é na verdade uma necessidade cíclica para os homens, mas nós também não temos o nosso ciclo particular? Mesmo que o prazer físico não seja às vezes uma necessidade cíclica, ansiamos por atenção e afeto de modo regular e recorrente.

Assim como um homem se torna muito mais vulnerável a um caso sexual quando a esposa raramente responde a suas necessidades físicas de alívio sexual, a mulher se torna mais vulnerável a um caso quando suas necessidades emocionais são negligenciadas por muito tempo. No momento em que uma mulher chega a ter um caso sexual, quase sempre esse caso começou no plano emocional. Devido a suas necessidades emocionais, seu coração grita por alguém que lhe satisfaça os desejos íntimos de ser amada, necessária, valorizada e apreciada. As necessidades emocionais da mulher são vitalmente tão importantes quanto as necessidades físicas do homem.

A Figura 1.1, acima, resume as principais diferenças entre a maneira como os homens e as mulheres reagem sexualmente.

A ingenuidade não é uma virtude

Ao que parece, Rebeca, Carol, Sandra e Lacy não estão fisicamente tendo um caso com um parceiro fora do casamento. Mas não sejamos ingênuas a ponto de acreditar que, por isso, elas não estejam comprometendo sua integridade sexual. Também não é inteligente pensar que o que aconteceu com Jean ou qualquer das outras mulheres nunca poderia acontecer conosco.

A Bíblia nos diz:

> Portanto, se vocês pensam que estão de pé, cuidem para que não caiam. [...] Portanto, preparem sua mente para a ação e exercitem o autocontrole. [...] Não voltem ao seu antigo modo de viver, quando satisfaziam os próprios desejos e viviam na

ignorância. Agora, porém, sejam [santas] em tudo que fizerem, como é santo aquele que [as] chamou. Pois as Escrituras dizem: "Sejam [santas], porque eu sou santo". [...] Que não haja entre vocês imoralidade sexual, impureza ou ganância.

1Coríntios 10.12; 1Pedro 1.13-16; Efésios 5.3

As Escrituras compreendem nossa tendência muito humana de viver negando, fechando os olhos para as coisas que precisam ser mudadas em nossa vida. A mudança é difícil e preferíamos continuar como estamos. Deus, entretanto, não nos chamou para vivermos assim. Ele quer nos ajudar a controlar nossa mente e nossos desejos para podermos nos assemelhar mais a ele. Quer nos ajudar a descobrir seu plano para a satisfação relacional. Não podemos, porém, fazer isso se insistirmos em manter os olhos fechados para as concessões que nos roubam a completa satisfação sexual e emocional.

A fim de ajudar você a abrir os olhos para sua batalha pela integridade sexual e emocional, eu a encorajo a responder ao seguinte questionário.

Você está envolvida numa batalha?

Coloque Sim ou Não como resposta às perguntas a seguir:

Sim/Não

1. Ter um homem em sua vida ou arranjar um marido é algo que domina seus pensamentos? _____

2. Se há um homem em sua vida, você o compara a outros homens (física, mental, emocional ou espiritualmente)? _____

3. Você pensa muito sobre como seria sua vida depois da morte de seu marido, imaginando quem poderia ser o "próximo homem"? _____

4. Esconde segredos sexuais? _____

5. Sente-se inferior se não tiver um interesse amoroso em sua vida? Um relacionamento romântico dá a você um sentido de identidade? _____

6. Parece atrair relacionamentos ruins ou problemáticos com os homens? _____

7. Os homens acusam você de ser manipuladora ou controladora? _____

8. Você se sente secretamente estimulada ou poderosa quando percebe que um homem a considera atraente? _____

9. Tem dificuldade em responder aos avanços sexuais de seu marido por sentir que ele deveria primeiro satisfazer as suas necessidades? _____

10. Permanecer emocional ou fisicamente fiel a uma só pessoa é um desafio para você? _____

11. Geralmente escolhe suas roupas pela manhã de acordo com os homens que encontrará durante o dia? _____

12. Acaba flertando ou usando insinuações sexuais (mesmo que não pretenda nada) ao conversar com alguém que considere atraente? _____

13. Ressente-se do fato de seu marido desejar mais sexo do que você, ou preferiria que ele apenas se masturbasse a fim de você não precisar desempenhar-se sexualmente? _____

14. Sente necessidade de masturbar-se quando fica sexualmente estimulada? _____

15. Lê romances por causa das fantasias que eles evocam ou porque eles a estimulam sexualmente? _____

16. Já usou os relacionamentos pré-matrimoniais ou extraconjugais para "aliviar" seu sofrimento emocional? _____

17. Existe alguma área de sua sexualidade que é desconhecida por seu marido, não é aprovada por ele ou não o envolve? _____

18. Você gasta mais tempo ou energia cuidando das necessidades de outros por meio de atividades da igreja ou sociais, do que atendendo às necessidades sexuais de seu marido? _____

19. Usa pornografia sozinha ou com um parceiro? _____

20. Fantasia sobre ter intimidade com outro homem além de seu marido? _____

21. Tem dificuldade em conquistar e manter amigas íntimas? _____
22. Conversa com estranhos pela internet? _____
23. Já se sentiu incapaz de se concentrar no trabalho, na escola ou em tarefas domésticas por causa de pensamentos ou sentimentos que esteja alimentando sobre outro homem? _____
24. Acha que a palavra *vítima* descreve você? _____
25. Evita o sexo em seu casamento por sentir culpa espiritual ou pela sensação ruim ao pensar que o sexo seja algo sujo? _____

Não existe um "número mágico" que determine seu nível de integridade sexual ou emocional. Todavia, se o fato de ler essas perguntas despertou em você a convicção de que sua atividade sexual, comportamento romântico ou laços emocionais são nocivos a seu crescimento espiritual ou intimidade no casamento, este livro tem a intenção de ajudá-la a alcançar a vitória em sua área de dificuldade.[1]

Vamos abrir os olhos para compreender melhor esse dom da sexualidade e eliminar alguns dos mitos que talvez tenham mantido você, como muitas outras mulheres, na defensiva nesta batalha. Os capítulos seguintes ajudarão você a:

1. entender a complexidade da sexualidade e compreender melhor a batalha singular das mulheres com a integridade emocional (cap. 2);
2. reconhecer os mitos sobre a sexualidade que dominam nossa cultura e como eles afetam a integridade sexual da mulher (caps. 3—4);
3. controlar suas tendências para buscar amor nos lugares errados, quer esta seja uma batalha física, mental ou emocional (caps. 5—8);
4. reconectar-se com seu marido (ou conectar-se com seu futuro marido) para que possa desfrutar a satisfação sexual e emocional que Deus pretende para o casamento (cap. 10); e
5. evitar colocar expectativas irreais sobre seu marido atual ou futuro, e ligar-se à única e verdadeira fonte da satisfação (cap. 11).

Se você já se perguntou por que se sente tão desconectada de Deus, talvez encontre sua resposta neste livro. Minha oração é que em meio a estas páginas você encontre esperança, cura e restauração.

2

Um novo olhar para a integridade sexual

• • • • • • • • • •

Eu, o Senhor, o chamei para mostrar minha justiça;
eu o tomarei pela mão e o protegerei.
Eu o darei a meu povo, Israel,
como símbolo de minha aliança com eles,
e você será luz para guiar as nações:
abrirá os olhos dos cegos,
libertará da prisão os cativos,
livrará os que estão em calabouços escuros.

Isaías 42.6-7

Janete, de 35 anos, tem tido vários encontros na hora do almoço nos últimos anos com seu bom amigo Dave, colega numa empresa de arquitetura. Dave é casado, mas não fala muito sobre a esposa, o que leva Janete a se perguntar se o casamento deles vai durar. O chefe dos dois pediu à equipe de trabalho que participasse de uma conferência sobre educação em Minneapolis. Janete começou a pisar num campo emocional minado a partir do momento em que soube que eles eram os dois únicos membros do grupo que poderiam ir à conferência. Ela confessa:

> Fiquei imaginando Dave e eu sentados lado a lado no avião, provocando um ao outro intelectualmente como sempre acontece em nossas conversas. Imaginando o quarto de hotel dele perto do meu, e como ele poderia ir comigo até minha porta, decidindo entrar para terminarmos a conversa. Conversaríamos até altas horas, até que ele se despedisse com um abraço como sempre faz, e eu sentiria seu corpo hesitar enquanto se esforça para afastar-se. Se ele for tão atraído por mim como sou por ele, meu medo (ou esperança) é que isso realmente aconteça. Se ele não tiver forças para resistir, estou quase certa de que aceitarei o que ele quiser fazer. Sei que eu certamente não deveria participar dessa viagem com essas ideias na cabeça, mas também não posso conceber a ideia de não ir.

Janete cruzou a linha no que diz respeito à integridade sexual?

• • • • •

O segredo de Kelly a devora viva há mais de dez anos:

> No primeiro ano da faculdade comecei a namorar Sam, um rapaz mais velho que tinha muito mais experiência sexual do que eu. Fiquei loucamente apaixonada por ele e em poucos meses estávamos dormindo juntos. Foi então que tropecei em sua vasta coleção de vídeos escondida na prateleira mais alta do armário. Envergonha-me dizer que na ocasião não fiquei ofendida com sua coleção de pornografia, tive apenas curiosidade. Comecei a assistir aos vídeos com ele, só para ver o que continham. Não demorou muito para que eu começasse a pedir para ver determinados vídeos enquanto fazíamos sexo. Não compreendo a razão, mas os que realmente me excitavam eram aqueles que envolviam um trio (um rapaz e duas jovens) ou os que tinham apenas duas mulheres juntas.
>
> Mesmo depois de ter rompido com Sam, pedi que me desse os dois vídeos de que eu mais gostava. Passei a me masturbar diante deles várias vezes, mas ao me casar com um cristão que eu tinha certeza de que não os aprovaria, joguei-os fora. Isso foi há muitos anos, mas nunca consegui tirar da mente aquelas imagens. Embora meu marido seja um bom amante, penso em todas aquelas cenas quando estou tentando ter um orgasmo, porque é só isso que realmente parece me estimular. Eu jamais desejaria estar com uma mulher na vida real, por isso não compreendo porque essas fantasias são parte tão importante de minha vida sexual. Tenho medo de que meu marido, caso venha a saber disso, pense que se casou com uma lésbica.

Kelly cruzou a linha no âmbito da integridade sexual?

• • • • •

Caroline, de 45 anos, confessa que sua maior batalha na vida tem sido não se comparar com outras mulheres. No vestiário feminino, ela começa a comparar a largura de sua cintura e quadris, a firmeza de seus seios e a quantidade de celulite em suas coxas com as de cada uma que passa por ela. "Quando estou trocando de roupa na presença de uma mulher mais gorda, sinto-me magra e poderosamente bonita. Mas, se uma magrinha entra, dou uma segunda olhada para a imagem do espelho e penso: *Eca!*"

Essa armadilha da comparação infelizmente não só afeta a autoestima de Caroline, mas se projeta também em seu casamento de dezesseis anos. Embora ela descreva o relacionamento deles como "bom", Caroline admite:

> Algumas vezes desejo que Wendell seja mais parecido com alguns de nossos amigos. Gosto da maneira como Bill me faz rir; Wendell só reconheceria uma piada se ela sorrisse para ele. Bob é muito jeitoso com ferramentas e constrói todo tipo de coisas úteis para a casa deles; Wendell não saberia construir uma gaiola nem que sua vida dependesse disso. Larry é muito atencioso com a esposa, sempre lhe dando flores ou levando-a para passear. Para Wendell, namorar é ficar sentado na mesma sala assistindo juntos a programas de TV. Se a companhia dele fosse um pouco mais interessante, eu me sentiria mais inclinada a ter intimidade, mas é difícil ficar excitada com alguém desse jeito.

Caroline cruzou a linha da integridade sexual?

• • • • •

Muitas pessoas diriam que Janete, Kelly e Caroline ainda não cruzaram a linha da integridade, simplesmente porque não chegaram ao relacionamento sexual fora do casamento. Eu, porém, discordo. Cada uma delas cruzou a linha ao transigir de maneiras específicas. Para ajudar você a compreender melhor o que a integridade sexual significa para uma mulher, vamos falar de "sexualidade em cima da mesa".

Sexualidade em cima da mesa: equilíbrio e integridade

Quando falo de sexualidade em cima da mesa nos seminários, algumas pessoas ficam vermelhas, pensando que estou me referindo às várias posições sexuais ou lugares da casa que um casal pode experimentar. Não entre em pânico. Sexualidade em cima da mesa é uma figura de linguagem que uso para ajudar as mulheres a compreenderem melhor o significado da integridade sexual. Assim como uma mesa tem quatro pés que a sustentam, a nossa sexualidade é formada por quatro componentes. Se faltar uma das pernas ou uma delas se quebrar, a mesa perde o equilíbrio e as coisas colocadas sobre ela escorregam.

Algumas de minhas amigas descobriram esse conceito em sua recepção de casamento. Depois da cerimônia, Kevin e Ruth foram para o salão de recepção onde uma mesa de banquete comprida, coberta por uma toalha de renda, ostentava o lindo bolo de noiva de muitos andares, a poncheira de cristal e as taças, o faqueiro de prata e os guardanapos drapeados e monogramados. O único problema foi que a pessoa que arrumou a mesa se esqueceu de fechar a trava numa das pernas dobráveis. No momento em que o ponche vermelho foi derramado na poncheira de cristal, a perna dobrou e tudo escorregou até a extremidade da mesa e depois para o chão, fazendo muito barulho! O bolo caiu no meio da poça de ponche vermelho e os guardanapos ficaram ensopados. Todo mundo olhou para os noivos esperando olhares surpresos e horrorizados. Para alegria de todos, porém, Kevin e Ruth caíram na risada!

Não há motivo para rir quando uma das "pernas" de nossa sexualidade dobra, porque nossa vida pode então se tornar uma rampa escorregadia que resulta em descontentamento, transigência sexual, autorrepulsa e problemas emocionais. Quando isso acontece, a bênção de Deus dada com o propósito de trazer excelência e prazer à nossa vida parece mais uma maldição que produz sofrimento e desespero ainda maiores.

Como já mencionei, nossa sexualidade se compõe de quatro aspectos distintos: as dimensões física, mental, emocional e espiritual de nosso ser. Essas quatro se unem para formar o indivíduo único que Deus designou que você seja. Muitas pessoas cometem o erro de supor que nossa sexualidade fica limitada ao físico, que só somos "sexuais" quando estamos praticando sexo. Nada poderia estar mais longe da verdade. Deus criou todos os seres humanos como seres sexuais, quer venham a fazer sexo, quer não. Você era sexual no dia em que foi concebido. Você era sexual quando vestia suas bonecas Barbie e quando chorou com sua primeira desilusão. Você é sexual até enquanto lê este livro.

Por definição, nossa sexualidade não é *o que fazemos*. Até mesmo as pessoas comprometidas com o celibato são seres sexuais. Nossa sexualidade é *quem somos*, e fomos feitos com corpo, mente, coração e espírito, e não apenas com um corpo. Portanto, a integridade sexual não enfoca apenas a castidade física. Ela abrange a pureza nos quatro aspectos de nosso ser: corpo, mente, coração e espírito. Quando esses quatro aspectos se alinham perfeitamente, nossa "tampa da mesa" (nossa vida) apresenta equilíbrio e integridade.

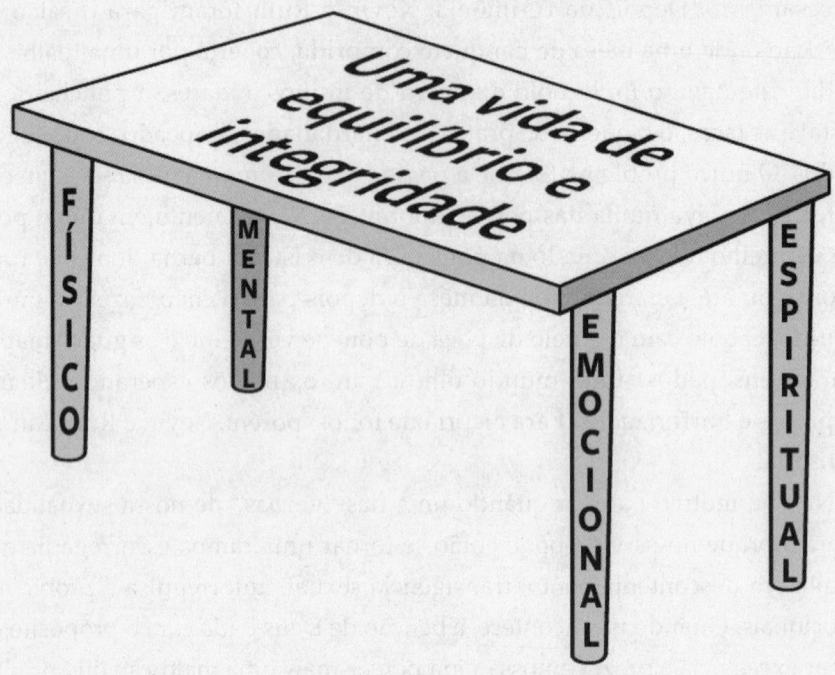

Encostas escorregadias não identificadas

Já houve períodos em sua vida nos quais você se concentrou muito em um desses aspectos (físico, mental, emocional ou espiritual) enquanto negligenciava completamente os outros? Vou explicar o que quero dizer:

- Nicole, uma advogada, vem fazendo há meses pesquisas sobre um caso importante que está questionando em juízo, mas não tem tido tempo para socializar, fazer exercícios ou passar tempo de qualidade com o marido. (Nicole está alimentando excessivamente o aspecto mental e deixando de alimentar o emocional e o físico.)
- Michelle passa grande parte do tempo prestando serviços voluntários na igreja, proporcionando estudos bíblicos para mulheres e participando do grupo de oração intercessora, mas tem pouco interesse em fazer sexo com o marido. (Michelle está alimentando excessivamente o lado espiritual enquanto negligencia o físico.)
- Ann se masturba com frequência e geralmente o sexo faz parte de seus namoros. Como resultado, sua culpa a impede de ir regularmente à

igreja ou de ler a Bíblia. (Ann está alimentando excessivamente o físico enquanto negligencia o espiritual.)
- Theresa vive comparando o marido com outros homens, o que não só a leva a fantasiar esses outros homens mostrando interesse por ela, como também faz com que resista às investidas do marido devido à desilusão e decepção que sente. (Theresa está alimentando excessivamente o aspecto mental e emocional com um sentimento falso, fantasioso, de intimidade, que é na verdade o equivalente a negligenciá-lo, assim como negligencia o lado físico.)

Essas mulheres estão insatisfeitas sexual e emocionalmente. Levam uma vida desequilibrada e falta-lhes a integridade sexual, embora algumas estejam evitando inteiramente o sexo. Veja bem, assim como a sexualidade não é definida pelo *que fazemos*, mas pelo *que somos*, a integridade sexual não é definida como "ser promíscua" ou "não tirar a calcinha", mas como manter um equilíbrio perfeito entre as dimensões física, mental, emocional e espiritual de nosso ser.

Precisamos cuidar de cada perna de nossa mesa conforme o plano perfeito de Deus a fim de alcançarmos a suprema satisfação e sentirmos aquela estabilidade física, mental, emocional e espiritual que Deus pretendeu que tivéssemos. Se uma perna é negligenciada, abusada ou tratada erroneamente, o resultado é algum tipo de transigência sexual ou prostração emocional. Quando cada perna é tratada ou atendida corretamente, o resultado é integridade sexual e plenitude emocional. Se você estiver tentando imaginar como alcançar esse estado de equilíbrio e inteireza, fique descansada, pois ao chegar ao final deste livro você terá as respostas.

No que se refere à mulher solteira, integridade sexual equivale a tentar ao máximo evitar todo tipo de desejos físicos, mentais, emocionais ou espirituais por um homem que não possam ser satisfeitos de modo correto. Ela pede a Deus que satisfaça essas necessidades até que tenha um marido. Isso não significa que não possa interessar-se ou ter esperança de conseguir um marido, mas sim que tenta com todas as forças guardar corpo, mente, coração e espírito para o homem com o qual vier a se casar.

Para a mulher casada, integridade sexual equivale a ligar-se de forma íntima física, mental, emocional e espiritualmente (em todos os sentidos e não só alguns) apenas com o marido. Qualquer concessão, não importa qual seja (física, mental, emocional ou espiritual), afeta sua integridade sexual como um todo. Uma parte contaminada contaminará, por fim, todas as partes correspondentes ou, pelo menos, a despojará da inteireza e satisfação sexual que Deus deseja que você tenha.

O problema com quase todos os nossos planos de permanecer sexualmente pura ou fiel no casamento é que eles só incluem os limites físicos. Poucas vezes percebemos a progressão emocional dos relacionamentos até que seja tarde demais e estejamos envolvidas num caso do coração. Uma vez que a mulher pode prejudicar sua integridade emocional muito antes de seu corpo tornar-se vulnerável à tentação, encorajo as mulheres a se concentrarem em manter suas emoções refreadas (tópico do capítulo 6). Sempre que guardamos o coração e o mantemos puro e fiel, protegemos também o corpo.

A maioria de nós, porém, não sabia disso enquanto crescia. Quando jovens chegamos ao extremo nos namoros. Beijar no primeiro encontro era praticamente uma certeza. Permitir que o rapaz "avançasse o sinal" era até normal desde que ele não contasse aos amigos que tinha ido "até o fim" com você. Toda essa atividade sexual durante o namoro, entretanto, não nos preparou para o verdadeiro amor, o compromisso da vida inteira e o casamento fiel como pensamos que faria. Em vez disso, preparou-nos para ansiar pela intensidade e entusiasmo que só um novo relacionamento traz, fazendo com que nos sentíssemos descontentes quando casadas e com um relacionamento estabilizado.

Quando entramos no casamento como "tecnicamente virgens" (tendo experimentado a maior parte dos prazeres exceto a relação sexual), em geral sentimos fortes tentações a praticar sexo com outros homens sem entender a razão. A razão é que não aprendemos a deter essas tentações desde o início quando éramos solteiras. Por não termos aprendido o autocontrole sexual quando solteiras (não apenas o controle físico, mas o emocional, mental e espiritual), parece extremamente difícil exercê-lo com os estressantes adicionais de dois filhos, as prestações do carro e o financiamento da casa. Como é decepcionante descobrir que a aliança de casamento colocada em nosso dedo não nos modificou em nada!

Uma aliança com os olhos do coração

Se a leitura sobre a sexualidade em cima da mesa e a necessidade do equilíbrio perfeito entre as dimensões físicas, mentais, emocionais e espirituais de nosso ser fez com que você se sentisse constrangida ou condenada, recomendo que faça uma aliança similar à discutida em *A batalha de todo homem*. Muitos homens, depois de lerem aquele livro, estão fazendo com seus olhos uma aliança semelhante à de Jó: "Fiz uma aliança com meus olhos de não olhar com cobiça para nenhuma jovem" (Jó 31.1). Embora a maioria das mulheres não costume olhar com desejo o corpo dos homens (apesar de haver algumas exceções a essa regra), cruzamos a linha da integridade sexual de outras maneiras. Quando nos envolvemos em casos emocionais, fantasias mentais e comparações pouco sadias, estamos cruzando essa linha e corroendo o plano de Deus para nos conceder suprema satisfação sexual e emocional com nosso (atual ou futuro) marido. Temos de fazer aliança com os olhos de nosso coração para não buscarmos em outras pessoas (reais ou imaginadas) a satisfação de nossas necessidades e desejos de forma a fazer concessões em nossa integridade sexual, quer sejamos casadas quer solteiras.

Que tipo de limites você impôs para proteger seu coração, mente e espírito além de seu corpo? Se nunca pensou nisso, os capítulos 5 e 8 irão ajudá-la, mas por enquanto vamos examinar o padrão de integridade para o qual Deus nos chama.

Contraste entre legalismo e amor

Ao discutir a respeito da integridade sexual, muitas mulheres querem uma lista de "faça" e "não faça", "pode" e "não pode", "deve" e "não deve". Elas querem saber: "O que posso fazer? Até onde posso ir sem problemas? Quanto é longe demais?".

O problema dessas questões está em basearem-se naquilo que é cultural e socialmente aceitável, coisas sujeitas a mudanças de um lugar para outro e de uma década para outra. Em nossa cultura, não vemos nada de errado em ter amigos íntimos do sexo oposto. Todavia, nos tempos bíblicos a mulher não podia tirar o véu do rosto para qualquer outra pessoa além do marido. No mundo ocidental, as mulheres frequentemente se esforçam para obter a atenção de um homem. Nos países do Oriente Médio, as mulheres acompanham os homens a vários passos de distância e tentam passar despercebidas. As mulheres ocidentais de nossos dias querem saber quão curtas suas saias, *shorts* e *tops* podem ser, mas não faz muito tempo que a questão de sapatos abertos criava escândalo entre os cristãos. Você poderia imaginar um *escândalo envolvendo sandálias* em sua igreja hoje?

Portanto, uma lista de leis sobre o que mulheres íntegras podem e não podem usar, devem ou não fazer, e assim por diante, não é a resposta. O que precisamos é de um padrão de integridade sexual que resista à prova do tempo e que se aplique a todas as mulheres em todas as culturas. Mas como preparar um conjunto de regras permanente e que inclua a todas?

A resposta não está no legalismo, mas no amor cristão. Dentre a superabundância de regras contidas no Antigo Testamento, Deus as reduziu a apenas dez mandamentos. Depois, no Novo Testamento, Jesus resumiu todos esses mandamentos em apenas dois. Se simplesmente pudermos aprender a viver de acordo com esses dois mandamentos, teremos uma vida de integridade sexual.

Essas duas leis foram explicadas quando Jesus respondeu à pergunta: "Qual é o maior mandamento?".

> "Ame o Senhor, seu Deus, de todo o seu coração, de toda a sua alma e de toda a sua mente." Este é o primeiro e o maior mandamento. O segundo é igualmente importante: "Ame o seu próximo como a si mesmo". Toda a lei e todas as exigências dos profetas se baseiam nesses dois mandamentos.
>
> Mateus 22.37-40

Jesus estava dizendo que o importante não é a lei, mas o amor. Se amarmos a Deus, a nosso próximo e a nós mesmos (nessa ordem), poderemos então viver muito acima de qualquer conjunto de regras ou regulamentos. Temos liberdade para desconsiderar os padrões legalistas quando vivemos pelo espírito do amor. Paulo repetiu essa forma de "liberdade com responsabilidade" quando escreveu:

> "Tudo é permitido", mas nem tudo convém. "Tudo é permitido", mas nem tudo traz benefícios. Não se preocupem com seu próprio bem, mas com o bem dos outros.
>
> 1Coríntios 10.23-24

Paulo estava afirmando que você pode fazer praticamente tudo, mas isso nem sempre é bom para você ou para os outros. Não se concentre no que é "permitido", mas no que é melhor para todos os envolvidos. Como podemos aplicar essa liberdade à integridade sexual? Escolha um tópico e passe-o através deste filtro do "contraste entre lei e amor":

- Embora judicialmente não haja proibição para uma mulher casada flertar com outro homem, isso na verdade é algo que pode ser feito com amor? (Isso o beneficiará da maneira correta?)

- Não há lei contra roupas que chamem atenção, mas nosso motivo para usá-las é edificar outros ou inflar nosso ego?
- Temos liberdade de expressão neste país, mas as palavras que usamos atuam em favor do bem dos homens a quem nos dirigimos, ou eles visam a nossos interesses pessoais?
- Nossos pensamentos buscam o melhor para outros ou servem a nossas próprias necessidades disfuncionais e desejos emocionais?
- A atenção e o afeto que desejamos expressar a um homem o edificarão ou farão com que tropece e caia em tentação?

Devemos olhar para além dos movimentos, para as motivações por trás de nossos atos. Ao agir assim, não precisamos mais nos preocupar com a lei, pois estaremos nos comportando de acordo com um padrão mais alto, o padrão do amor. A Figura 2.2 mostra a diferença entre avaliar nossos motivos e comportamentos através da lente do legalismo ou do amor.

Cada uma de nós é responsável perante Deus pelo que faz. Se quisermos obter o prêmio da integridade sexual, é possível que tenhamos de abrir mão de algumas de nossas "liberdades" (no que se refere a vestir, pensar, falar e comportar-se), a fim de servir por amor aos melhores interesses de outros. Deus não só proverá esse conhecimento de como agir com integridade, como igualmente honrará aquelas que aplicarem esse conhecimento e agirem com responsabilidade.

PERGUNTAS DE TRANSIGÊNCIA *Não faça*	PERGUNTAS DE INTEGRIDADE *Faça*
• Meu comportamento é legal? • Alguém descobrirá? • Alguém me condenará? • É socialmente aceitável? • Minhas roupas são excessivamente reveladoras? • Como posso conseguir o que desejo? • Posso escapar impune ao dizer isto? • Isto machucará alguém?	• Meus atos mostram amor por outras pessoas? • Vou me orgulhar disto? • Este é meu padrão mais alto? • Isto condiz com minhas convicções? • Estou me vestindo para chamar atenção? • Seria melhor não dizer isto? • Isto beneficiará outros?

Figura 2.2

Uma mulher de integridade sexual

Vamos resumir tudo o que dissemos. Para a mulher cristã, integridade sexual e emocional significa que seus pensamentos, palavras, emoções e ações refletem beleza interior e amor sincero por Deus, pelos outros e por ela mesma. Não significa que ela nunca será tentada a pensar, dizer, sentir ou fazer algo inadequado, mas sim que tenta diligentemente resistir a essas tentações e permanecer firme naquilo em que acredita. Ela não usa os homens na tentativa de ver satisfeitos seus desejos emocionais, nem entretém fantasias sexuais ou românticas sobre homens com os quais não está casada. Não compara o marido com outros homens, desprezando o valor pessoal dele e reprimindo parte de si mesma como castigo por suas imperfeições. Não se veste para atrair a atenção masculina, mas também não se limita a um guarda-roupa que a veste até os tornozelos. Pode vestir-se na moda e parecer inteligente ou até *sexy* (assim como a beleza, a sensualidade está no olhar de quem contempla), mas sua motivação não é interesseira ou sedutora. Ela se apresenta como uma mulher atraente porque sabe que representa Deus para outros.

A mulher íntegra vive de acordo com suas crenças cristãs. Vive segundo o padrão do amor e não da lei. Ela não se sustenta como seguidora de Cristo se desprezar tantos de seus ensinamentos sobre imoralidade sexual, pensamentos lascivos, vestuário indecoroso e conversas impróprias. A mulher íntegra vive aquilo em que acredita sobre Deus e isso se revela em toda parte, desde a sala de reuniões da diretoria até o seu quarto.

Se você está pronta para descobrir mais sobre como pode requerer o prêmio da integridade sexual, continue lendo enquanto desfazemos alguns dos mitos mais populares que mantêm as mulheres entrincheiradas nessa batalha.

• •

Por isso não corro sem objetivo nem luto como quem dá golpes no ar. Disciplino meu corpo como [uma atleta], treinando-o para fazer o que deve, de modo que, depois de ter pregado a outros, eu [mesma] não seja [desqualificada].

1Coríntios 9.26-27

• •

3

Sete mitos que intensificam nossa luta
• • • • • • • • •

É melhor ter sabedoria que armas de guerra.
Eclesiastes 9.18

Em meus treze anos de palestras e aconselhamento leigo de mulheres sobre questões sexuais, descobri sete mitos populares que acredito confundirem o assunto e tornarem a integridade sexual um desafio ainda maior. Embora à primeira vista você talvez não acredite que aprova uma ideia errônea, recomendo que pelo menos leia sobre ela. De modo geral, só percebemos aquilo em que acreditamos quando relacionado às coisas que realmente vivenciamos, mas ficamos indecisas quanto a nossas crenças ou sentimentos ainda não experimentados. Se compreendermos esses mitos e as mentiras nas quais se apoiam, ficaremos mais protegidas se e quando formos tentadas em qualquer uma dessas áreas.

Mito 1

Não há nada de errado em comparar-me ou comparar meu marido a outras pessoas.

Embora seja de conhecimento comum que as mulheres muitas vezes fazem comparações entre si e comparam o marido a outros homens, você pode perguntar: "O que isso tem a ver com a integridade sexual e emocional?". Para responder, voltemos à nossa definição de mulher íntegra: seus pensamentos, palavras, emoções e ações refletem beleza interior e amor sincero por Deus, pelos outros e por si mesma.

Quando nos comparamos a outros, colocamos uma pessoa acima da outra. Ficamos por cima (produzindo vaidade e orgulho em nossa vida) ou por baixo (produzindo sentimentos de decepção com o que Deus nos deu).

Independentemente de estarmos ou não à altura quando fazemos tais comparações, nossos motivos são egoístas e pecaminosos em lugar de mostrar amor.

Sejamos sinceras. Quando nos comparamos com a mulher mais cheinha que vimos no corredor de biscoitos do supermercado, podemos dançar pelo estacionamento com nossas compras, sentindo-nos bem com nós mesmas porque nos achamos magras. Sentimo-nos atraentes. Podemos até nos sentir poderosas. Se nossa obsessão com o corpo continuar, é possível até que abramos a porta para novas tentações. Quem sabe tenhamos vontade de provar que somos mais atraentes do que outras mulheres. Algumas levaram isso ao extremo, acabando na cama com o melhor amigo do marido. Como tal coisa acontece? O início se dá com a comparação na mente obcecada.

É bem provável que o cenário oposto aconteça: passamos pela seção de verduras e legumes e vemos a professora de balé escolhendo os tomates orgânicos. Olhamos para seus seios empinados e seu traseiro firme, e nos sentimos como uma melancia madura demais. A sensação é de que somos imensas e aguadas. Sem poder. Ficamos imaginando se alguém desejaria estar conosco. Tais sentimentos podem nos levar a cairmos como vítimas da sedução. Quando nos concentramos tanto na aparência superficial, nossa autoestima pode ir tão baixo que, se um homem nos dá atenção, ficamos agradavelmente surpresas e nos tornamos verdadeiros mísseis em busca de afirmação. Começamos a ansiar pela aprovação de um homem a ponto de seus elogios e sua atenção nos manipularem.

Quando nos sentimos intimidadas por outras mulheres ou superiores a elas, não só podemos atrair relacionamentos pouco sadios com os homens, como também perdemos algo de que necessitamos encarecidamente: intimidade com nossas irmãs na fé. Quer sejamos solteiras quer casadas, nossas irmãs quase sempre podem manter-nos conectadas ao amor de Deus de um modo que o namorado ou o marido não pode ou não quer fazer. Se fosse possível deixar de competir e começar a nos relacionar com outras mulheres, essa batalha pela integridade sexual e emocional não seria tão sofrida. Permanecer ligada a amizades sadias e carinhosas pode nos impedir de irmos para a cama com o próximo homem que encontrarmos e nos ajudar a satisfazer nosso desejo de plenitude emocional.

Além de nos compararmos a outras mulheres, algumas de nós comparam o marido a outros homens. Eis alguns exemplos de declarações que ouvi de mulheres que evidentemente caíram nessa armadilha:

- "Gostaria que meu marido envelhecesse tão bem quanto aquele ator de Hollywood!"
- "Meu marido está longe de ser um cientista de foguetes ou um neurocirurgião!"
- "Meu marido não satisfaz minhas necessidades emocionais da mesma forma que meu colega o faz."
- "Você tem sorte por seu marido acompanhá-la todos os domingos à igreja."

Quando as mulheres comparam o marido a outros homens, estão brincando com uma ameaça semelhante àquela com a qual o homem brinca ao olhar com lascívia para outras mulheres. Seja a comparação física, mental, emocional ou espiritual, não só mostramos desrespeito pela singularidade de nosso marido, como também solapamos nosso casamento e nossa integridade emocional. As comparações podem levar a mulher a imaginar: *Por que meu marido tem de ser assim? Por que ele não pode ser mais parecido com o fulano?*

A mulher às vezes fica completamente enredada nessa armadilha ao entreter mais e mais pensamentos sobre o fulano, até que sua vida de fantasia se torna um mundo para o qual ela escapa a fim de sentir-se mais valiosa e amada. Em sua fantasia, ela merece alguém mais bonito, mais inteligente, mais emocionalmente atento ou mais espiritual do que seu marido. Quando a mulher compara o marido a outros homens, qualquer decepção ou desilusão que sinta em relação a ele no mínimo aumenta, e isso pode impedir sentimentos positivos em relação a ele tanto no âmbito sexual quanto no emocional. Essas comparações fazem com que sua antes ardente paixão pelo marido se desvaneça até tornar-se uma simples tolerância, à medida que ela se esquece de tudo a respeito do homem maravilhoso por quem se apaixonou.

Encaremos a verdade, haverá sempre homens mais bonitos, inteligentes, sensíveis ou espirituais do que nosso marido, assim como sempre haverá mulheres mais esbeltas, talentosas, espirituosas ou mais piedosas do que nós. Se "os outros" são o padrão de medida que usamos para nos darmos valor ou para valorizarmos aqueles a quem amamos, então estamos fazendo exatamente o contrário daquilo a que Paulo nos adverte em 2Coríntios 10.12: "Ao se compararem apenas uns com os outros, usando a si mesmos como medida, só mostram como são ignorantes". Deus, entretanto, nos dá a graça de nos aceitarmos e a nosso marido como realmente somos, e nos dá a capacidade de amarmos um ao outro incondicionalmente e sem reservas.

Se desejamos a verdadeira intimidade, devemos aprender a buscá-la nesse tipo de relacionamento no qual impera a graça. Podemos olhar um dentro do outro e respeitar, apreciar e valorizar de fato o que está ali, independentemente de quanto isso esteja à altura de qualquer outro indivíduo? Esse é o amor incondicional e a intimidade relacional, e esse tipo de intimidade só pode ser descoberto por duas pessoas que estiverem buscando a integridade sexual e emocional com toda a mente, corpo, coração e alma.

Mito 2

Sou suficientemente madura para assistir a qualquer filme ou programa de TV, ler qualquer livro, ouvir qualquer música ou navegar em qualquer site sem ser afetada de maneira negativa.

A maioria de nós acaba ficando insensível ao que vê ou ouve. Comprovei isso mediante uma experiência que sempre faço ao ensinar sobre sexualidade para grupos de jovens em retiros de fim de semana. Certa vez, gravei duas horas de programas de televisão do horário nobre, tais como *Friends* e *Seinfeld*, depois reduzi a fita a um clipe de doze minutos, incluindo apenas as insinuações sexuais (qualquer coisa visualizada ou ouvida ligada a uma conduta sexual imprópria). Quando mostro esse videoclipe, desafio a audiência a contar durante os doze minutos quantas mensagens sexuais eles veem ou ouvem, fazendo um sinal (colocar o polegar no nariz) para indicar que reconhecem cada uma.

Por mais que já tenha feito essa experiência, sempre me surpreendo ao ver como a mesma coisa acontece a cada vez. É possível que percebam as primeiras três ou quatro insinuações, mas depois ficam tão envolvidos nas cenas engraçadas que se esquecem de fazer o sinal ou a contagem. No final dos doze minutos eu pergunto: "Quantas vezes vocês contaram?". A resposta comum? Onze ou doze. O número certo de insinuações visuais ou verbais? Quarenta e uma.

Em geral, nem mesmo os adultos presentes conseguem reconhecer mais do que metade dessas insinuações por estarem acostumados com o humor grosseiro. Como sociedade, nós nos tornamos tão insensíveis às mensagens sexuais que frequentemente desparafusamos a cabeça, a colocamos na poltrona reclinável e permitimos que a televisão encha nossa mente com roteiros mundanos. Uma vez corrompida a mente, o coração decora esses roteiros e eles então se infiltram em nossa vida.

No Evangelho de Lucas, Jesus ensinou a seus discípulos esse princípio quando afirmou: "A [mulher] boa tira coisas boas do tesouro de um coração bom, e a [mulher] má tira coisas más do tesouro de um coração mau" (6.45).

Tudo que você decide aceitar em sua mente pode ser guardado em seu coração, e é este que determina a direção que você seguirá e as escolhas que fará no futuro quando confrontada com a tentação. Se encher sua mente de imagens, comentários e situações sexualmente comprometedoras, ficará insensível a cenas similares em sua vida.

Uma boa regra é nunca assistir a um filme ou programa de televisão ou ler um livro que não gostaria que outros soubessem. Se tiver de manter segredo a esse respeito, é quase certo que isso intensificará sua batalha pela integridade sexual e arruinará sua possibilidade de satisfação.

Você também deve ter cuidado com o uso da internet. Sinto-me agradecida por ter encontrado a integridade sexual e emocional antes dos dias dos *e-mails* e redes sociais. Muitas mulheres contam como foram levadas a um verdadeiro pesadelo por meio da internet, apaixonando-se loucamente por homens que no início julgavam serem seus "príncipes encantados", para depois descobrirem que eram sapos cheios de imperfeições.

O que torna a internet tão fascinante para as mulheres? Vejam algumas das respostas que recebi, junto com minha réplica:

- *É excitante ter intimidade com um estranho.* Desde quando ficar sentada em uma mesa, digitando sem parar, é *intimidade*? Qualquer uma pode ficar excitada por causa de um estranho. Tudo que você aprende ou compartilha é novo, mas aprender coisas novas sobre um estranho não é intimidade. Intimidade é ver o que é *real* dentro da pessoa (o que só pode ser descoberto face a face ao longo de muito tempo, tal como você experimenta no casamento). Tenha cuidado para não confundir *intensidade* com *intimidade*. A intensidade desaparece à medida que a novidade se esgota, mas a intimidade continua a desenvolver-se quanto mais você conhece a pessoa.
- *Posso ser quem quiser enquanto estou* on-line. Por que você quer perder tempo sendo outra pessoa? Poderia passar esse tempo tornando-se a pessoa que Deus quer que seja. Além disso, se não é você, como pode sentir-se bem com os sentimentos desse homem por você? Não pode sequer ter certeza de que ele a conhece. Lembre-se de que ele também

pode ser quem quiser. Pode inicialmente parecer um herói, mas acabar sendo um Jack, o Estripador!
- *Gosto quando alguém tem interesse por me conhecer sem se importar com minha aparência.* Não pense nem por um minuto que ele não ficará em algum momento muito interessado em sua aparência. E então, o que vai fazer? Por que se sujeitar a isso? Não se deixe enganar!
- *Gosto de conversar com um homem sem que a expectativa sobre mim se torne física.* Você pode não querer nada físico com ele agora, mas depois de ter engolido cada isca que ele jogar você entregará seu coração e desejará ir além do emocional. Lembre-se, as mulheres são panelas que gostam de ferver emocionalmente, e uma vez que tenhamos tempo para nos aquecer, ficamos *fogosas!* A fim de evitar queimaduras, sugiro que façamos amizades apenas com pessoas reais em nossa vida (e não pessoas virtuais).

Mito 3

Ninguém se machuca quando eu fantasio sobre alguém que não seja meu marido no momento em que fazemos amor.

Assim como as mulheres têm o direito de ficar ofendidas quando o marido olha para outras, os homens têm igual direito quando a mente da mulher vagueia. Para as mulheres, o orgasmo possivelmente é 10% físico e 90% mental. Se seu marido estiver tentando agradá-la, ele pode esquecer-se disse caso sua mente esteja a quilômetros de distância, digamos, em sua lista de compras. A mulher deve concentrar-se mentalmente na experiência sexual a fim de obter completa satisfação com ela.

Algumas mulheres, infelizmente, se concentram nas coisas erradas durante esses momentos apaixonados. Elas pensam em outra pessoa. Colocam-se no meio do enredo do romance que estão lendo. Introduzem lembranças de antigos namorados, cenas detalhadas a que estiveram expostas mediante novelas românticas, pornografia ou imagens do último galã de Hollywood. Tais imagens nos roubam a intimidade que almejamos. Quando você fantasia sobre alguém ao fazer amor com seu marido, está mentalmente fazendo sexo com outro homem. *Ele*, e não seu marido, é aquele por quem se sente apaixonada. *Ele*, e não seu marido, é aquele de quem se sente emocionalmente íntima.

O sexo entre marido e esposa tem como propósito ser a coisa mais íntima deste lado do céu e pode ser mais satisfatório do que qualquer fantasia imaginável. Ironicamente, muitas mulheres que confidenciam pensar com frequência em outro homem ao fazer amor com o marido também me dizem que se sentem culpadas, vazias, insatisfeitas e confusas.

Embora fantasiar seja normal e saudável, as fantasias devem ficar restritas a seu parceiro no casamento. É certo fantasiar que ele lhe traz flores, prepara um jantar à luz de velas para vocês ou passa creme em suas costas. É certo fantasiar sobre tomar banho de chuveiro juntos ou fazer sexo selvagem em uma ilha tropical deserta, desde que seja com seu marido! Compartilhar essas fantasias apropriadas com seu esposo acrescentará paixão e ardor ao relacionamento. Todavia, fantasiar sobre outra pessoa é infidelidade mental e emocional para com ele. Mesmo estando convencida de que jamais porá em prática as fantasias que incluem alguém fora de seu casamento, lembre-se de que Deus vê o coração (1Sm 16.7) e o coração dele se ressente quando o seu está dividido, mesmo que apenas em suas fantasias.

Mito 4

Pensar em que tipo de homem eu gostaria de ter no caso da morte de meu marido não é errado, desde que eu não esteja planejando isso!

"Fico pensando que, se ele morrer primeiro, terei chance de um futuro mais feliz." Fiquei admirada com quantas mulheres confessaram manter esse pensamento secreto. Embora algumas fiquem horrorizadas por pensar nisso, outras podem rir com a ideia. Samantha é uma dessas últimas, confessando que tem quase sempre essa conversa consigo mesma cada vez que o marido chega atrasado do escritório.

Ela explica:

Geralmente, às seis da tarde, estou na cozinha preparando o jantar. Olho o tempo todo para o relógio na expectativa de que Frank chegue a qualquer minuto. Ele é tão pontual que quase posso acertar o relógio na hora em que ele entra pela porta, farejando para ver o que está nas panelas. Ele também é muito atencioso, telefona quando vai chegar tarde. Mas devo confessar que houve várias vezes em que às 18h05 fiquei preocupada, às 18h10 ansiosa e às 18h15 em pânico. Enquanto continuo cozinhando, as ideias passam pela minha cabeça: "É provável que tenha havido um acidente de carro. Será que ele morreu? Um policial vai aparecer a qualquer momento para trazer os pertences dele. Como vou contar às crianças? Terei forças para confortá-las? Que flores eu porei no caixão? Lírios amarelos sempre foram os seus favoritos. E vou pedir ao solista que cante seu hino preferido, "Grandioso és tu". Vou ser capaz de administrar as finanças sozinha? Vou lembrar de trocar o óleo do carro? De quanto será o seguro que ele deixou para mim? Imagino quando será que vou poder namorar de novo. E quando fizer isso, com quem gostaria de sair? Dan. Ah, sou louca pelo Dan. Não sei por que ninguém o agarrou ainda. Ele é tão engraçado e encantador. E que homem espiritual! Seria um ótimo padrasto para meus filhos. Tenho certeza de que irão amá-lo tanto quanto eu. Vai ser difícil esquecer o Frank, mas penso que tudo vai dar certo..."

De repente a porta se abre e Frank entra com uma expressão encabulada no rosto: "Desculpe estar atrasado, querida! Tive de parar na casa de ferragens e estava sem o celular".

Respondo a ele (com uma pontada de decepção): "Oh, tudo bem, querido. Já estou terminando o jantar".

Você pode estar rindo do comportamento engraçado de Samantha, mas pergunte-se: "Isso parece familiar?". Você faz esses exercícios mentais e se pega pensando: "Meu próximo marido será mais atencioso? Mais divertido? Mais estável financeiramente? Mais espiritual? Mais interessado em meu prazer sexual?" Você fica tensa quando permite que sua mente vagueie nessa direção?

Embora seja normal pensar no que faria caso seu marido morresse antes de você, mover-se mentalmente para o próximo marido e entreter pensamentos de um futuro mais satisfatório como resultado da morte dele cruza a linha da integridade sexual e emocional. Recomendo que descubra a razão de estar pensando nessa direção. Alguns dos motivos a seguir lhe parecem penosamente familiares? Caso a resposta seja sim, você pode estar transigindo em sua integridade sexual a ponto de prejudicar seriamente a si e a seu relacionamento conjugal.

- Orgulho: "Mereço coisa melhor".
- Rejeição: "Quem sabe o próximo me apreciará mais do que este aí".
- Lascívia: "Espero que o próximo seja mais *sexy*".
- Egoísmo: "Poderei aproveitar um pouco mais a vida sem ter de cuidar dele".
- Preguiça: "Estou cansada de tentar comunicar-me com ele. É uma porta.

Sei que terei de aceitar que ele jamais satisfará minhas necessidades e espero que meu próximo marido seja mais compreensivo".

Se, pelo fato de não estar feliz no casamento, você fantasia sobre a pessoa com quem se casará no caso da morte de seu marido, tome cuidado. É provável que encontre as mesmas decepções e problemas no próximo casamento. Quem quer que seja o "parceiro seguinte" no caso de ficar viúva (ou divorciar-se), lembre-se de que há um denominador comum nesses múltiplos casamentos: você. Se não conseguir vencer o orgulho, os sentimentos de rejeição, a lascívia, o egoísmo e a preguiça nesse relacionamento e apresentar suas necessidades de modo a inspirar seu marido a encher seu tanque emocional, pode estar certa de que um homem diferente não será a resposta.

Assuma as rédeas. Invista no relacionamento que tem agora. Concentre-se de todo o coração em seu casamento, como se não existissem outros homens. Admita que seu esposo é o homem com quem você vai envelhecer. Seu marido é a dádiva de Deus para você. Desembrulhe o presente e aproveite-o enquanto ele está do seu lado.

Mito 5

A masturbação não prejudica a mim nem a meu relacionamento com meu (atual ou futuro) marido ou com Deus.

No caso de uma mulher casada masturbar-se sem o conhecimento do marido, ou de uma mulher casada, ou solteira, que o faz entretendo pensamentos com alguém que não seja seu marido, creio que esse comportamento mina sua integridade e até mesmo sua verdadeira satisfação sexual e emocional.

Muitas mulheres solteiras afirmam que eu não posso esperar que elas *não* se masturbem, dizendo coisas como: "Preciso de alívio sexual e, se não posso fazer sexo, então preciso me masturbar". Acredite ou não, ninguém jamais morreu por falta de orgasmo. Pelas informações que tenho recebido de muitas mulheres, o alívio momentâneo do estresse que a masturbação oferece pode não compensar o estresse de longo prazo que esse hábito produz.

Denise contou-me:

Algumas vezes me masturbo antes de ir a um encontro para não sucumbir às tentações sexuais. Então, durante a noite, penso em como ainda me sinto insatisfeita e como é solitário não ter outra pessoa envolvida. Muitas vezes cedo e faço sexo por estar desapontada com a experiência da masturbação. Depois sinto culpa por ambas as coisas. Gostaria muito de ter mais autocontrole.

A masturbação prejudica Denise. Ela serve apenas para alimentar seu ardor sexual e não para apagá-lo. É provável que até tivesse imaginado um envolvimento sexual com o namorado. Quando pensamos em fazer algo e damos início a essa atitude em nossa mente, isso facilita o envolvimento do comportamental. Se uma mulher não consegue controlar-se quando está sozinha, que esperança poderá ter quando um homem de fala doce começar a sussurrar coisas em seu ouvido?

O pensamento lascivo também jamais pode ser satisfeito; quando você começa a alimentar monstrinhos, o apetite deles aumenta rapidamente e eles começam a exigir *mais*! Será muito melhor que você nunca alimente esses monstros. Nas palavras de uma amiga: "Se o pecado não conhece você, ele não chamará o seu nome!". Uma vez que o pecado da masturbação conhecer você pelo nome, ele *irá* chamar. Chamar... chamar... chamar.

E-mail da Heather:

> Quando eu estava na sexta série, uma amiga veio passar a noite comigo e tomamos banho juntas. Ela me mostrou como me masturbar, e tenho feito isso desde então. Sinto que não posso controlar-me e isso traz muito sentimento de culpa. Luto com pensamentos sexuais, chegando a ficar excitada só com a ideia de masturbar-me. Levei isso ao Senhor muitas vezes. O que posso fazer? Esse hábito me faz sentir suja e inferior, mas mesmo essa sensação não é suficiente para me fazer parar.

A única maneira de acabar com um mau hábito é *parar de alimentá-lo*. Deixar um vício pode ser penoso, mas não tão penoso quanto permitir que ele a domine. Foi por isso que Pedro alertou: "Amados, eu os advirto, como peregrinos e estrangeiros que são, a manter distância dos desejos carnais que lutam contra a alma" (1Pe 2.11).

Muitas mulheres casadas continuam com o hábito da masturbação mesmo depois de terem liberdade para expressar-se sexualmente com o cônjuge. Elas não conseguem ver o que esse hábito faz com seu casamento. Pense nisso. Você treina seu corpo e sua mente a respeito do que considera prazeroso e de como chegar ao orgasmo, mas a masturbação ensina a mulher a "voar solo". Isso causará problemas, porque seu marido pode não saber agradar você do mesmo modo, tornando o sexo conjugal muito frustrante e decepcionante para ambos. A maioria dos maridos encontra prazer e satisfação em levar a esposa ao orgasmo. Se você constantemente sentir alívio sexual na masturbação, pode roubar de seu marido esse prazer ao insistir que a permita "ajudá-lo". Se não conseguir imaginar como seu marido se sente com isso, imagine como se sentiria caso estivessem fazendo amor e após poucos instantes seu marido dissesse: "Obrigado, querida, mas terá de permitir que eu termine sozinho". Você se sentiria rejeitada? Ficaria imaginando o que há de errado com você e o que está fazendo de errado? Ele sentirá exatamente o mesmo se você tiver de se masturbar para chegar ao orgasmo.

Mesmo que o toque de seu marido possa levá-la ao orgasmo sem masturbação, se você tiver o hábito de fantasiar sobre alguém ou alguma coisa para "chegar lá" (semelhante ao que é mentalmente requerido quando você se masturba), rouba de si a verdadeira intimidade sexual com seu marido. Quinn admite:

> Fiquei desapontada com nossa vida sexual quando me casei. Esperava que meu marido tivesse o mesmo toque mágico que eu tinha comigo mesma, mas ele é mais bruto e agressivo do que eu esperava. Tentei ensiná-lo a fazer o que eu gostava. Certa noite, porém, ao tentar treiná-lo ele me disse polidamente: "Por que não faz isso sozinha, se não gosta do meu jeito?". Por um lado fiquei aliviada por poder fazer o que achava que era bom para mim, mas por outro sei que deve ter sido um golpe para o ego dele saber que não fico tão excitada com o seu toque quanto com o meu.

Muitas vezes as mulheres que querem abandonar a masturbação (seja por razões de integridade na condição de solteiras, seja por intimidade relacional no casamento) descobrem que, em vez de controlar seus desejos, são eles que as controlam. Elas acabam masturbando-se compulsivamente, incapazes de parar, embora sabendo que se trata de um hábito prejudicial. Stephen Arterburn explica em seu livro *Addicted to Love* [Viciado em amor] como a autossatisfação se torna autodestrutiva:

> As masturbações compulsivas, alicerçadas na fantasia [e/ou] pornografia, são fugas da intimidade. O masturbador compulsivo não conseguirá experimentar a verdadeira intimidade. O sexo se torna um processo unilateral de autossatisfação. O viciado prefere masturbar-se a gastar tempo em desenvolver um relacionamento.

Ao julgar que o casamento eliminará o impulso para masturbar-se, o viciado logo descobre que o sexo íntimo dá muito trabalho e volta à compulsão.

Cada indivíduo precisa ser cultivado, sentir-se amado e sentir amor em relação ao outro. O amor, contudo, é arriscado. Ele inclui a possibilidade de rejeição ou decepção. O masturbador acha mais fácil voltar à autossatisfação. O que parece para muitos um hábito inocente se transforma em armadilha que afasta as pessoas e força o viciado a sofrer sozinho.[1]

O argumento mais popular a favor da autossatisfação é: "A Bíblia não proíbe isso expressamente". Sejamos honestas. Quando as mulheres se masturbam elas não têm pensamentos puros, e a Bíblia é muito clara nesse sentido (ver Fp 4.8). Não entretemos pensamentos puros, elevados ou dignos de louvor quando praticamos a autossatisfação. As mulheres que se masturbam têm alguma fantasia sobre outra pessoa, alguma cena, algum ritual que praticam mentalmente a fim de chegar ao orgasmo. Esses pensamentos são abomináveis a Deus.

> Portanto, façam morrer as coisas pecaminosas e terrenas que estão dentro de vocês. Fiquem longe da imoralidade sexual, da impureza, da paixão sensual, dos desejos maus e da ganância, que é idolatria. É por causa desses pecados que vem a ira de Deus.
>
> Colossenses 3.5-6

> A vontade de Deus é que vocês vivam em santidade; por isso, mantenham-se [afastadas] de todo pecado sexual. Cada [uma] deve aprender a controlar o próprio corpo e assim viver em santidade e honra, não em paixões sensuais, como os gentios que não conhecem a Deus.
>
> 1Tessalonicenses 4.3-5

As Escrituras também afirmam que algumas coisas permitidas podem não ser benéficas (1Co 10.23). A masturbação nos escraviza. Creio que essa já seja razão suficiente para abandonar completamente essa prática.

Em última análise, a masturbação é uma reação muito arrogante a nossos desejos humanos. Tais atos dizem a Deus: "O Senhor não pode me satisfazer, nem seu Espírito tem poder suficiente para me controlar. Devo cuidar sozinha de meus desejos físicos". Percebe o orgulho nessa atitude? Sente a rejeição à soberania de Deus e sua capacidade para ajudá-la em tempos de crise?

Deus fez cada fibra e cada nervo de nosso corpo e pode também satisfazê-los. Ele conhece seus sentimentos e suas necessidades melhor do que você. Sabe o que verdadeiramente a satisfará, e não é o orgasmo, especialmente aquele alcançado por meio de masturbação e pensamentos impuros. Pode parecer bom no momento, mas não produz satisfação duradoura. Esta só pode ser encontrada no relacionamento. Deus quer um relacionamento próximo, íntimo com você. Quando permitir que ele prove isso nessa área, você compreenderá que a autossatisfação nunca foi de fato satisfação. O esforço para alcançar a satisfação de Deus em lugar da autossatisfação assegurará que seu corpo, sua mente, seu coração e seu espírito permaneçam puros.

> Quem pode subir o monte do Senhor?
> Quem pode permanecer em seu santo lugar?
> Somente [as] que têm as mãos puras e o coração limpo,
>   que não se entregam aos ídolos e não juram em falso.
>
> Salmos 24.3-4

Mito 6

Por sentir-me tão tentada sexualmente, já devo ser culpada, então por que me preocupar em resistir?

A estratégia favorita de Satanás para convencer as mulheres a cruzarem a linha entre a tentação e o pecado é a falsa culpa. Se a integridade sexual é uma batalha que você está travando, é provável que alguns destes pensamentos já lhe tenham passado pela mente até que você não consiga mais pensar como deveria.

- "Você não pode negar que o deseja! Então, pode muito bem tomar a iniciativa!"
- "Você sabe que nunca poderá manter-se fiel a um único homem para sempre!"
- "Você já chegou a este ponto, o que é um passo a mais?"
- "Você pensou durante meses sobre este momento! Não recue agora!"
- "Se quiser segurá-lo, precisa dar-lhe o que ele quer!"

Essas mentiras são tentações do inimigo e não provas de que você já é culpada! Chamo isso de falsa culpa porque a tentação em si *não* é pecado. Não há nada para fazê-la sentir-se culpada quando é tentada. Se não acreditar em mim, talvez creia no escritor de Hebreus quando ele afirma:

> Nosso Sumo Sacerdote entende nossas fraquezas, pois enfrentou as mesmas tentações que nós, mas nunca pecou. Assim, aproximemo-nos com toda confiança do trono da graça, onde receberemos misericórdia e encontraremos graça para nos ajudar quando for preciso.
>
> Hebreus 4.15-16

Está vendo? O próprio Jesus foi tentado em todas as coisas! "Até mesmo sexualmente?", você pode perguntar. Por que não sexualmente? Ele era um homem em todos os sentidos. Mulheres belas o seguiam e cuidavam de suas necessidades com o dinheiro delas mesmas. Ele evangelizava mulheres que gostariam de cair em seus braços. O escritor não afirmou que ele foi tentado em todas as coisas, exceto sexualmente. Jesus era humano sob todos os aspectos e experimentou todas as tentações humanas. Ele estabeleceu o exemplo para nós, mostrando que só o fato de sermos tentadas não significa que devemos ceder e tornar-nos escravas de nossas paixões.

As mulheres, infelizmente, cometem o erro de crer que, por se sentirem tão atraídas por alguém, inevitavelmente se envolverão com essa pessoa, por mais impróprio que esse relacionamento possa ser. Como veremos no capítulo 6, as mulheres podem traçar uma linha entre sentir-se atraída e pôr essa atração em prática. É normal sentir-se atraída por muitas pessoas. Não é normal *ligar-se* a muitas pessoas. Lembre-se de que o amor não é um sentimento, mas um compromisso. Você não quebra o compromisso com seu marido quando se sente tentada a buscar satisfação fora do casamento, mas o faz ao permitir que seus pensamentos se desviem para essa área e permaneçam nela mental, emocional ou fisicamente.

Mito 7

Não há ninguém que realmente entenda minha luta.

Creio que este mito existe porque as mulheres não costumam discutir sua vida sexual com outras mulheres, talvez por temerem o julgamento delas. Esses temores são, infelizmente, muitas vezes confirmados como legítimos desde a infância, quando você confia a uma colega da escola um segredo e ela inevitavelmente o transmite a duas amigas; ou, pior ainda, ela conta ao garoto de quem você gosta tudo sobre sua confissão. Essas experiências nos ensinaram que devemos esconder nossos segredos mais profundos e sombrios das outras mulheres.

Algumas de nós adotaram garotos como melhores amigos por desconfiarmos das meninas. Muitas também comprovaram, de maneira difícil, que confiar num jovenzinho podia ser até mais perigoso do que em uma amiga. A menina poderia, no máximo, trair sua confiança. O rapaz, entretanto, poderia aproveitar-se de sua vulnerabilidade e fazer de você a próxima vítima, caso suas convicções não fossem firmes.

Outra razão para mulheres não serem tão francas em relação a suas lutas sexuais é a humilhação resultante ao oferecerem sexo para obter amor. A maioria delas não se gaba do número de parceiros sexuais que já teve. Isso porque para a mulher o relacionamento é o prêmio, o sexo foi apenas o preço que teve de pagar para receber o prêmio. Se pagou o preço e, mesmo assim, não recebeu o prêmio, é inacreditável o sentimento de humilhação que toma conta dela. Qual a mulher que deseja anunciar ao mundo sua humilhação?

É provável que, se soubéssemos como essas batalhas são comuns entre as mulheres, parte do estigma sobre esses "assuntos" seria removido. De acordo com o Dr. Tim Clinton, presidente da Sociedade Americana de Conselheiros Cristãos, 67% das mulheres terão pelo menos um ou mais casos pré-matrimoniais ou extraconjugais em sua vida.[2] Esse é o número de mulheres que *cedem* às tentações desse tipo. Creio que é bem maior a porcentagem (estou pensando num índice de 90%) de mulheres que simplesmente experimentam a tentação de envolverem-se em casos pré-matrimoniais ou extraconjugais.

Paulo nos adverte em 1Coríntios 10.13: "As tentações em sua vida não são diferentes daquelas que outros enfrentaram. Deus é fiel, e ele não permitirá tentações maiores do que vocês podem suportar. Quando forem [tentadas] ele mostrará uma saída para que consigam resistir". O apóstolo não disse: "Se você experimenta tentação sexual, deve haver algo errado com você, porque ninguém mais luta tanto com isso". Ele afirmou que todas as tentações são comuns. Pelo fato de Deus ter criado todos os seres humanos (não importa o gênero, a nacionalidade ou a situação econômica) como seres sexuais, pode estar certa de que as tentações sexuais e relacionais são decididamente as tentações mais comuns no planeta.

Qual a "defesa" que Deus geralmente oferece para que possamos suportar a tentação? Ele desliga totalmente nossas emoções? Não. Faz o objeto de nosso desejo desaparecer da face da terra? Não. Minha experiência mostra que a defesa certamente é provida por uma amizade sincera com outra mulher que pode entender minha fraqueza e encorajar-me a ficar firme na batalha. Quando dou permissão a uma confidente para me fazer perguntas difíceis, pessoais, e falar a verdade em amor (ainda que doa), sou muito mais obrigada a examinar a condição de meu coração e minha mente do que se apenas guardasse essas coisas dentro de mim. Quando deixar de corresponder aos padrões de Deus, uma amiga confiável me alertará, não com juízo severo, mas lembrando-me de que devo usar o bom senso. Quando confessei certas tentações a amigas confiáveis e pedi que exigissem que eu prestasse contas, aprendi que não estou absolutamente só em minhas lutas.

Em *A batalha de todo homem*, Stephen Arterburn e Fred Stoeker descrevem as porcentagens de homens que lutam com questões sexuais usando a analogia da "curva do sino":

> Outro jeito de olhar para o escopo do problema é imaginar a curva de um sino. De acordo com nossas experiências, imaginamos que 10% dos homens não têm problemas de tentação sexual com seus olhos e mente. No outro lado da curva, imaginamos que há outros 10% de homens que são viciados em sexo e que têm um sério problema com a luxúria. Eles têm sido tão atacados e feridos por eventos emocionais que não conseguem vencer esse pecado em sua vida. Precisam de mais aconselhamento e de uma purificação transformadora da Palavra. O resto de nós abrange os 80% intermediários, que vivem em várias nuances de escuridão quando se trata do pecado sexual.[3]

Acredito que a mesma ilustração se aplique às mulheres. Pode haver 10% de nós que são do tipo de mulher pura como a neve que jamais sonharia em desejar outro homem além do marido. Há então outros 10% que são do tipo coelhinha da *Playboy*, constantemente se insinuando, atirando olhares sedutores e aproveitando-se dos despojos da guerra. O resto de nós provavelmente se enquadra na faixa dos 80% que lutam com a integridade sexual e emocional em diversas proporções.

Pensar que você é a única a sentir-se esmagada pelas tentações sexuais a tornará mais vulnerável ao fracasso porque se sentirá menos inclinada a pedir ajuda. Se essa for sua luta, pode beneficiar-se da verdadeira intimidade das amizades femininas. Isso é algo do que passei a depender em meu esforço para manter a integridade sexual. Suas amigas podem oferecer-lhe um salva-vidas quando a tentação ficar grande demais para suportá-la sozinha.

Vencendo a batalha com a verdade

Caso algum desses mitos tenha alertado você para o fato de encontrar-se na linha de fogo nessa luta pela integridade sexual, eu a encorajo a afastar esses mitos de sua mente com a verdade da Palavra de Deus.

- **MITO 1:** Não há nada de errado em comparar-me ou comparar meu marido a outras pessoas.
- **VERDADE:** "Ao se compararem apenas uns com os outros, usando a si mesmos como medida, só mostram como são ignorantes" (2Co 10.12).

- **MITO 2:** Sou suficientemente madura para assistir a qualquer filme ou programa de TV, ler qualquer tipo de livro, ouvir qualquer música ou navegar em qualquer site sem ser afetada de maneira negativa.
- **VERDADE:** "A [mulher] boa tira coisas boas do tesouro de um coração bom, e a [mulher] má tira coisas más do tesouro de um coração mau. Pois a boca fala do que o coração está cheio" (Lc 6.45).

- **MITOS 3 e 4:** Ninguém se machuca quando eu fantasio sobre alguém que não seja meu marido no momento em que fazemos amor, e pensar em que tipo de homem gostaria de ter no caso da morte de meu marido não é errado, desde que não esteja planejando isso!
- **VERDADE:** "Aqueles que são dominados pela natureza humana pensam em coisas da natureza humana, mas os que são controlados pelo Espírito pensam em coisas que agradam o Espírito. Portanto, permitir que a natureza humana controle a mente resulta em morte, mas permitir que o Espírito controle a mente resulta em vida e paz. Pois a mentalidade da natureza humana é sempre inimiga de Deus. Nunca obedeceu às leis de Deus, e nunca obedecerá. Por isso aqueles que ainda estão sob o domínio de sua natureza humana não podem agradar a Deus. Vocês,

porém, não são controlados pela natureza humana, mas pelo Espírito, se de fato o Espírito de Deus habita em vocês" (Rm 8.5-9).

- **MITO 5:** A masturbação não prejudica a mim nem a meu relacionamento com meu marido ou com Deus.
- **VERDADE:** "A vontade de Deus é que vocês vivam em santidade; por isso, mantenham-se [afastadas] de todo pecado sexual. Cada [uma] deve aprender a controlar o próprio corpo e assim viver em santidade e honra, não em paixões sensuais, como os gentios que não conhecem a Deus" (1Ts 4.3-5).

- **MITO 6:** Por sentir-me tão tentada sexualmente, já devo ser culpada, então por que me preocupar em resistir?
- **VERDADE:** "Nosso Sumo Sacerdote entende nossas fraquezas, pois enfrentou as mesmas tentações que nós, mas nunca pecou. Assim, aproximemo-nos com toda confiança do trono da graça, onde receberemos misericórdia e encontraremos graça para nos ajudar quando for preciso" (Hb 4.15-16).

- **MITO 7:** Não há ninguém que realmente entenda minha luta.
- **VERDADE:** "As tentações em sua vida não são diferentes daquelas que outros enfrentaram. Deus é fiel, e ele não permitirá tentações maiores do que vocês podem suportar. Quando forem [tentadas], ele mostrará uma saída para que consigam resistir" (1Co 10.13).

....

Jesus disse aos judeus que creram nele:
"Vocês são verdadeiramente meus discípulos
se permanecerem fiéis a meus ensinamentos.
Então conhecerão a verdade, e a verdade os libertará".

João 8.31-32

....

4

Hora de uma nova revolução

• • • • • • • • •

*Não imitem o comportamento e os costumes deste mundo,
mas deixem que Deus os transforme por meio de uma mudança
em seu modo de pensar, a fim de que experimentem a boa,
agradável e perfeita vontade de Deus para vocês.*

ROMANOS 12.2

Ao recordar meus anos de pré-adolescente, o desejo de atravessar velozmente o período da puberdade se destaca. Cansada de me tratarem como uma menininha, eu queria desesperadamente crescer e tornar-me mulher, e comecei então a desempenhar esse papel. Prestei atenção no modo de vestir-se das mulheres modernas, seu modo de andar, conversar e agir, e passei a imitá-las. Durante essa fase, na década de 1970, o comercial do perfume *Enjoli* aparecia repetidamente em nossa televisão. Uma linda loira usando um vestido vermelho ajustado ao corpo balançava na mão um punhado de notas de um dólar, girava uma frigideira no ar, depois atirava-se no colo de um homem e corria sedutoramente os dedos pelos cabelos dele. As palavras provocantes que sussurrava eram: "Sou uma MULHER!".

Enquanto Hollywood retratava a mulher liberal, a maioria de nós tomava notas mentais e se preparava para cair cegamente na armadilha de Satanás. Não me entenda mal; acho ótimo que o movimento de liberação da mulher nos tenha trazido liberdade de voto, direito à educação formal e possibilidade de satisfação profissional. Entretanto, a competição pelo poder, a luta pelo controle e os jogos de manipulação que o acompanharam muitas vezes enterraram as mulheres até o pescoço nas cinzas dos sutiãs queimados.

Desde esse movimento liberal, as mulheres têm sido bombardeadas com mensagens de que devemos estar em forma, apaixonadas e no controle, e de que ser *sexy* é de extrema importância. Nada, senão viver em uma ilha deserta, impedirá que a mente da mulher seja absorvida pelo mundo através da televisão, da música, dos filmes, das revistas, dos romances e da internet. Quando foi, porém, que começou essa revolução sexual, e como chegamos até aqui?

Uma viagem através do tempo

Se procurarmos pistas nos livros de história, veremos que no início do século 20 surgiram os teatros de variedades com piadas vulgares, imitações cômicas, músicas e danças sugestivas e dançarinas quase nuas. A bem fornida Mae West começou no *show business*, entretendo as multidões nesses teatros. Na década de 1920, o *striptease* se tornara o ato principal na maioria dessas apresentações. De acordo com a *New Standard Encyclopedia*, "O teatro de variedades desapareceu completamente nos anos 1960. Ele parecia obsoleto e bem-comportado quando comparado ao sexo explícito e ao humor lascivo que penetrara nas boates e nos filmes".[1]

Com o término da Segunda Guerra Mundial, as mulheres estavam ansiosas por diversões leves, e fãs deslumbradas tentavam abraçar (literalmente) celebridades atraentes como Frank Sinatra, Bing Crosby e Rock Hudson com despreocupado abandono. Os símbolos sexuais dessa época eram mulheres voluptuosas como Jane Russell, Jayne Mansfield e Betty Grable. E quem pode esquecer-se de Marilyn Monroe, cuja vida pessoal produziu três casamentos fracassados, múltiplos envolvimentos e várias tentativas de suicídio, a última das quais tiraria sua vida, mas não seu legado de brinquedinho sexual?

Nos anos 1960, a invasão dos Beatles cantando "Revolution" [Revolução] deu origem a uma percepção maior da mudança cultural em nosso país. Usando os "Blue Suede Shoes" [Sapatos de camurça azuis] de Elvis, girávamos a todo vapor em direção à liberdade sexual e à rebelião contra a autoridade. Nos anos 1970, os *hippies* começaram a gritar: "Façam amor, não façam guerra!", e "Se tiver vontade, faça!" tornou-se o padrão que governava a conduta sexual. Com o aparecimento de *As panteras* e *Mulher nota 10*, os salões de beleza e as academias fizeram fortuna com o número de mulheres que queriam ser Farrah Fawcett e Bo Derek. Robert Palmer resumiu a epidemia dos anos 1980 com sua música "Addicted to Love" [Viciado em amor], e embora Madonna estivesse cantando "Like a Virgin" [Como uma virgem], ela não estava ensinando as mulheres a se vestirem e agirem como uma. Os anos 1990 entrarão na história como o tempo em que Britney Spears deixou de usar seu chapéu de orelhas do Mickey para usar corpetes de couro e *jeans* apertados. Agora, no século 21, as mensagens sexuais são tão numerosas que a espiral descendente parece ser um grande borrão.

Que tipo de coisas vem sendo transmitido para nós hoje pela sociedade? Ando pelo *shopping* e espero que minha filha não seja influenciada pelo grande cartaz na vitrine de uma das lojas, mostrando duas garotas e um rapaz juntos na cama e outras exibições públicas de situações eróticas. Dirijo pelo centro da cidade de Dallas e não consigo deixar de ver a frequente exposição de mulheres seminuas nos anúncios, geralmente de bebidas ou de "clubes de cavalheiros" (embora você nunca encontre um cavalheiro neles). Entro numa livraria e uma capa de livro que alardeia *A alegria do sexo gay* chama minha atenção. Não é de admirar que homens e mulheres estejam se voltando para o sexo fora do casamento (com pessoas do sexo oposto e do mesmo sexo). É isso que a sociedade tenta nos convencer de que é desejável e aceitável. É raro ver uma propaganda mostrando a prática do sexo bom, limpo, saudável e divertido *num casamento monogâmico*.

As coisas certamente mudaram. Há cem anos, os cristãos se preocupavam com os *shows* dos espetáculos de variedades que iam de cidade em cidade. Hoje, jovenzinhas cristãs passeiam pelas ruas com *piercings* na barriga reluzindo logo abaixo de *tops* justinhos, completamente alheias aos efeitos que estão causando nos homens (ou talvez até cientes disso). Em 1939, ... *E o vento levou* fez as pessoas corarem quando a exclamação famosa e chocante de Clark Gable, "I don't give a damn!" [Eu não dou a mínima!], chegou às manchetes. Hoje, os produtores de cinema acrescentam deliberadamente palavrões e cenas sexuais aos filmes só para atrair mais espectadores. As revistas pornográficas tinham antes de ser procuradas e só eram encontradas nas estantes mais altas, envoltas em papel escuro e vendidas apenas para clientes maduros. Hoje, se você tiver idade bastante para saber navegar pela internet, pode introduzir material pornográfico ilimitado em seu lar com apenas um clique.

A epidemia de imoralidade sexual, porém, começou muito antes da pornografia ou dos *shows* de variedades no início do século 20. Desde o princípio dos tempos, Satanás usou o sexo para criar um clima cultural que nos afasta da santidade para a qual Deus nos chama. O livro de Gênesis registra a distorção da sexualidade de sete maneiras diferentes: poligamia (4.19), homossexualidade (19.5), fornicação e estupro (34.2), prostituição (38.15), incesto (38.16-18) e sedução maligna (39.7). Desde então, a sexualidade tem sido uma das armas favoritas de Satanás para causar confusão e fracasso moral nos filhos de Deus. Um retorno ao Jardim do Éden nos ajudará a compreender como demos liberdade a Satanás para reinar neste mundo e criar esse clima cultural.

A dádiva de que Eva abriu mão

No primeiro capítulo de Gênesis vemos que Deus criou o homem e a mulher à sua imagem e os colocou no Jardim do Éden visando dar-lhes domínio sobre tudo. A fim de visualizar esse quadro, imagine Deus dando a Adão e Eva uma caixa caprichosamente embrulhada. Dentro dela há um presente chamado *autoridade*. Deus lhes deu essa dádiva da autoridade com o intuito de que, como administradores de toda a criação, a usassem com bom senso.

A astuciosa serpente, no entanto, talvez sabendo que a mulher fica seduzida pelo que ouve, sussurrou no ouvido de Eva algo sobre como ela poderia ter o poder da sabedoria de Deus se desse uma mordida no fruto proibido. Uma vez que Eva havia recebido autoridade para mandar naquela criatura e não o contrário, sua resposta deveria ter sido ordenar que a serpente se calasse e se retirasse no momento em que procurou tentá-la a desobedecer a Deus. Entretanto, fascinada pela atração do poder, Eva cravou os dentes no fruto proibido, cometendo o mais amargo erro de sua vida, erro cujo resultado foi seu obrigatório afastamento do paraíso para sempre. Seu pecado foi a rebelião contra o Criador, mas a tragédia subjacente consistiu em ter cedido sua dádiva da autoridade à esperta serpente.

Uma vez que o pecado entrou no coração dos seres humanos, eles perderam a autoridade para dominar o mundo. Deram essa dádiva a Satanás quando se rebelaram contra Deus. Satanás passou então a governar o mundo, simplesmente porque os seres humanos lhe entregaram sua autoridade.

No início, Adão e Eva estavam em perfeita paz em seu relacionamento com Deus e um com o outro, mas a transferência dessa dádiva de suas mãos para as de Satanás acabou com tudo isso. Antes sentiam aceitação; agora, rejeição. Sua sensação de pertencimento transformou-se em isolamento, e seus sentimentos de competência passaram a ser de insuficiência. O sentido de identidade transformou-se em perplexidade, e o de segurança, em aflição. Antes sentiam ter significado, agora se sentem insignificantes. Sua relação perfeita com Deus foi murchando até tornar-se um vácuo espiritual.

O diabo agora sabia que possuía essa dádiva. Deus também tinha conhecimento disso. Aliás, Satanás alardeou sua autoridade diante de Jesus, desafiando-o a tentar recuperá-la ao aceitar seu jogo tortuoso, em lugar de submeter-se ao plano de Deus de restaurar a dádiva da autoridade aos seres humanos. Um plano que exigiria o derramamento de seu sangue até a morte.

Conforme Lucas 4.5-7: "Então o diabo o levou a um lugar alto e, num momento, lhe mostrou todos os reinos do mundo. 'Eu lhe darei a glória destes reinos e autoridade sobre eles, pois são meus e posso dá-los a quem eu quiser', disse o diabo. 'Eu lhe darei tudo se me adorar'."

Jesus respondeu a Satanás: "As Escrituras dizem: 'Adore o Senhor, seu Deus, e sirva somente a ele'" (Lc 4.8). Note que Jesus não negou a autoridade *transitória* de Satanás sobre os reinos da terra. Ele sabia o que o futuro reservava, que era só uma questão de tempo até que essa autoridade mudasse de mãos e ele voltasse a ser o seu proprietário de direito. Ele sabia que jamais poderia pecar e obter de volta essa autoridade, portanto escolheu o plano de Deus para restaurar e confiar novamente a mesma autoridade aos seres humanos por meio de sua morte e ressurreição e da vinda do Espírito Santo.

Voltemos à cena do jardim (Gn 3) para ver o desenrolar da história. A justiça soberana de Deus exigia consequências para a desobediência deliberada da humanidade. Em primeiro lugar, Deus amaldiçoou a serpente e prometeu que o descendente da mulher esmagaria sua cabeça (uma promessa cumprida com a vitória de Cristo sobre Satanás). Em seguida, Deus prometeu aumentar as dores de parto de Eva e disse: "Seu desejo será para seu marido, e ele a dominará" (3.16). Depois disso castigou Adão, amaldiçoando a terra e exigindo que o homem trabalhasse diligentemente para que ela produzisse seu sustento (3.17-19).

ADÃO E EVA CRIADOS À SUA IMAGEM	ADÃO E EVA ESCOLHERAM TENTAR SER COMO DEUS	ESSA REBELIÃO RESULTOU EM SOFRIMENTO
(*Gênesis 1 e 2*)	(*Gênesis 3*)	(*Gênesis 3 e 4*)
• Aceitação • Pertencimento • Competência • Justiça • Identidade • Segurança • Significado • Transcendência	• Pecado	• Rejeição • Solidão • Insuficiência • Exploração • Perplexidade • Aflição • Insignificância • Vácuo espiritual

Figura 4.1: Expulsos do Éden[2]

Voltemos ao versículo 16. Quando Deus declarou a Eva: "Seu desejo será para seu marido, e ele a dominará", estaria ele dizendo que as mulheres teriam desejo *sexual* pelo marido? Embora a maioria dos eruditos leia a primeira frase dessa sentença e faça tal suposição, quero desafiar você a ler a sentença inteira antes de tirar uma conclusão. Ela diz: Seu desejo será para seu marido, *e ele a dominará*".

Por que as Escrituras usariam essas duas frases na mesma sentença? Estariam ligadas? Penso que sim. Creio que o *desejo* da mulher e a questão de *domínio* ou *poder* estão relacionados de modo a revelar parte do mistério por trás da conduta sexual da mulher (ou conduta imprópria, na verdade). Creio que o desejo de poder (e a crença de que os homens possuem o poder que elas almejam) é o fator que leva muitas mulheres a seduzirem os homens, assim como induz algumas delas a usarem o sexo como instrumento de barganha no casamento. Não é tanto sexo ou amor que essas mulheres buscam, mas o poder que obtêm ao fazerem um homem ajoelhar-se diante de seus encantos.

Ao descobrirmos, quando jovens, que nosso corpo curvilíneo ou rosto bonito fazem as cabeças virarem, isso desperta em nós uma forma de poder que talvez não conhecêssemos quando pré-adolescentes. Para algumas, esse poder intoxica... talvez até a ponto de tornar-se um vício. Virar a cabeça de um garoto da mesma idade torna-se uma pequena emoção, enquanto levar um homem mais velho e mais importante a virar a cabeça infla em maior grau nosso ego. Quer seja o capitão do time de futebol, o professor da faculdade ou o chefe do departamento no emprego, compartilhar do poder de pessoas importantes ao nos alinharmos com elas mediante um relacionamento nos confere um senso distorcido de significado.

Quando os homens não permitem que a mulher compartilhe de seu poder ou as prive de sua determinação pessoal, sabe-se que algumas mulheres se tornam excessivamente manipuladoras, usando proezas sexuais ou envolvimentos emocionais para estabelecer ou firmar sua sensação de poder. É lamentável que até mesmo a vitória nesses jogos manipulativos nos deixem *famintas* de poder e *impotentes* em relação a nossos desejos carnais.

Se quiser saber como suavizar sua fome de poder (que é uma parte normal da condição humana, mas certamente pode impelir você a envolver-se muito mais nessa batalha do que gostaria), vou contar-lhe um segredo: a sensação de poder que lhe satisfará a alma não está nos *homens*. Ela só é encontrada em

Deus. Ele dá poder aos homens? Sim. Mas você precisa da mediação de um homem para receber poder de Deus? Não. O único intermediário de que você necessita para receber o poder de Deus é o Espírito Santo. Quando descobrir o poder do Espírito Santo para ajudá-la a alcançar uma vida plena e completa, saberá que o poder da sedução empalidece quando comparado ao dele.

A busca de poder e o anseio por amor

A maior parte de meus dias de solteira foi um testemunho trágico de uma jovem lutando para obter algum senso de poder mediante relacionamentos inadequados com os homens. Em vez de usar a beleza que Deus me dera para glorificá-lo, fiz uso dela como uma isca para atrair homens e assim alimentar meu ego. Em lugar de inspirar os homens a adorarem a Deus, eu queria subconscientemente que eles me adorassem, e quando conseguia fisgar um homem com meu charme, sentia-me secretamente poderosa.

Não me dei conta dessas verdades trágicas até que me submeti a aconselhamento depois de casada. Queria entender a razão de ainda me sentir tentada fora do casamento, e minha terapeuta pediu que eu passasse uma semana fazendo uma lista de todos os homens com os quais já me envolvera sexualmente ou que procurara emocionalmente. Fiquei chocada e entristecida ao ver como minha lista crescera ao longo dos anos.

Na visita seguinte, ela pediu-me que passasse uma semana orando e me perguntando: "O que esses homens têm em comum?". Deus mostrou-me que todos os relacionamentos tinham sido com homens mais velhos do que eu e que de alguma forma eram autoridades sobre mim — meu professor, meu chefe, meu advogado.

Enquanto sondava minha alma para discernir porque existia esse elo em minhas buscas relacionais, a raiz do problema tornou-se evidente: minha sede de poder sobre um homem. Eu havia subconscientemente recriado relacionamentos autoritários a fim de "vencer a disputa". Cada vez que me sentia superior num relacionamento, seduzindo subconscientemente minha presa para prover minhas necessidades e satisfazer meus desejos, era como estivesse dizendo: "Está vendo, pai? Alguém me ama. *Sou* digna de atenção e afeto".

Em minha tentativa de preencher o vazio em forma de pai em meu coração e estabelecer alguma imagem de valor pessoal mediante aqueles relacionamentos disfuncionais, eu estava criando uma longa lista de ligações vergonhosas e um caminhão de bagagem emocional. Estava esquecendo a única e verdadeira fonte de satisfação e valorização pessoal: um relacionamento íntimo com meu Pai celestial. Ao buscar primeiro e principalmente esse relacionamento, não só Jesus se tornou meu primeiro amor e me deu um senso de valor muito acima daquele que qualquer homem poderia dar, como restaurou também meu relacionamento com meu pai terreno e ajudou a manter-me fiel a meu marido. (Falaremos mais desse relacionamento íntimo com o Pai celestial no capítulo 11.)

Creio que muitas mulheres que lutam com a integridade sexual e/ou emocional continuam menininhas presas em corpo de mulher, buscando encarecidamente uma figura paterna para dar-lhes o amor pelo qual ansiavam quando crianças. Essa busca de "amor" toma a forma de busca por intimidade e proximidade. Infelizmente, o mundo em que vivemos ensina que essa intimidade e proximidade só pode ser encontrada por meio das relações sexuais. Todavia, muitas outras mulheres têm descoberto pelo sofrimento que os relacionamentos podem ser construídos com base apenas no sexo e, mesmo assim, continuar despidos de qualquer intimidade ou proximidade, fazendo com que nos sintamos ainda mais impotentes para satisfazer nossas necessidades.

As mulheres têm, infelizmente, usado o sexo para satisfazer suas carências. De fato, isso vem acontecendo desde os tempos bíblicos. Paulo pregou contra isso em sua carta a Timóteo quando escreveu: "Não permito que as mulheres ensinem aos homens, nem que tenham autoridade sobre eles. Antes, devem ouvir em silêncio" (1Tm 2.12). Alguns interpretaram esse versículo como uma ordem para impedir qualquer forma de liderança às mulheres na igreja. Creio, entretanto, que a passagem não tem nada a ver com ensinar o evangelho ou exercer autoridade para levar outros a Cristo. Ao examinar o termo grego que Paulo usou para "autoridade", cheguei à conclusão de que ele estava tratando exatamente da questão mencionada neste capítulo: *mulheres usando o sexo para exercer poder sobre o homem.*

O termo empregado por Paulo para "autoridade" é o grego *authentein*, e nem todos os eruditos concordam quanto a seu significado. Alguns traduzem como "usurpar autoridade, dominar, ou exercer autoridade sobre", mas outros traduzem como "envolver alguém em relações sexuais ilícitas". Em outras palavras, a leitura do versículo poderia ser: "Não permito que as mulheres ensinem a imoralidade sexual ou envolvam o homem em pecado sexual".[3]

Estes são mais alguns exemplos de mulheres culpadas de jogos de manipulação em sua busca de poder sobre os homens:

- Corin confessa que, quando se veste pela manhã, pensa nos homens que encontrará naquele dia e escolhe o traje de acordo com a possibilidade de poder influenciar a decisão de um deles numa questão de negócios. (Corin está usando sua atração sexual com o propósito de manipular os homens a fim de conseguir deles o que deseja.)
- Trina não se interessa muito por Kurt, um colega de trabalho que evidentemente a tem em grande conta pela maneira como a enche de elogios. Todavia, quando ele se oferece para pagar o almoço ou quando precisa alimentar seu ego, ela aceita seus convites (Trina está se aproveitando do afeto de Kurt e da carteira dele sem qualquer intenção de retribuir seus sentimentos).
- Vicki admite que, quando estoura o orçamento, ela quase sempre faz sexo com o marido antes de dar a notícia (Vicki usa o sexo para reduzir o impacto da má administração do dinheiro).
- Divorciada há pouco, Deborah voltou a namorar. Descobriu, no entanto, que quando um homem corresponde a suas investidas emocionais, ela acaba perdendo o interesse. Porém, se ele se faz de difícil, não consegue tirá-lo da cabeça. Ela gosta do desafio de vencer a determinação de um homem (Deborah não está tão interessada num relacionamento genuíno e íntimo quanto em alimentar seu ego ao virar a cabeça de um homem e atraí-lo com seu poder de sedução).
- Todas as manhãs de domingo, Jennifer põe suas melhores roupas e examina as pessoas na igreja para ver quem está olhando para ela (no coração de Jennifer, ir ao culto significa receber a adoração que almeja, e não oferecer adoração a Deus).

Um movimento que foi longe de mais

"Os dez principais desejos sexuais dos homens"[4]
"Movimento secreto do sexo que ele precisa sentir para crer"[5]
"O que ele mais deseja na cama"[6]

Esses são apenas três dentre muitos títulos similares de revistas na banca de jornais do supermercado. Os vários artigos sobre temas como esses indicam que hoje muitas mulheres desejam proezas sexuais, poder e maneiras criativas de manipular os homens para fazer o que elas querem. As manchetes dos jornais locais mostram uma cultura saturada de sexo, como programas de sexo seguro nas escolas públicas, campanhas pró-escolha promovendo o aborto legalizado e ativistas favoráveis aos direitos dos *gays* e lésbicas marchando por suas causas.

O que surgiu há cem anos como um movimento feminino por direitos, salários e oportunidades iguais evoluiu até tornar-se algo que absolutamente não estava nos planos. Estamos vivendo numa era em que na verdade muitas mulheres são mais promíscuas do que os homens. As mulheres agora estão querendo exercer poder umas sobre as outras, insistindo em seus direitos de fazer "escolhas" enquanto desconsideram: 1) os direitos masculinos de evitar as tentações sexuais e 2) o propósito de Deus para o sexo, que é o de conceber a vida e promover intimidade entre marido e esposa.

Diane Passno explica em seu livro *Feminism: Mystique or Mistake?* [Feminismo: mística ou erro?] que aquilo que havia começado como um esforço cristão para livrar a sociedade dos efeitos negativos do alcoolismo (movimento de temperança) e obter direitos iguais para as mulheres, evoluiu até tornar-se um movimento que se afastou completamente de suas raízes.

> Senti grande decepção com as feministas de minha geração, cuja principal mensagem foi a de adotar a liberdade de reprodução [aborto], o estilo de vida lésbico e uma filosofia egoísta de "vítima" que não só é cansativa como também derrotista. [A Organização Nacional das Mulheres] declara uma membresia de meio milhão, representando menos da metade de 1% do número de mulheres nos Estados Unidos. [...] A maioria das mulheres neste país não concorda com a mensagem nem com as figuras iradas, de olhar severo, desbocadas, que a transmitem. As feministas da primeira metade do século passado que lutaram pelos direitos de as mulheres votarem e ocuparem cargos equivalentes aos dos homens ganharam batalhas que precisavam ser travadas [...] batalhas com as quais todas as mulheres podiam concordar e das quais podiam participar como combatentes. Todavia, as feministas da nova geração têm um alvo de natureza muito diversa, e a maioria das mulheres simplesmente não está decidida a imitá-las ou defendê-las. [...]
>
> Como um movimento social que começou sob o rótulo de União de Mulheres Cristãs para a Temperança, fundado por mulheres cristãs firmadas nas Escrituras, pôde corromper-se tanto cem anos depois? Como um movimento feminino que pregava a justiça social, estabelecido sobre princípios cristãos, passou a ser um

movimento que escarnece esses mesmos princípios hoje? Como um movimento que enfatizava a pureza moral para ambos os sexos se transformou em um movimento que prega a liberdade sexual sem restrições, os direitos das lésbicas e o ódio pelo gênero masculino?[7]

Em consequência do desvio desse movimento, muitas mulheres não são mais governadas pelo que é absolutamente verdadeiro (segundo as Escrituras). Em lugar disso, seguem o que é absolutamente popular, o que chamo de Moralidade Popular, que diz: "Se todos estão fazendo isso, eu também posso!". Lembre-se, porém, do que nossas mães costumavam ensinar: "Se todos os outros pulassem do alto de um prédio, você também pularia?". Elas tinham razão. Nem todos estão fazendo isso (esse *isso* pode ser qualquer coisa: sexo fora do casamento, aborto, lesbianismo, fantasia, masturbação e assim por diante), e mesmo que estejam, isso não a torna a coisa mais certa ou inteligente a ser feita.

Hora de uma nova revolução

O sociólogo e historiador Carle Zimmerman escreveu um livro intitulado *Family and Civilization* [Família e civilização], com base em suas observações de que a desintegração de várias culturas correspondia diretamente ao declínio da vida familiar. Os oito elos identificados por Zimmerman como comuns a cada civilização documentada que vem sendo destruída incluem:

1. O casamento perde sua qualidade de sacramento e o divórcio se torna comum.
2. O significado tradicional da cerimônia do casamento desaparece.
3. Movimentos feministas proliferam.
4. O desrespeito público pelos pais e pela autoridade cresce.
5. A delinquência juvenil, a promiscuidade e a rebelião aceleram.
6. Pessoas tradicionalmente casadas se recusam a aceitar responsabilidades familiares.
7. A inclinação para o adultério se intensifica, assim como sua aceitação.
8. Aumenta o interesse por perversões sexuais e crimes relacionados ao sexo.[8]

Embora possamos pensar que Zimmerman escreveu este livro há pouco tempo, baseado nos males correntes de nossa sociedade, na verdade ele publicou seu trabalho em 1947. Esses elos comuns também se encontram hoje em nossa sociedade? Seja você o juiz:

- Aproximadamente 50% dos casamentos acabam em divórcio.
- 65% das crianças crescem sem a presença do pai durante algum período da vida.
- Quase 50% das mulheres são estupradas antes dos 18 anos por alguém que conhecem.
- Morar junto está em alta, e 95% dos casais afirmam não querer um casamento como o dos pais.[9]

Essas estatísticas me fazem pensar em quanto tempo mais será necessário para que nossa civilização também seja destruída. Creio que está na hora de uma nova revolução cultural, na qual reivindiquemos e exerçamos nossa autoridade sobre toda a criação (inclusive Satanás). Uma vez que reclamemos essa autoridade e deixemos de nos submeter a uma cultura que está nos desviando, poderemos descobrir novos níveis de integridade sexual, desfrutar verdadeira intimidade no casamento e experimentar a satisfação de nossos mais profundos desejos mediante relacionamentos corretos.

Reivindicando a dádiva da autoridade

Mudar a maré em nossa cultura pode parecer uma tarefa impossível, mas não estamos sozinhas nesse desafio. *Deus* irá mudar a maré *através* de nós. Ele simplesmente nos pede que submetamos nossa vida a ele e sejamos testemunhas do que seu poder e amor podem fazer. À medida que mais e mais mulheres receberem essa revelação e compartilharem essa sabedoria com outros, a maré em algum momento mudará.

Precisamos começar a nos concentrar em nosso próprio comportamento, para não permitir que o mundo continue a nos influenciar. Isso só pode ser feito reivindicando pessoalmente a dádiva da autoridade que Eva no princípio cedeu.

A fim de reclamar essa dádiva, devemos compreender que Deus é a fonte primária e verdadeira de poder. A única maneira de experimentar o poder que almejamos é ligando-nos intimamente a ele. Quando agimos assim, ele satisfaz nossas mais profundas necessidades de amor, aceitação e significado. Isso resulta no poder para exercer domínio próprio. Deus promete nos dar autocontrole, junto a muitos outros atributos, quando permitirmos que o Espírito Santo nos guie. "E o Espírito produz este fruto: amor, alegria, paz, paciência, amabilidade, bondade, fidelidade, mansidão e domínio próprio" (Gl 5.22-23).

Uma vez que nos ligamos à fonte suprema de poder e descobrimos o verdadeiro poder do autocontrole, podemos receber de volta a autoridade que Eva um dia cedeu a Satanás. A passagem em 1João 4.4 nos lembra que maior é aquele que está em nós (o Espírito Santo) do que aquele que está no mundo (Satanás).

Como exatamente recebemos de volta essa autoridade? Compreendendo quem realmente somos como consequência da morte de Cristo para nos libertar das leis do pecado e da morte. A forma como nos vemos afeta nossa vida e as decisões que tomamos. Se nos virmos como fracas, tentadas acima de nossas forças ou necessitadas, é assim que nos comportaremos. Contudo, se acreditamos nisso e nos comportamos dessa forma, então a morte de Cristo na cruz foi em vão. Ele morreu para que o Espírito Santo pudesse preencher nosso vazio, curar nosso coração e satisfazer cada uma de nossas necessidades.

É lamentável que a maioria dos crentes não compreenda quem realmente eles são, quem Deus deseja que sejam, a autoridade que ele pretendia que possuíssem, ou como Cristo pode satisfazer seus mais profundos desejos de aceitação, segurança e significado. Em seu livro, *Living Free in Christ* [Vivendo livres em Cristo], Neil T. Anderson resume quem somos como resultado de nosso relacionamento com Deus. (Ver Figura 4.2).

SOU ACEITA EM CRISTO

- Sou filha de Deus (Jo 1.12).
- Sou amiga de Cristo (Jo 15.15).
- Fui declarada justa (Rm 5.1).
- Estou unida com o Senhor e sou uma com ele em espírito (1Co 6.17).
- Fui comprada por um alto preço e pertenço a Deus (1Co 6.20).
- Sou membro do corpo de Cristo (1Co 12.27).
- Sou santa (Ef 1.1).
- Fui adotada como filha de Deus (Ef 1.5).
- Tenho acesso direto a Deus por meio do Espírito Santo (Ef 2.18).
- Fui redimida e perdoada de todos os meus pecados (Cl 1.14).
- Sou completa em Cristo (Cl 2.10).

Figura 4.2: Quem eu sou em Cristo (*continua na próxima página*)[10]

> **ESTOU SEGURA EM CRISTO**
>
> - Estou livre para sempre da condenação (Rm 8.1-2).
> - Estou segura de que todas as coisas colaboram para o bem (Rm 8.28).
> - Estou livre de quaisquer acusações que me condenem (Rm 8.33-34).
> - Não posso ser separada do amor de Deus (Rm 8.35,38-39).
> - Fui firmada, ungida e selada por Deus (2Co 1.21-22).
> - Confio que a boa obra iniciada por Deus será aperfeiçoada em mim (Fp 1.6).
> - Sou uma cidadã dos céus (Fp 3.20).
> - Estou guardada com Cristo em Deus (Cl 3.3).
> - Não tenho espírito de medo, mas de poder, amor e autocontrole (2Tm 1.7).
> - Posso encontrar graça e misericórdia para me ajudarem em tempos de necessidade (Hb 4.16).
> - Sou nascida de Deus e o maligno não pode me tocar (1Jo 5.18).

Figura 4.2: Quem eu sou em Cristo[10]

> **SOU IMPORTANTE EM CRISTO**
>
> - Sou o sal e a luz da terra (Mt 5.13-14).
> - Sou um ramo da videira verdadeira, um canal da sua vida (Jo 15.1,5).
> - Fui escolhida e indicada para produzir fruto (Jo 15.16)
> - Sou testemunha pessoal de Cristo (At 1.8).
> - Sou templo de Deus (1Co 3.16).
> - Sou ministra da reconciliação (2Co 5.17-20).
> - Sou colaboradora de Deus (2Co 6.1).
> - Estou assentada com Cristo nos lugares celestiais (Ef 2.6).
> - Sou obra-prima de Deus (Ef 2.10).
> - Posso aproximar-me de Deus com liberdade e confiança (Ef 3.12).
> - Tudo posso por meio de Cristo, que me fortalece (Fp 4.13).

Figura 4.2: Quem eu sou em Cristo[10]

Desafio dos trinta dias

Frequentemente desafio as mulheres a evitarem durante trinta dias televisão, filmes, livros, revistas ou músicas que possam influenciar de maneira negativa seus pensamentos a respeito de si ou dos homens. Peço que copiem os textos indicados na Figura 4.2, coloquem-nos no espelho do banheiro e repitam essas passagens para si todos os dias durante todo esse período. O exercício pode ser repetido sempre que começarem a sentir-se inseguras, solitárias ou tentadas a manipular alguém a satisfazer suas necessidades.

Conhecer a Deus mais intimamente significa, em parte, aprender como ele se sente a nosso respeito e compreender as provisões que ele tem para satisfazer nossos desejos mais íntimos de sentir-nos amadas, necessárias e poderosas (uma forma correta e não manipuladora de poder). Esse é um grande meio para descobrir quem realmente somos — não como o mundo tenta programar-nos para ser, mas como nosso Criador nos designou para ser. Uma vez que permitamos que Deus corrija nossas ideias a respeito de nós mesmas, essas convicções começarão a dirigir nossas decisões, nosso comportamento também será impactado e ganharemos essa batalha pela integridade sexual.

> *O mundo é sem princípios. É uma selva lá fora! Ninguém joga limpo. Mas o cristão não vive nem age desse modo. [...] As ferramentas que usamos não são para propaganda ou manipulação, mas para demolir esta cultura dominante corrupta. Usamos as ferramentas poderosas de Deus para esmagar filosofias pervertidas, derrubar barreiras levantadas contra a verdade de Deus, encaixar todo pensamento livre, toda emoção e todo impulso à estrutura de vida moldada por Cristo. Nossas ferramentas estão preparadas para limpar o terreno e edificar vidas pela obediência, rumo à maturidade.*
>
> 2Coríntios 10.3-6, A Mensagem

Parte II

Esboçando uma nova defesa

5

Levando cativo os pensamentos

• • • • • • • • • •

*Embora sejamos [humanas], não lutamos conforme os padrões
humanos. Usamos as armas poderosas de Deus [...].
Levamos cativo todo pensamento rebelde e o ensinamos
a obedecer a Cristo.*

2Coríntios 10.3-5

Você está entrando sozinha num carro com quatro portas. É tarde da noite e se encontra numa vizinhança suspeita. A fim de sentir-se segura, qual a primeira coisa que vai fazer ao entrar no carro? Isso mesmo. Fechar as portas.

Quantas portas você fecha? Você talvez ache essa pergunta boba, mas pense um pouco a respeito. Se apenas fechasse uma ou duas, ou até três portas, estaria segura? Claro que não. As quatro portas devem estar fechadas para impedir a entrada de um intruso indesejável.

O mesmo se aplica à ideia de manter do lado de fora as tentações sexuais indesejáveis. Essas tentações podem invadir nossa vida e eventualmente dar à luz o pecado de quatro maneiras. Os pensamentos que entretemos em nossa mente podem nos influenciar. As palavras que pronunciamos em nossas conversas podem nos atrair para caminhos pecaminosos e perigosos. A falha em impedir que nosso coração se envolva em relacionamentos prejudiciais é outro fator. Ao permitir que nosso corpo esteja no lugar errado, na hora errada e com a pessoa errada, podemos ser induzidas à transigência sexual.

Mesmo que deixemos aberta apenas uma dessas portas, estaremos vulneráveis. É preciso guardar nossas quatro áreas (mente, coração, boca e corpo) para termos alguma esperança de permanecer seguras e manter a integridade sexual. Vamos discutir a primeira dessas áreas neste capítulo e as outras em cada um dos três capítulos seguintes.

O que você está pensando?

No filme *Do que as mulheres gostam*, Nick Marshall (Mel Gibson) desenvolve uma habilidade telepática de ouvir cada pensamento, opinião e desejo que passe pela cabeça de uma mulher.

Imagine isto: você acorda pela manhã e todos os homens do planeta desenvolveram a capacidade de ler sua mente só de chegar perto de você. A ideia a deixa nervosa? Claro que sim! Especialmente quando consideramos o que costuma passar pela nossa mente e que jamais expressaríamos a alguém! Pensamentos como:

- "Será que ele me acha atraente?"
- "Será que ele sabe que o considero atraente?"
- "Como seria beijá-lo?"
- "Será que ele é minha alma gêmea?"

E se todas as mulheres também desenvolvessem essa habilidade? Elas poderiam ouvir comentários como:

- "Ela realmente se acha, não é?"
- "Como ela conseguiu um homem bonitão como ele?"
- "Será que o marido dela se interessaria por mim caso acontecesse alguma coisa com ela?"
- "Pelo menos não sou gorda desse jeito!"

Embora possamos estar seguras de que homens e mulheres provavelmente não irão adquirir essa habilidade tão cedo, temos uma preocupação ainda maior: Deus sempre possui essa capacidade. Você poderia ser tão corajosa quanto Davi a ponto de fazer uma oração como esta: "Põe-me à prova, Senhor, e examina-me; investiga meu coração e minha mente" (Sl 26.2)?

Note que Davi não disse: "Examina meus atos". O que se passa dentro de seu coração e de sua mente? Até as mulheres que nunca tiveram um relacionamento sério nem se envolveram em atividade sexual ilícita frequentemente têm pensamentos e anseios impuros. Qualquer que seja nosso passado, todas compartilhamos dessa luta.

O fato de todas as mulheres terem pensamentos tentadores não significa que é prudente tolerá-los ou entretê-los. Uma coisa é ter pensamentos sexuais ao acaso ou anseios emocionais inadequados. Somos simplesmente humanas. Deus não nos cobra essas coisas. Outro aspecto, mais perigoso, é entreter repetidas vezes esses pensamentos na mente ou envolver-se em fantasias frequentes sem se preocupar com a natureza do que está se passando pela sua cabeça. Como diz a famosa citação:

> Plante um pensamento, colha um ato;
> Plante um ato, colha um hábito;
> Plante um hábito, colha um caráter;
> Plante um caráter, colha um destino.
>
> Samuel Smiles

Quero que os pensamentos por mim plantados colham atos e hábitos positivos para que eu tenha um caráter cristão e cumpra o destino que Deus me reservou. Estou certa de que você quer o mesmo, então vamos examinar três perguntas sobre nossa vida intelectual:

- Quais pensamentos Deus considera apropriados ou impróprios?
- Qual o efeito de nossos pensamentos sobre essa batalha por integridade sexual e emocional?
- Como podemos preservar nossa mente contra as influências que nos fazem pecar?

Tendo como prioridade o principal

Você se lembra do que Jesus disse ser a coisa mais importante da vida?

> "Ame ao Senhor, seu Deus, de todo o seu coração, de toda a sua alma e de toda a sua mente." Este é o primeiro e o maior mandamento.
>
> Mateus 22.37-38

Esses versículos não dizem para amarmos o Senhor com as sobras de nosso coração, alma e mente. Também não diz que Deus deveria ocupar nossos pensamentos a cada minuto do dia. A maioria de nós não pode ficar sentada o dia inteiro meditando sobre Deus. Ele sabe que você tem uma vida. Foi ele quem a deu a você, e quer que seja uma boa administradora de seu relacionamento conjugal, da educação de seus filhos, de sua carreira, de suas responsabilidades domésticas, de sua igreja, de seus compromissos sociais, e assim por diante.

De acordo com esses versículos, Jesus quer que amemos a Deus *mais* do que a qualquer outra coisa que exija nosso tempo e atenção. Devemos amar a Deus acima de tudo, com toda a força e paixão que cada uma de nós puder reunir. Demonstramos esse amor a Deus ao concentrar nossos pensamentos e energias nas coisas que ele nos preparou para fazer e que o agradam. Deus quer que façamos como Paulo encorajou o povo de Filipos a fazer:

> Por fim, [irmãs], quero lhes dizer só mais uma coisa. Concentrem-se em tudo que é verdadeiro, tudo que é nobre, tudo que é correto, tudo que é puro, tudo que é amável e tudo que é admirável. Pensem no que é excelente e digno de louvor.
>
> Filipenses 4.8

Para lhe mostrar como funciona, vou descrever um dia típico em minha vida quando consigo manter o foco nas coisas piedosas. Em geral acordo com um hino de adoração em minha mente, e é bem provável que cantarole algumas partes ou até o cante em voz alta no chuveiro. Enquanto me preparo para o dia, tento ter a melhor aparência possível para causar uma impressão positiva às pessoas que devo encontrar. Ao preparar o café, deixar os filhos prontos para a escola, fazer uma lista de compras, abastecer o carro e pagar contas pelo computador, estou servindo minha família. Quando desempenho minhas responsabilidades, faço isso para avançar o reino de Deus. Ao enviar um bilhete para uma colega de trabalho que está doente, repassar um *e-mail* engraçado para uma amiga e visitar rapidamente minha vizinha, faço isso para construir e manter relacionamentos sadios e positivos. Todos esses pensamentos e ações são atos de administração responsável. Eu os pratico por apreciar a família e os amigos que Deus me deu. Deus é o meu único e constante pensamento durante o dia? Não. Mas, mesmo quando penso em outras coisas que exigem minha atenção, estou amando a Deus de todo o coração, de toda a alma e de toda a mente? Com certeza. Quando demonstramos administração responsável da vida que ele nos deu, nossa vida oferece a prova de nosso amor.

De volta à Bíblia

O único padrão confiável que podemos usar para medir nossos pensamentos, a fim de determinar se são adequados ou não, é a Palavra de Deus. Hebreus 4.12-13 afirma (grifos da autora):

> Pois a palavra de Deus é viva e poderosa. É mais cortante que qualquer espada de dois gumes, penetrando entre a alma e o espírito, entre a junta e a medula, *e*

trazendo à luz até os pensamentos e desejos mais íntimos. Nada, em toda a criação, está escondido de Deus. Tudo está descoberto e exposto diante de seus olhos, e é a ele que prestamos contas.

Antes de determinar quais pensamentos sexuais ou românticos são inaceitáveis aos olhos de Deus, será bom saber quais atos sexuais as Escrituras proíbem. Para escrever o livro *Intimate Issues* [Questões íntimas], Linda Dillow e Lorraine Pintus pesquisaram de Gênesis a Apocalipse, buscando descobrir tudo que Deus tem a dizer sobre comportamentos sexuais. Segundo tal estudo, a Bíblia proíbe os seguintes atos sexuais:

1. *Fornicação*: sexo imoral, inclusive relacionamentos fora do casamento.
2. *Adultério*: sexo com alguém que não é seu cônjuge (Jesus expandiu essa definição em Mateus 5.28, incluindo não apenas os atos físicos, mas também os emocionais e mentais).
3. *Homossexualidade*: envolver-se em práticas sexuais com alguém do mesmo sexo.
4. *Impureza*: corromper-se por meio de um estilo de vida secular ou pagão.
5. *Orgias*: envolver-se em sexo com mais de uma pessoa ao mesmo tempo.
6. *Prostituição*: receber dinheiro em troca de atos sexuais.
7. *Paixões lascivas*: desejo sexual desenfreado e indiscriminado.
8. *Sodomia*: sexo entre dois homens (também pode ser interpretado como sexo anal entre pessoas de sexos diferentes).
9. *Obscenidade e piadas grosseiras*: comentários sexuais impróprios em ambiente público.
10. *Incesto*: sexo com membros da família.[1]

Em relação a atos sexuais não incluídos nessa lista, Dillow e Pintus recomendam que as mulheres façam três perguntas para verificar se determinado ato sexual é permitido. Recomendo usar as mesmas perguntas para verificar se determinados pensamentos são aceitáveis. São estas as três perguntas:

- *É proibido nas Escrituras?* Caso não seja, podemos supor que é permitido. "Tudo me é permitido" (1Co 6.12).
- *É benéfico?* A prática prejudica de alguma forma o marido ou a mulher, ou lesa o relacionamento sexual? Caso positivo, deve ser rejeitada. "Tudo me é permitido, mas nem tudo convém" (1Co 6.12).
- *Envolve outra pessoa?* A atividade sexual é sancionada por Deus apenas para marido e mulher. Caso envolva outra pessoa ou torne-se pública,

ela está errada com base em Hebreus 13.4, que nos adverte a manter puro o leito matrimonial.²

Fiz uma pesquisa não oficial, pedindo a algumas mulheres que me contassem sua fantasia ou pensamento sexual mais comum. Estas foram algumas das respostas, bem como a forma como esses pensamentos podem ser medidos usando as três perguntas como filtro:

- *Tomar banho com meu marido.* É proibido na Bíblia? Não. É benéfico? Aposto como o marido dela pensaria que sim. Envolve outra pessoa? Não. Esse é um pensamento que irá intensificar sua integridade sexual e não comprometê-la.
- *Ter um jantar romântico à luz de velas com Richard Gere.* É proibido na Bíblia? Não. É benéfico? Não posso imaginar o marido dela aprovando, e isso não faz com que ela sinta mais amor pelo marido. Envolve outra pessoa? Sim. Esse é um pensamento que precisa ser redirecionado para um terreno mais seguro, tal como ter esse mesmo jantar com o marido.
- *Fazer um programa a três com meu marido e outra mulher.* É proibido na Bíblia? Sim. É benéfico? Não. Envolve outra pessoa? Sim. Esse é um pensamento certamente perigoso que precisa ser evitado a todo custo.
- *Acordar nos braços de meu marido numas férias de verão.* É proibido na Bíblia? Claro que não. É benéfico? Claro que sim. Envolve outra pessoa? Não. Esse é um sonho aprovado.

Podemos usar essas perguntas como filtro para nossos pensamentos ou fantasias, assim como para qualquer outra coisa à qual expomos nossa mente (televisão, filmes, livros, revistas, redes sociais etc.). Antes de dar exemplos de como filtrei esses tipos de influências, vamos examinar como os pensamentos podem destruir nossa integridade sexual e emocional.

Enfraquecendo nossas defesas

Observei um orador chamar vários voluntários da audiência para irem ao palco, a fim de realizar uma experiência sobre o poder dos pensamentos. Ele pediu ao grupo de indivíduos que pensasse sobre a melhor coisa que lhes acontecera na vida. Depois de um instante, disse: "Agora que têm esse pensamento plantado solidamente em sua mente, quero que estiquem os braços como se estivessem fazendo uma cruz com o corpo e os mantenham nessa posição, por mais força que eu faça para tentar abaixá-los".

O orador parecia bem forte, todavia não pôde fazer com que o braço deles abaixasse. Ele deu aos voluntários alguns momentos para se recuperarem e depois disse: "Quero agora que pensem na pior coisa que já lhes aconteceu, depois assumam a mesma posição". Um a um, o orador facilmente abaixou os braços deles. Sua questão foi bem compreendida. Os pensamentos positivos nos dão força, enquanto os negativos nos enfraquecem.

Da mesma forma, os pensamentos que nutrimos sobre nosso marido (quer pensemos nele de forma positiva, quer negativa) e sobre atividades ou relacionamentos inadequados (quer pensemos sobre resistir a essas tentações, quer nos imaginemos envolvidas nessas atividades) podem fortalecer ou enfraquecer nossa defesa contra a negligência sexual.

Lembro-me de ter assistido a um filme, há muitos anos, no qual um rapaz fantasiava sobre uma moça estranha aproximando-se dele amorosamente, pronta para o bote, tirando seus óculos, correndo os dedos por seus cabelos, abraçando-o firmemente e beijando-o apaixonadamente. Apesar de muito jovem ao assistir àquela cena, lembro-me de ter pensado: "Vai sonhando, garoto. As mulheres não agem assim". Uma mulher não se aproxima de um homem estranho, não o beija nem o seduz sem mais nem menos. Algumas mulheres, entretanto, fazem justamente isso depois de conhecer um homem por algum tempo e entreter repetidamente tais pensamentos. Elas talvez tenham flertado um pouco, aqui e ali, para ter certeza da reação deles a suas investidas. É possível até que tenham ensaiado o plano para que não falhasse. Quando a mulher passa muito tempo imaginando a possibilidade de se envolver nesse tipo de comportamento negativo, ele pode enfraquecer sua resistência e fazer desmoronar suas defesas.

É claro que nem todas as mulheres agiriam de maneira tão agressiva. Muitas mulheres mantêm seus casos restritos à mente, e ter as rédeas mais curtas pode ser resultado de modéstia, medo, aversão ou insegurança. Quando permitem, porém, que a mente imagine o envolvimento num caso ou em outras atividades e relacionamentos impróprios, estão preparando o caminho para enfraquecer em muito suas defesas, e acabam pondo em prática os pensamentos. Vou mostrar como isso acontece.

Pensar corresponde a ensaiar

Imagine uma atriz preparando-se para atuar numa peça. Ela decora o texto e entra na cabeça da personagem, tentando imaginar como essa pessoa se sentiria e agiria. Então ensaia ser essa pessoa. Reflete com cuidado sobre como fazer exatamente o que a pessoa faria e dizer o que ela diria. Quanto mais ensaia ser a personagem, tanto mais exato e "automático" é seu desempenho.

Algo similar acontece quando fantasiamos sexual ou emocionalmente um comportamento inadequado ou pecaminoso. Estamos ensaiando quando pensamos sobre conversas que teríamos com esse homem em especial caso venhamos a ficar a sós com ele, quando entretemos pensamentos de um encontro íntimo ou desejamos que certo homem note nossa presença de maneira distinta. Quando ensaiamos essas cenas, imaginamos o que diríamos e faríamos nesses encontros. Então, quando Satanás prepara a armadilha e traz esse homem em nossa direção, adivinhe o que acontece? É mais do que provável que desempenharemos nossa parte como a ensaiamos. Quando não guardamos a mente nos relacionamentos com homens, enfraquecemos nossa resistência antes que qualquer encontro ocorra.

Temos, no entanto, uma opção. Não é preciso que sejamos um alvo fácil. Podemos treinar nossa mente para nos proteger.

Treinando a mente para nos proteger

Um de meus ditados favoritos é este: "Você não pode impedir que um pássaro voe sobre sua cabeça, mas pode impedi-lo de fazer ninho em seus cabelos!".

Embora pensamentos impróprios inevitavelmente surjam na mente de todas nós, não somos obrigadas a entretê-los. Tais pensamentos não são pecados, mas deter-se neles é basicamente ensaiar para a rebelião, e praticar tais pensamentos é pecado. É impossível impedir que sejamos tentadas, mas podemos evitar os ensaios e podemos certamente recusar-nos a pecar. Nenhuma tentação se transforma em pecado sem nossa permissão.

Podemos então impedir que o pássaro construa seu ninho em nossos cabelos? Como evitar nos determos em pensamentos ocasionais a ponto de "ensaiá-los" em vez de "reprová-los"?

Há três meios principais, e eu os chamo de "Três Rs":
- Resistir
- Redirecionar
- Renovar

Resistir à tentação na porta

Permitir que sua mente se encha com imagens de comportamento sexualmente imoral ou inadequado é como enchê-la de lixo. O lixo apodrece, corrompendo sua alma e contaminando sua vida e a de outros que estão próximos a você. Um dos principais meios de evitar fantasias inadequadas e conduta sexual imprópria é resistir a tais imagens e pensamentos, limitando o acesso deles à sua mente. Isso exigirá vigilância severa do que você lê, vê e ouve, mas ao fazer da censura um hábito ela se tornará uma segunda natureza.

A seguir, apresento uma lista que incorporei à minha vida de convicções pessoais a respeito do que vejo e ouço, juntamente com explicações da razão pela qual tomei tais decisões. (Você reconhecerá o filtro das três perguntas mencionado anteriormente.) Essas convicções me dão liberdade para desfrutar a vida sem sujeitar-me a tentações que poderiam ser esmagadoras. Espero que elas possam incentivar seus pensamentos a respeito de como você também pode guardar sua mente contra as tentações.

- Evito ver qualquer forma de pornografia. Creio que é proibido nas Escrituras segundo o item 4 na lista de *Questões íntimas* das proibições sexuais de Deus (impureza). Não beneficia minha vida sexual e envolve outra pessoa fora do meu casamento. Não quero concentrar-me em outra pessoa, um estranho, que não é meu marido.
- Limito minhas horas de televisão e evito assistir a certas novelas e séries durante o dia ou à noite. Elas não me beneficiam de forma alguma e são perda de tempo. A Bíblia proíbe as cenas ilícitas nesses programas (muitas delas envolvem sexo fora do casamento). Quando reconheço que um programa é edificante e apoia meus valores cristãos, sento-me para assistir. Quando termina o programa, termina também meu tempo diante da TV. Levanto-me e passo para alguma coisa mais produtiva e benéfica.
- Não ouço música secular. Tenho uma porção de lembranças sexuais do passado, ligadas a determinadas músicas. Quando estou em público e ocasionalmente ouço uma dessas músicas, isso me faz voltar a um local, tempo ou relacionamento específico, evocando lembranças que preferiria esquecer. É engraçado como a música tem poder para isso. Foi por essa razão que há dez anos mudei de minha rádio habitual para outra que só toca música cristã contemporânea. Quando ouço uma antiga

música cristã, isso me faz pensar onde estava espiritualmente quando a ouvi pela primeira vez. Esses marcadores espirituais relativos à música me lembram como Deus me fez crescer. Com a grande variedade de música de qualidade que temos, a música cristã é tão interessante (e muito mais edificante!) do que qualquer outra no mercado secular.

- Decidi não ler mais histórias românticas. Considero essas histórias sensuais pornografia para mulheres. Os detalhes das descrições sexuais são estímulos mentais e não visuais, o que seduz ainda mais as mulheres. Quase sempre tornam atraente o sexo fora do casamento e podem nos incitar sexualmente. Tenho igual cuidado com livros românticos cristãos, caso me levem a comparar meu marido ao herói da história e a pensar em todos os aspectos em que ele não chega à altura do galã. Quero proteger meu casamento, resistindo a quaisquer pensamentos que possam evocar sentimentos de desânimo ou decepção com a realidade.
- Tornei-me muito seletiva em relação às revistas que leio porque grande parte das mensagens não é útil para mim. Quando leio páginas e páginas de conselhos sobre como ser mais magra e vejo as modelos finas como um lápis em sua lingerie, sinto-me insatisfeita e infeliz com meu corpo. Depois de examinar todas as barrigas lisas e firmes espalhadas pela revista, acabo ficando um pouco deprimida só de me olhar no espelho e desejo menos ainda dar a meu marido o prazer de me olhar quando me dispo. Ao evitar a comparação e apreciar o corpo forte e sadio que Deus me deu, sinto-me muito melhor com minha aparência e me entrego muito mais livre e alegremente a meu marido.

Se você quer tornar-se uma mulher íntegra sexual e emocionalmente, insisto em que peça a Deus que a ajude a criar sua própria lista de como proteger sua mente da tentação sexual. Examine o que tem permitido entrar em sua mente através de revistas, livros, filmes, televisão, rádio e internet, e pergunte-se:

- Isso glamoriza ideias ou situações contrárias a meus valores cristãos?
- É edificante para meu espírito e me torna agradecida pelo que Deus me concedeu, ou me faz sentir deprimida e insatisfeita?
- Isso me leva a pensar em coisas que edificam meu caráter ou o destrói?

Não permita que entrem em sua mente coisas que possam desviá-la de sua dedicação a Cristo e das coisas que ele a chamou para fazer. Paulo advertiu os coríntios sobre essa possibilidade quando escreveu:

> Pois o cuidado que tenho com vocês vem do próprio Deus. Eu os prometi como noiva pura a um único marido, Cristo. No entanto, temo que sua devoção pura e completa a Cristo seja corrompida de algum modo, como Eva foi enganada pela astúcia da serpente.
>
> 2Coríntios 11.2-3

Paulo não se preocupava com o fato de os coríntios não estarem pensando em Deus 24 horas por dia, sete dias por semana. Sua preocupação volta-se para o fato de que os pensamentos deles poderiam afastá-los de Deus. As coisas com as quais você enche sua mente a levam *para* Deus ou na direção *oposta* a Deus?

Seja sincera consigo e com Deus. Só ele sabe o que é melhor para você. Convide-o a lançar a luz da verdade sobre seu coração e sua mente, mostrando o que você pode fazer para que seus pensamentos fiquem mais firmes e resistam até mesmo à tentação.

Além de filtrar o que entra em sua mente, você pode ensaiar mentalmente respostas corretas à tentação. Por exemplo, sempre que tiver pensamentos impróprios sobre alguém ou suspeitar que esse homem esteja querendo aproximar-se de você, imagine que, em vez de ceder e ser envolvida como uma personagem romântica, você na verdade rejeita as investidas dessa pessoa. Veja-se abafando o interesse dele logo no início. Pratique até mesmo o que você diria em resposta às investidas, deixando claro que não é uma mulher com quem se pode brincar ou alguém com tamanha carência emocional que se agarre a qualquer um que a trate com carinho.

Estes são exemplos de como algumas mulheres ensaiaram suas respostas práticas às tentações sexuais e emocionais a fim de desempenharem com perfeição seu papel quando os holofotes se fixassem nelas:

- Jana acha seu vizinho recém-divorciado muito atraente, mas quer ter certeza de que nada impróprio acontecerá entre eles. Ela tem entretido pensamentos de que ele talvez vá até sua casa na ausência de seu marido. Em vez de imaginar como seria envolver-se numa conversa a sós com ele, Jana ensaia sua linha de defesa: "Meu marido chega depois das cinco. Por que você não volta nesse horário e conversamos todos juntos?". É assim que ela responderá no caso de algum dia ele bater à porta.
- Quando um colega simpático e solteiro pediu para que se encontrassem, a fim de conversarem sobre alguns assuntos relativos ao pessoal do escritório, Donna pode até ter pensado em ficar a sós com ele. Porém,

como profissional de princípios éticos e mulher íntegra, ela ensaiou tal situação. Para evitar qualquer possibilidade de um comportamento inadequado, responde: "Fale com minha secretária para marcar um horário, peça-lhe que reserve a sala de conferências". (Uma vez que tal sala é rodeada de vidro, ela poderia ouvir as queixas dele sem que ambos ficassem isolados das outras pessoas.)

- Na clínica onde trabalha como dentista, Linda tem um paciente charmoso e excessivamente amigável. Ela sabe que deve mantê-lo afastado e imagina como fazê-lo calar-se quando faz comentários impróprios. Certo dia, após uma obturação, ele foi procurá-la e, como de costume, deu sua investida. Colocou a mão do lado do rosto e disse: "Minha mãe sempre me beijava onde doía", e inclinou-se na direção de Linda. Linda respondeu sem hesitar: "Só que eu não sou sua mãe. Quando chegar em casa, talvez ela possa beijá-lo".

A prática aperfeiçoa as coisas. O fato de ensaiar suas linhas de defesa capacitou essas mulheres a resistir à tentação desde o início. Praticar sua linha de resistência dará a você também a vitória diante da tentação.

Redirecionar os pensamentos tentadores

Por mais que você tente evitar os pensamentos tentadores, ainda assim alguns escorregarão para dentro de sua mente. A vida em si provoca tentações. O dia em que deixará de sentir-se tentada não é aquele em que evitará ler histórias românticas ou assistir a filmes vulgares, o dia em que colocará uma aliança de casamento no dedo, e nem mesmo o dia em que jejuará e orará durante doze horas sem parar. O dia em que deixará de experimentar tentação é o dia de sua morte.

A tentação faz parte do ser humano, e você não é exceção a essa regra. Por exemplo, talvez um chefe bonitão provoque pensamentos de sentar-se no colo dele para anotar os recados. É possível que um orador veemente instigue seu espírito e você pense por um momento em como seria interessante almoçar a sós com ele para ouvi-lo falar. Algumas vezes um amigo interessante pode levá-la a desejar tê-lo conhecido antes de comprometer sua vida com outra pessoa.

Você na verdade não pecou ao ter esses pensamentos; eles não passam de tentações desagradáveis. Cada pessoa neste mundo as experimenta de tempos em tempos. Como já mencionei, a Bíblia nos mostra que Jesus foi tentado. Ela também afirma que ele nunca pecou.

Nosso Sumo Sacerdote entende nossas fraquezas, pois enfrentou as mesmas tentações que nós, mas nunca pecou. Assim, aproximemo-nos com toda confiança do trono da graça, onde receberemos misericórdia e encontraremos graça para nos ajudar quando for preciso.

Hebreus 4.15-16

Jesus compreende o que é ser tentado. Ele também era humano. Foi submetido a todo tipo de tentações que experimentamos, todavia não sucumbiu a nenhuma delas. Uma vez que temos o Espírito Santo habitando em nós, podemos alcançar a mesma vitória se aprendermos a resistir à tentação redirecionando nossos pensamentos.

É possível que pense: *Mas você acabou de dizer que não posso escolher os pensamentos que entram em minha mente.* Tem razão. Não podemos impedir nossa mente de pensar coisas ao acaso, nem evitar pensamentos impróprios. Podemos, entretanto, deixar de nos retermos neles.

De fato, fazemos isso o tempo todo. Por exemplo, ao chegar a um bufê *self-service*, você pode escolher não pensar nos quilos que deseja perder e, assim, satisfazer seu apetite e sua gula por doces, não é mesmo? Pode distrair-se com o telefonema de uma amiga, mesmo quando tem uma lista enorme de tarefas domésticas para fazer. Você evita pensar nas roupas sujas se empilhando na área de serviço quando aparece uma oportunidade para comprar outras novas? Claro que sim. Fazemos escolhas constantemente para abrigar ou desconsiderar os pensamentos. Podemos entreter ideias ou ignorá-las, e as tentações sexuais ou os desejos emocionais não são exceção.

O que fazemos, então, ao ficar frente a frente com a tentação?

- Quando você vir um homem atraente (os homens não são os únicos que às vezes precisam controlar os olhos, não é?), evite o segundo olhar e simplesmente diga a si mesma: "Obrigada, Senhor, por tua maravilhosa criação!". A idolatria faz você desviar a atenção do Criador para a criatura. Ao encontrar uma linda criação, dê crédito ao Criador e siga adiante.
- Medite nas passagens que memorizou como um meio de manter o foco onde deve estar. Uma de minhas favoritas e que me ajudam a vencer a tentação é Apocalipse 3.21: "[A vitoriosa] se sentará comigo em meu trono, assim como eu fui vitorioso e me sentei com meu Pai em seu trono".
- Cante uma música que ajude você a resistir à tentação. Você deve conhecer músicas cristãs que podem ajudar a dar força e mostrar o caminho

- certo. Eu tenho músicas que servem de proteção mental para mim e muitas vezes impediram minha mente de escorregar ladeira abaixo.
- Ore pela mulher dele. Se ele não tiver uma, ore por aquela que ele terá um dia. Ou ore por seu marido ou por aquele que você terá um dia. Lembre-se de que entreter pensamentos românticos ou sexuais sobre essa pessoa é adultério mental, e agradeça a Deus porque com a ajuda dele você conseguirá manter puros seu coração e sua mente.
- Por último, como ouvi Elisabeth Elliot dizer em seu programa de rádio, *Gateway to Joy* [Portal para a alegria], quando você tiver de enfrentar a tentação, apenas *siga em frente*. Você estava a caminho do escritório quando encontrou esse belo espécime? Não pare. Vá para o trabalho. Ia encontrar uma amiga na hora do almoço? Não a deixe esperando. Vá. Se quiser manter-se no caminho da retidão, não permita que um homem bonito a desvie caso esse seja um relacionamento que não deva entreter.

Qual é sua estratégia para redirecionar os pensamentos tentadores? Como reagirá quando o pássaro voar sobre sua cabeça? Vai espantá-lo ou permitir que faça um ninho em seus cabelos?

Renovar sua mente

Uma vez que comece a barrar as tentações na porta e praticar o redirecionamento dos pensamentos tentadores, estará então pronta para dar início ao processo da renovação de sua mente. Isso significa basicamente colocar coisas novas em seu cérebro, para que tenha coisas melhores sobre as quais pensar e meditar. Isso é essencial para seu plano de combate se quiser tornar-se uma mulher de integridade sexual e emocional.

Paulo fala desse processo em Romanos 12.1-2:

> Portanto, [irmãs], suplico-lhes que entreguem seu corpo a Deus, por causa de tudo que ele fez por vocês. Que seja um sacrifício vivo e santo, do tipo que Deus considera agradável. Essa é a verdadeira forma de adorá-lo. Não imitem o comportamento e os costumes deste mundo, mas deixem que Deus [as] transforme por meio de uma mudança em seu modo de pensar, a fim de que experimentem a boa, agradável e perfeita vontade de Deus para vocês.

Não devemos usar nosso corpo para satisfazer nossos desejos egoístas; eles são instrumentos mediante os quais Deus pode realizar sua obra poderosa. A fim de nos preparar para esse propósito, devemos resistir àquilo que o mundo tenta colocar em nossa mente. Em vez disso, devemos permitir o fluir sempre fresco de mensagens piedosas. É assim que saberemos o que Deus quer fazer através de nós, porque sua voz doce e suave não será sufocada pelo barulho estridente de um mundo ímpio.

O *e-mail* de Susan é um exemplo clássico de como podemos deter as tentações à porta, redirecionar os pensamentos e renovar a mente:

> Aos treze anos tropecei num canal de filmes adultos enquanto servia de babá para alguns amigos da família. Eu sabia que era errado assistir, mas fiquei tão excitada que comecei a me masturbar por causa dos filmes, e fazia isso toda vez que assistia, depois de colocar as crianças na cama. Da primeira vez que tentei me masturbar em casa, sem assistir ao canal, fiquei surpresa ao perceber que bastava fechar os olhos para repetir a cena mentalmente selecionada. Lembrava-me perfeitamente de tudo.
>
> Quando fui para a faculdade, a masturbação e o hábito de fantasiar me absorviam. Sem acesso a um canal de televisão, roubei algumas revistas pornográficas e as escondi debaixo do tapete do porta-malas do carro. Pelo menos uma ou duas vezes por semana eu ia para um lugar escondido, pegava as revistas e me masturbava no carro.
>
> Mesmo depois de casada, eu pegava minhas revistas favoritas e um vídeo que mantinha escondidos de meu marido e me masturbava enquanto ele estava no trabalho. Isso aconteceu durante uns dois anos, até que tive meu primeiro filho. Enquanto revistava a casa, tomando precauções especiais para manter coisas perigosas fora do alcance, fiquei assustada com a ideia de que um dia meu filho poderia encontrar meu esconderijo secreto. Orei a respeito disso e pedi a Deus duas coisas: 1) um sinal claro de que deveria livrar-me daqueles objetos e 2) a força para resistir à tentação de substituí-los por outras coisas.
>
> No dia seguinte estava folheando a Bíblia e encontrei esta passagem:
>
>> Livrem-se de sua antiga natureza e de seu velho modo de viver, corrompido pelos desejos impuros e pelo engano. Deixem que o Espírito renove seus pensamentos e atitudes e revistam-se de sua nova natureza, criada para ser verdadeiramente justa e santa como Deus.
>>
>> Efésios 4.22-24
>
> Esse foi o sinal para mim. Joguei tudo fora e prometi não me envolver mais em autossatisfação. Eu geralmente praticava isso durante a sesta do meu bebê e tive, portanto, de criar um novo ritual. Comecei não só a ler a Bíblia, como também a

estudar passagens das Escrituras e meditar sobre elas. Iniciei um diário e me pus a escrever o que sentia que o Senhor desejava me ensinar. Passei a orar por coisas pelas quais nunca tivera tempo. Comprei alguns cartões de felicitações e enviei bilhetes a pessoas que Deus pôs em meu coração durante os períodos de oração. Se sobrasse tempo, colocava música suave de louvor no aparelho de som e fazia alguns exercícios de alongamento ou arrumava a casa. Mal podia acreditar como as horas passavam tão rápido, como eu aguardava e apreciava esse tempo especial.

Susan descobriu o segredo da vida vencedora: *Ou o pecado afastará você da Bíblia, ou a Bíblia afastará você do pecado.*

É claro que ler ou até estudar a Bíblia não impedirá você de pecar (basta verificar todos os pastores que são eruditos bíblicos, mas se envolveram em pecado sexual). Temos de *internalizar* e *aplicar* o que a Bíblia ensina. Renovar a mente significa fazer entrar pensamentos novos e vivos, além de manter afastados os velhos pensamentos corruptos. Embora não seja humanamente possível esvaziar sua mente do lixo, é possível empurrar o lixo para o canto, enchendo a mente de pensamentos puros. Sua mente só pode concentrar-se em determinado número de coisas por vez, e quanto mais se concentra em pensamentos saudáveis, tanto mais seus pensamentos nocivos terão de ficar longe. Algumas coisas que podem nos ajudar na renovação de nossa mente são:

- memorizar versículos bíblicos
- literatura cristã
- música de louvor e adoração
- programas de televisão e filmes baseados em valores cristãos
- livros devocionais
- revistas cristãs
- diários de oração
- conversas com outros cristãos

É possível que você acrescente outros itens a essa lista a fim de manter sua mente repleta de mensagens piedosas que a ajudarão a afastar as mensagens prejudiciais.

Ao resistir à tentação na porta, redirecionar os pensamentos tentadores e renovar a mente, podemos desenvolver uma atitude como a de Davi quando pediu: "Examina-me, ó Deus, e conhece meu coração; prova-me e vê meus pensamentos. Mostra-me se há em mim algo que te ofende e conduze-me pelo caminho eterno" (Sl 139.23-24).

Quando você se envolve nas coisas de Deus e vai fundo em seu caminho espiritual com ele, você ganha poder sobre seu corpo e se fortalece espiritualmente. As coisas que antes a tentavam empalidecerão quando comparadas à alegria de andar em obediência e desfrutar uma doce comunhão com Cristo.

No vídeo *No More Sheets* [Não mais lençóis], Juanita Bynum conta sua experiência de recair na tentação sexual. Juanita explica a importância de "mergulhar tão fundo nas coisas de Deus como você fazia com as coisas do mundo", não apenas por algum tempo, mas por toda a vida. Ela teve de dizer a algumas amigas: "Não posso fazer o que você faz... Não posso ir onde você vai... Quero ficar livre [da imoralidade sexual], e quero permanecer livre!".

Algumas pessoas podem pensar que você é legalista por não assistir a filmes para adultos. Sua amiga talvez se aborreça porque você deixou de comentar sobre o último episódio da novela. Outras amigas podem achar que você é uma pessoa obstinada, por não ir mais aos encontros de solteiros com elas. É até possível que suas companheiras do rodízio da carona dos filhos achem que você está ficando excessivamente espiritual porque só ouve música cristã no caminho.

Você sabe, porém, o que se evidencia em sua vida? Que você é uma mulher de convicção e vive de acordo com essas convicções. Outros verão que seu comportamento corresponde a suas palavras e que você reflete cuidadosamente sobre o tipo de mulher que quer ser. Se suas amigas chegarem a compreender que o estilo de vida delas não lhes dá a satisfação que almejam, adivinhe a quem pedirão conselho? É isso mesmo: à mulher que sabem que pode ensiná-las a levar todo pensamento cativo à obediência de Cristo e a viver como vencedoras!

....

*Tu guardarás em perfeita paz todos que em ti confiam,
aqueles cujos propósitos estão firmes em ti.*

Isaías 26.3

....

6

Guardando o coração

• • • • • • • • • •

*Acima de todas as coisas, guarde seu coração,
pois ele dirige o rumo de sua vida.*

PROVÉRBIOS 4.2

Certa vez, cometi o erro de colocar as calças de meu filho na secadora com várias outras roupas. O problema? Em vez de zíper ou botões, aquelas calças fechavam com uma tira de velcro. Por ter deixado de proteger o restante das roupas fechando o velcro, arruinei uma blusa de seda, algumas peças de lingerie e várias outras roupas enquanto as arrancava da tira de velcro com toda a força.

Nosso coração pode ser justamente como esse velcro. Se o deixarmos desprotegido, ficará fácil para ele se apegar a qualquer pessoa por quem nos sintamos atraídas. Não basta então para as mulheres proteger apenas a mente e o corpo contra a tentação sexual, precisamos também guardar o coração contra relacionamentos inadequados ou proibidos.

Embora a necessidade de amar e ser amada seja um grito universal do coração, o problema está em onde procuramos esse amor. Se não estivermos obtendo o amor de que necessitamos ou que desejamos de um homem — quer tenhamos quer não um marido — provavelmente iremos atrás dele. Algumas procuram em bares e outras em escritórios. Algumas fazem isso em *campi* universitários e outras em igrejas. Certas mulheres procuram amigos do sexo masculino, enquanto outras saem em busca de fantasias. Quando o amor foge delas, algumas procuram medicar a dor da solidão ou rejeição. Certas mulheres buscam consolo na comida, e outras em relacionamentos sexuais com qualquer parceiro disposto. Algumas se apegam a novelas, outras, a compras compulsivas, e outras ainda, à autossatisfação.

Se você tentou qualquer uma dessas possibilidades por longo tempo, chegou provavelmente a um beco sem saída. Sua busca a deixou desejosa de algo melhor, mais satisfatório, mais profundo. Se essa é sua história, tenho boas notícias para você. Deus tem um caminho melhor. Você pode buscar relacionamentos afetuosos e sadios e, ao mesmo tempo, guardar seu coração. Pode encontrar contentamento com seu marido e proteger seu coração de casos emocionais. Neste capítulo vamos descobrir:

- o que Deus diz sobre o coração e porque é necessário guardá-lo;
- como saber quando você está prestes a iniciar relacionamentos impróprios e quais providências tomar;
- onde encontrar o amor que seu coração almeja.

Indo ao âmago da questão

Deus ordenou que guardássemos o coração acima de tudo — acima de nossa vida, nossa fé, nosso casamento, nossos recursos financeiros, nossos sonhos, ou qualquer outra coisa de que gostamos. No livro de Provérbios, ele nos orienta: "Acima de todas as coisas, guarde seu coração, pois ele dirige o rumo de sua vida" (4.23). Qual o motivo de ser tão importante para Deus que guardemos nosso coração?

Creio que a resposta está no fato de o coração ser a fonte da vida. Quando Deus nos criou, ele fez de nosso coração o centro do nosso ser — física, espiritual e emocionalmente.

No âmbito físico, o coração está no centro de seu sistema circulatório. Ele bombeia sangue oxigenado por todo o corpo. Se o coração tem problemas, todo o corpo corre o risco de perder o fluxo de sangue que lhe dá vida. No campo espiritual, o coração é o lugar onde o Espírito Santo habita quando você o convida para entrar em sua vida (Ef 3.16-17). Você recebe a salvação não apenas por meio do conhecimento intelectual de Deus, mas mediante a crença em seu coração de que Jesus Cristo é Senhor (Rm 10.9-10). No âmbito emocional, o coração salta de alegria quando se agrada de algo ou alguém. Ele também sofre quando você passa por uma decepção como a perda de algo ou alguém especial.

O coração é literal e figuradamente o centro de tudo o que você é e de toda a sua experiência na vida. Portanto, quando Deus manda guardá-lo acima de qualquer coisa, ele está dizendo: "Proteja a fonte de sua vida, a origem física, espiritual e emocional de seu bem-estar". Assim como um lago não será puro se a nascente não for pura, também nossos pensamentos, palavras e atos não serão puros se o coração não o for. A pureza começa no coração. Gosto da maneira como a versão *A Mensagem* coloca essa ideia:

Vocês também conhecem este mandamento: "Não vá para a cama com quem é casado". Mas não pensem que terão preservado a sua virtude simplesmente porque não foram para a cama. De fato, o *coração* pode ser corrompido pelo desejo ardente ainda mais rapidamente que o *corpo*. Aqueles olhares [ou pensamentos] maliciosos que parecem passar despercebidos também corrompem.

Mateus 5.27-28 (grifos da autora)

É evidente que seu coração deve ser objeto de máxima preocupação caso você deseje ser uma mulher íntegra sexual e emocionalmente. Uma coisa é determinar até que ponto é ir longe demais *fisicamente* num relacionamento pré-matrimonial ou extraconjugal, mas outra é responder até que ponto poderá ir longe demais *emocionalmente*. Quais os limites emocionais? Para ajudar as mulheres a compreender melhor onde se encontram os limites emocionais quando se trata de relacionamentos com o sexo oposto, preparei os seguintes modelos — um para mulheres solteiras e o outro para as casadas. (Ver Figura 6.1 a seguir.)

PARA AS MULHERES SOLTEIRAS

Luz vermelha
Casos e vícios emocionais

Luz amarela
Excitação e apego emocional
Afeto

Luz verde
Atração
Atenção

PARA AS MULHERES CASADAS

Luz vermelha
Casos e vícios emocionais
Excitação e apego emocional

Luz amarela
Afeto

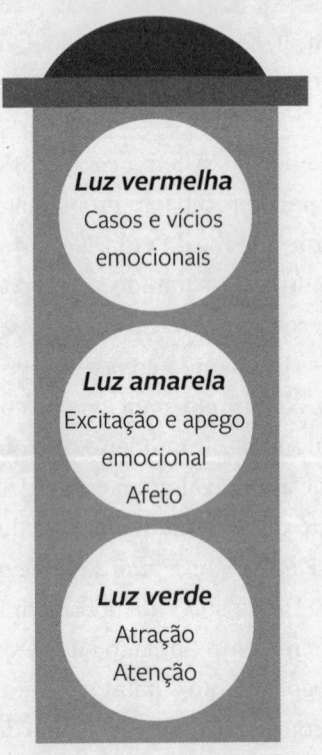

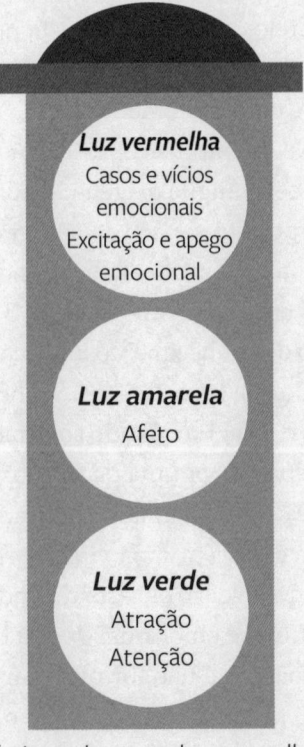

Luz verde
Atração
Atenção

Figura 6.1: Identificando a conexão emocional nos níveis verde, amarelo e vermelho.

Identificando os níveis verde, amarelo e vermelho da conexão emocional

Estes modelos ajudarão você a identificar cinco estágios da conexão emocional: 1) atenção, 2) atração, 3) afeto, 4) excitação e apego, e 5) casos e vícios. Uma vez que aprenda a identificar esses estágios, saberá com certeza quando é certo abrir o coração (representado pelo nível da luz verde), quando prosseguir com grande cautela (nível da luz amarela), e quando deve parar e fugir na direção oposta (nível da luz vermelha).

Embora seja da vontade de Deus que apreciemos nossas conexões emocionais, ele não quer que cruzemos a linha para um estágio que destruirá nossa integridade sexual e emocional. Vamos examinar mais de perto cada um desses níveis.

Conexão emocional no sinal verde

Atenção

Todas nós já tivemos aqueles momentos em que um homem prende nossa atenção por algum motivo. Você talvez perceba que há um indivíduo simpático no carro ao lado em um cruzamento, ou veja alguém andando a passos largos e firmes pela rua. Quem sabe até tenha experimentado certa culpa por notar esses homens, especialmente se for casada.

Deve preocupar-se com o fato de um homem atraente chamar sua atenção? De modo nenhum. Desobedeceu às Escrituras ou quebrou algum voto? Não. Está deixando de guardar seu coração só por ter notado alguém que atraiu seus olhos? Não. Pode ficar descansada, e simplesmente agradeça a Deus porque seus olhos funcionam bem e por ele fazer coisas assim tão belas.

A atenção se baseia no que vemos, enquanto a atração se baseia no que ouvimos. É por isso que não cremos em amor à primeira vista. Não passa de *atenção* à primeira vista. Você talvez já tenha passado pela experiência de achar um homem incrivelmente bonito, para depois ouvi-lo abrir a boca e gritar com os filhos, gabar-se de seu sucesso ou reclamar de alguém ou de algo em tom depreciativo. Você se sentiu atraída? Não. Por mais deslumbrante que ele fosse, provavelmente sentiu repulsa. Ele chamou sua atenção, mas você não se sentiu atraída. Por outro lado, uma mulher pode encontrar um homem bastante comum (em termos físicos) e talvez prestar pouca atenção nele, mas considerá-lo muito atraente depois de conversarem. Isso acontece porque as mulheres são mais estimuladas pelo que ouvem do que pelo que veem.

Atração

Neste estágio você se familiariza com a pessoa a ponto de saber que se sente atraída, mas não tem suficiente familiaridade para sentir afeto por ela.

A atenção e a atração não se limitam aos homens e podem incluir uma grande variedade de coisas: o tipo de roupas de que gostamos, o estilo de casa que preferimos e os tipos de comida que apreciamos. Quer nos sintamos atraídas quer não, algo determinará se gostamos ou não dele. É como saber que preferimos a praia às montanhas. Essa é a razão de sentirmos afeto por gatinhos que gostam de ser afagados em vez de cachorrinhos agitados. A atração determina nossa preferência por uma sinfonia em vez de um balé.

Somos também atraídas por certas mulheres e crianças. Você talvez prefira que seu filho brinque com determinado amiguinho. Pode se ver convidando uma criança favorita para ir à sua casa, mais do que faria com qualquer filho de outros amigos. Talvez até se esforce para que eles se tornem grandes amigos, pois gosta muito da companhia dessa criança. Quando vai a encontros da igreja ou de negócios, é provavelmente atraída por certos indivíduos e não por outros. A mulher de quem se tornou amiga é possivelmente alguém que você procura quando precisa de um abraço ou quando tem boas notícias para compartilhar. Passamos por todos esses movimentos e emoções num relacionamento porque nos sentimos atraídas por essas pessoas.

A sociedade deformou nossa mente, a fim de pensarmos que, se estivermos atraídas por alguém, devemos desejar fazer sexo com essa pessoa. A atração, contudo, não é necessariamente sexual. Acho atraentes muitos de meus amigos e colegas, mas não me sinto em nada tentada a ter um relacionamento sexual ou sequer emocional com eles.

Por que somos atraídas por alguns indivíduos e não por outros? As razões variam de pessoa para pessoa e se baseiam muitas vezes em nossas experiências conforme crescemos. Por exemplo, senti certa vez uma forte atração por um amigo da família. Não conseguia compreender aquilo, até que aprendi a respeito da terapia da imagem, que ensina que certas pessoas simplesmente "se ajustam ao seu molde", e o molde de cada uma é diferente. É por isso que você pode ter ouvido uma amiga tecer elogios sem fim ao novo namorado, mas quando o conhece você pensa: "O que será que ela vê nele?". Ele se ajusta ao molde dela e não ao seu.

Ao compreender melhor meu molde particular, percebi que o amigo da família se parecia muito com meu irmão e se comportava como meu pai. É claro que ele se ajustava ao meu molde! Entrei em pânico, pensando que ia ter um caso emocional com ele por considerá-lo atraente? Poderia ter entrado muito tempo atrás, mas já vivi o bastante para aprender que a atração faz parte do ser humano. Exerci simplesmente a precaução, continuando a monitorar meus motivos e sentimentos por essa pessoa.

Conexão emocional no sinal amarelo

Afeto

Quando você conhece suficientemente a pessoa para discernir que está atraída por ela, sente a necessidade de expressar seus sentimentos mostrando afeição ou demonstrando respeitosamente boa vontade para com ela. Os sinais de afeto podem ser algo tangível, como um pequeno presente ou um bilhete carinhoso. Você pode expressar afeto fazendo algum favor a essa pessoa, como ajudar numa tarefa difícil ou oferecer-se para levar um recado ou uma mensagem. O afeto pode ser expresso verbalmente, como fazer um elogio sincero ou contar algo a uma amiga de confiança. Mostramos nossa afeição dando um passeio ou indo ao cinema com o alvo de nosso afeto. As expressões mais comuns de afeição são: tapinha nas costas, uma carícia delicada, um abraço ou um beijo (o afeto pode progredir naturalmente até atos sexuais mais íntimos).

O autor Gary Chapman discute cada uma dessas formas de afeto em seu livro *As 5 linguagens do amor*, no qual classifica essas expressões em cinco "linguagens" que podem ser usadas não só com o cônjuge, mas também com amigos e filhos: presentes, atos de serviço, palavras de afirmação, tempo de qualidade e toque físico.

Como mulher casada, você está livre para mostrar toda afeição que quiser ao homem com quem se casou, mas e para outra pessoa? Quando é apropriado expressar afeto por outro homem e quando não é? Como saber a diferença? Onde traçar uma linha de limite?

Embora eu não possa sugerir de antemão situações positivas e negativas, posso propor-lhe maneiras de verificar o coração. Em espírito de oração, faça-se estas perguntas antes de decidir expressar afeto a um homem que não seja seu marido:

- Qual é minha motivação para essa expressão de afeto? Ela é apropriada?
- Estou tentando mostrar estima genuína ou tenho um motivo oculto?
- Estou usando o afeto para atrair essa pessoa a um relacionamento mais profundo?
- Essa expressão poderia ser mal interpretada a ponto de o outro sentir-se confuso, tentado ou suspeitar de meus motivos?
- Eu não me importaria que meu marido soubesse dessa expressão de afeto?

Se você pediu a Deus que revelasse seus motivos, se respondeu com sinceridade a cada uma dessas perguntas e se o coração está limpo, então certamente é aceitável que expresse seu afeto a essa pessoa. No entanto, se seus motivos são questionáveis, então não demonstre afeição por essa pessoa. Trate-a simplesmente de modo rotineiro, amigável, sem um favorecimento especial. Caso se pegue ultrapassando o limite da convivência formal quando está com essa pessoa, dispare o sinal de alerta. Busque uma amiga a quem possa fazer confidências, a fim de guardar o coração contra as concessões, e tente ficar longe dessa pessoa o máximo que puder, até que saiba controlar melhor suas emoções.

Se for solteira, discernir onde traçar um limite pode ser ainda mais difícil. Caso esteja interessada num relacionamento potencialmente satisfatório com alguém, desejará parecer aberta sem qualquer indicação de desespero. Caso não esteja interessada num relacionamento romântico com tal pessoa, desejará evitar o envio de sinais nesse sentido. Quer esteja quer não interessada num relacionamento sério, você se esquivará de expressar afeto que possa ser interpretado como sexualmente provocante. Estas são, portanto, algumas perguntas que uma mulher solteira deve fazer antes de mostrar afeto por um homem:

- Essa pessoa é livre? Ela tem "alguém importante" em sua vida que ficaria preocupado com a maneira como expresso afeto por ele?
- Minha expressão de afeto corresponde a meu nível atual de relacionamento com tal pessoa?

- Sinto que esse homem tem sentimentos a meu respeito aos quais não correspondo? Caso a resposta seja sim, sinais de afeto lhe dariam a impressão de que estou interessada em algo mais do que amizade quando, de fato, não estou?
- Essa expressão de afeto poderia ser interpretada como sedutora, ou reflete verdadeiramente um caráter piedoso?

Se sua consciência estiver limpa depois de fazer-se essas perguntas em espírito de oração e com sinceridade, sinta-se então livre para manifestar seu afeto a esse indivíduo de maneira apropriada. Seja, porém, sábia no caso de sentir que seu coração está se dirigindo para o nível seguinte de conexão emocional.

Excitação e apego emocional

Deus deu os três estágios anteriores (*atenção, atração* e *afeição*) a mulheres solteiras e casadas para serem desfrutados em uma grande variedade de relacionamentos apropriados, mas devemos ficar muito atentas a esse estágio. Embora a excitação física seja fácil de perceber, a emocional pode ser mais sutil e até mais difícil de controlar. A excitação emocional ocorre quando somos romanticamente estimuladas por alguém e geralmente precede a atividade sexual, porque o coração determina a direção da mente e do corpo.

Se você é solteira e espera desenvolver um relacionamento sério com um homem interessado e disponível, a excitação e apego emocionais são parte natural do processo do namoro. À medida que caminha para o altar, é bem provável que fique deliciosamente excitada com a ideia de vir a desposar esse homem. Não é pecado ser emocionalmente excitada pelo homem a quem espera dedicar sua vida.

Se, contudo, você é casada, sentimentos de excitação e apego emocional por outro homem são sinais seguros de que é melhor parar antes da queda.

Conexão emocional no sinal vermelho

O único homem por quem uma mulher casada deveria sentir-se emocionalmente excitada e apegada é seu marido. Se for casada e permitir que outro homem a excite emocionalmente, corre o risco de transigir e até de cometer pecado sexual.

Como perceber a diferença entre atração ou afeto e excitação e apego emocional por um homem? Estas são algumas perguntas para fazer-se a fim de avaliar se, como mulher casada, você está em terreno perigoso:

- Você pensa nesse homem com frequência (várias vezes por dia), mesmo quando ele não está presente?
- Escolhe sua roupa pensando se vai ou não vê-lo?
- Esforça-se para encontrá-lo, esperando que a perceba?
- Procura desculpas para telefonar-lhe, a fim de ouvir sua voz?
- Encontra razões para escrever-lhe mensagens, esperando ansiosamente pela resposta?
- Fica imaginando se ele sente alguma atração por você?
- Deseja falar ou passar tempo com essa pessoa, longe dos ouvidos ou dos olhos de outros?

Se a resposta a qualquer dessas perguntas for sim, você precisa parar e correr na direção oposta, até que suas emoções se estabilizem. Caso seus sentimentos por esse homem não tenham sido comunicados a ele e não haja intimidade no relacionamento, você pode evitar ainda mais danos, fugindo desses comportamentos e padrões de pensamento. Todavia, uma vez que os sentimentos sejam comunicados à pessoa e haja reciprocidade, você acabou de cruzar a linha para um caso emocional.

Se for solteira e emocionalmente envolvida com um homem casado, ou se for casada e emocionalmente envolvida com um homem que não seja seu marido, recomendo que faça quatro coisas.

Em primeiro lugar, *peça perdão a Deus*. Um caso emocional pode não ser tão importante quanto um caso físico aos olhos do mundo, mas todo pecado tem o mesmo valor aos olhos de Deus. Enquanto estiver orando para pedir perdão, peça também a Deus que lhe revele se deve ou não confessar seu pecado a seu marido. Por mais aterrorizante que esse pensamento possa ser, não deixe que o medo a convença de que mantê-lo em segredo é a melhor coisa para seu casamento. (O capítulo 10 explicará os benefícios de confessar a seu marido e lhe dará a coragem para fazê-lo.)

Segundo, *ore pedindo a proteção divina*, não só sobre o corpo, mas também sobre o coração, a mente e a boca. Continue a orar cada vez que se sentir fraca ou vulnerável, mas certifique-se de que essa pessoa não se torne o foco de suas orações. Em vez disso, concentre-se em seu relacionamento com Deus, procurando crescer pessoal e espiritualmente. Ore por seus outros relacionamentos com a família e os amigos. Pense em suas bênçãos atuais, e esse fardo em potencial não parecerá tão grande.

Terceiro, *evite contato desnecessário com essa pessoa*. Da mesma forma que se esforçou para encontrá-la, faça agora de tudo para ficar longe do caminho dela. Vá por um trajeto mais longo até a sala de descanso, caso o caminho direto passe pelo escritório dele. Procure outras ruas, a fim de não passar pela casa dele. Deixe que a secretária eletrônica atenda às ligações que ele lhe fizer. Se você for casada, é bem provável que ele não deixe uma mensagem. Evite a todo custo falar particularmente ou ficar a sós com esse alguém. Se tiver fotografias dele em sua sala, guarde-as ou destrua-as se não significarem nada para outros. Não se esqueça de que as ações falam mais alto do que as palavras. Quando você se recusa a permanecer na presença da tentação, ela perde sua força sobre você.

Por último, *procure uma amiga de confiança ou um conselheiro* para quem possa prestar contas nesse período de tentação. Você pode decidir confiar em seu marido. Sempre corro para o Greg quando estou enfrentando tentação sexual ou emocional, porque ele tem um interesse pessoal em orar por mim. Tenho também alguns algumas amigas às quais presto contas. Se a ideia de tal sinceridade com outra mulher deixa você nervosa, volte ao capítulo 3 e leia mais uma vez a respeito do último mito. Se não tiver um marido ou uma amiga em quem se apoiar durante esse tempo de provação, seria prudente procurar auxílio profissional. Não suponha que seu problema não é grande o suficiente para justificar isso. Converse a respeito dele antes que aumente demais. Se souber que terá de prestar contas a alguém — seja seu marido, uma amiga ou um conselheiro — a respeito de seus pensamentos, palavras e atitudes, você se esforçará mais para limitá-los a coisas que não a constrangerão ao admiti-las. Mostrar-se verdadeira e sincera consigo e com alguém que pode impedir que você caia nessa armadilha é o melhor salva-vidas que existe.

Minha experiência mostra que, se você deixar de alimentar seu desejo de intimidade emocional com um homem, este desejo por fim morrerá. Quanto mais você controla seu apetite pelo fruto proibido, mais dignidade e satisfação sentirá por si mesma e sua capacidade de ser uma mulher íntegra nos âmbitos sexual e emocional.

Se não prestarmos atenção ao sinal vermelho de um apego emocional proibido, podemos progredir até o estágio destrutivo da conexão emocional.

Casos e vícios emocionais

Em lugar de correr para o Médico Supremo a fim de obter alívio para suas feridas emocionais, as mulheres em geral fazem ídolos dos relacionamentos — adorando um homem e não a Deus. Começamos submetendo-nos aos desejos impuros de um homem e aos nossos, em vez de nos submetermos aos desejos de Deus para nossa santidade e pureza, e com isso nos tornamos escravas de nossas paixões.

Quando removemos as camadas que revestem essa questão, é possível enxergar o problema essencial: *dúvida de que Deus realmente possa satisfazer nossas necessidades mais profundas.* Olhamos então para um homem que não é nosso marido e logo descobrimos que ele também não nos "conserta". Se continuarmos nessa atitude de procurar amor nos lugares errados, poderemos descobrir que nossos casos progrediram até tornar-se um *vício* arraigado.

Espero que você nunca chegue a esse estágio — e espero que a leitura deste livro esteja convencendo você de sua necessidade de criar um plano de batalha para evitar completamente o sinal vermelho de conexão emocional. Todavia, se você já chegou ao sinal vermelho, saiba que ainda há esperança. Conheci várias mulheres que chegaram a esse nível de desespero, esperando encontrar algo para preencher o vazio de seu coração, simplesmente para descobrir que o abismo era muito mais profundo, escuro e solitário do que podiam imaginar. Eu sou uma dessas mulheres, mas depois de muitos anos concentrando minha atenção e afeto em meu primeiro amor (Jesus Cristo) e em meu segundo amor (meu marido), minha vida se tornou um testemunho da graça transformadora de Deus. Em seu generoso amor, o braço misericordioso de Deus alcança mais longe do que jamais poderíamos cair.

Em vista dos vícios arraigados estarem além do escopo deste livro, recomendo que procure um conselheiro profissional para descobrir o sofrimento que a levou até esse ponto e qual a forma de curar as feridas causadas por seu estilo de vida nocivo. Meu livro anterior, *Words of Wisdom for Women at the Well* [Palavras de sabedoria para mulheres junto ao poço], trata das fixações amorosas, especialmente das mulheres. Recomendo também o livro de Stephen Arterburn, *Addicted to Love* [Viciado em amor], que trata de sexo, amor, romance e vícios em relacionamentos. Eis um trecho de Steve sobre a questão em pauta:

> O vício romântico, como qualquer outro vício, começa inevitavelmente a interferir na vida do viciado. O que antes produzia alívio logo gera dor, exigindo

mais alívio, causando mais dor […]. O que antes era uma técnica para controlar toma o controle e desequilibra a vida do indivíduo. O viciado não pode trabalhar ou divertir-se sem que a obsessão o persiga. […] Tudo o mais na vida passa para o segundo plano, dando primazia ao desejo compulsivo pela intoxicação romântica.

Ironicamente, em quase todos os casos o verdadeiro objeto da obsessão não é outra pessoa, quer real quer imaginária, mas o próprio viciado. O viciado se concentra totalmente em sua alma ferida, cheia das mágoas causadas por todos aqueles que o abandonaram no passado. Só uma coisa é importante: sentir-se melhor. Só uma coisa é procurada: alívio imediato da dor.

Pouca atenção ou interesse é desperdiçado com qualquer outra pessoa. É quase impossível para os viciados em romance, em meio aos espasmos de seus pensamentos e comportamento obsessivos, enxergar para além de sua autoabsorção o sofrimento que estão causando a outros. Tudo o que sabem é que estão sofrendo e que precisam ter aquilo de que necessitam para curar sua ferida. Se, nesse processo, ferirem outros, é uma pena. Mas é inevitável. Conseguir a "dose" romântica é tudo que importa.[1]

Se você sentir que o desespero por sexo, amor, romance ou relacionamentos é algo que controla sua vida, busque ajuda. Você não precisa sofrer em silêncio.

As recompensas da sabedoria

Ao ler sobre esses estágios e níveis de conexão emocional, você pode ter se perguntado se as mulheres sempre progridem através deles na mesma ordem. É claro que não. Qualquer um dos estágios pode ser totalmente omitido. Por exemplo, uma mulher pode envolver-se mentalmente em um caso emocional particular com um homem, sem expressar qualquer afeto por ele. Os estágios também podem ser abordados em ordens variadas. Por exemplo, uma mulher pode casar-se, unir-se a um homem por razões que não sejam a atração, mas com o tempo passar a considerá-lo muito atraente. Essas exceções não têm o intuito de confundi-la, mas sim de ilustrar que, embora a conexão emocional seja progressiva, ela nem sempre progride na mesma ordem. Portanto, para guardar bem o coração, você não deve supor que só pelo fato de não ter entrado no primeiro estágio não corre o risco de envolver-se em outro ainda mais perigoso. Sempre, sempre examine seu coração para descobrir quaisquer motivos impuros — antes de chegar ao estágio da conexão emocional.

À medida que vai sendo prudente e evitando os estágios do sinal vermelho da conexão emocional, você recuperará o autocontrole, a dignidade e o respeito próprio que pode ter perdido ao fazer concessões em sua integridade sexual. Pode também esperar um sentimento renovado de conexão e intimidade com seu marido, e pureza em suas amizades ou relacionamentos de trabalho com outros homens. Melhor do que tudo, quando Deus observar seu coração puro e vir que o está guardando contra relacionamentos pouco saudáveis, ele a recompensará com uma revelação ainda maior a respeito dele. Ele diz:

> Eu, o Senhor, examino o coração
> e provo os pensamentos.
> Dou a cada pessoa a devida recompensa,
> de acordo com suas ações.
>
> Jeremias 17.10

> Felizes [as] que têm coração puro, pois verão a Deus.
>
> Mateus 5.8

Quer uma revelação mais completa de quem Deus é? Quer receber as recompensas de uma vida piedosa? Quer experimentar um nível mais profundo de satisfação do que qualquer homem pode oferecer? Continue lendo enquanto descobrimos o segredo.

Encontrando o amor que desejava

Embora evitar vínculos e relacionamentos emocionais insalubres seja importante, não basta para garantir o sucesso na proteção de nosso coração. O segredo da suprema satisfação emocional é procurar um relacionamento de amor forte e apaixonado com o Deus que fez nosso coração, o Deus que o purifica e fortalece contra as tentações mundanas. O segredo é focar o coração em seu Primeiro Amor.

Você se lembra da primeira vez em que se sentiu apaixonada? Como esse sentimento dominou seus pensamentos de manhã, à tarde e à noite? Como ficava pronta em instantes quando sabia que ele estava para chegar? Lembra-se de que deixava cair tudo quando o telefone tocava, esperando desesperadamente ouvir a voz dele? A possibilidade de esse relacionamento chegar a algum lugar dominava seu mundo. Por mais que tentasse, não conseguia tirá-lo da mente, não é mesmo? (Não que alguma de nós tentasse fazê-lo com muita veemência!)

Deus quer que você fique obcecada por ele dessa forma. Não que você vá ficar no alto da montanha, como acabamos de descrever, todos os dias de sua vida (todos os relacionamentos de amor passam por picos e vales), mas ele deseja ser seu Primeiro Amor. Ele quer que seus pensamentos se voltem na direção dele nos dias bons e maus. Quer que o aguarde esperançosamente, de modo que você o sinta chamando para estar em sua presença. Quer que o invoque e ouça sua resposta amorosa. Embora deseje que você invista em relacionamentos sadios com outros, quer que se preocupe ainda mais com seu relacionamento com ele.

Você talvez esteja pensando: *Ah, tenho ouvido isso toda a minha vida! A resposta para todos os meus problemas é 'Jesus, Jesus, Jesus'! Conheço Jesus, mas também nunca senti satisfação completa com ele!* Se for esse seu caso, posso compreender a razão de não aceitar minhas palavras. Sei por experiência, porém, que digo a verdade, e muitas mulheres que conheço afirmam a mesma coisa. Não posso senão duvidar de que você tenha realmente procurado de todo o coração um relacionamento satisfatório com Deus. Encorajo você a responder honestamente às seguintes perguntas:

- Tenho investido tempo *de verdade* para conhecer a Deus pessoal e intimamente?
- Leio a Bíblia procurando pistas sobre o caráter e o plano de Deus para minha vida?
- Dei a Deus todas as oportunidades que ofereci a outros homens em minhas fantasias e conversas pelas internet?
- Alguma vez escolhi orar ou dar um passeio com Deus em vez de telefonar a um homem quando me senti só?
- Há momentos em que fico sozinha (masturbando-me, fantasiando, lendo ou vendo materiais impróprios etc.) e ignoro a presença de Deus numa tentativa de satisfazer-me?
- Creio que Deus pode satisfazer cada uma de minhas necessidades?
- Estou disposta a testar essa crença pondo de lado todas as coisas, pessoas e pensamentos que utilizo para medicar a dor, o medo ou a solidão, e tornar-me totalmente dependente de Deus?

Deus deseja que você o prove e o experimente nisso. Ele quer habitar em cada parte de seu coração e não apenas alugar um quarto nele. Quer encher seu coração até transbordar.

Não permita que a culpa de erros passados a impeça de buscar esse relacionamento de primeiro amor verdadeiramente satisfatório com ele. Deus não despreza você pela maneira como tentou preencher o vazio em seu coração. Ele diz: "Venham, vamos resolver este assunto [...]. Embora seus pecados sejam como o escarlate, eu os tornarei brancos como a neve; embora sejam vermelhos como o carmesim, eu os tornarei brancos como a lã" (Is 1.18). Ele está pronto para purificar seu coração e ensinar-lhe como guardá-lo do sofrimento e da solidão no futuro.

Caindo na direção certa

Não *caímos* acidentalmente no amor ou na imoralidade sexual. Ou *mergulhamos* nessa direção (passiva ou agressivamente) ou escolhemos deliberadamente virar para o outro lado, recusando cruzar a linha entre o que é proveitoso e o que é proibido. Embora nossas emoções sejam muito poderosas, não precisamos permitir que elas dominem nossos pensamentos e atitudes, levando-nos a situações comprometedoras. Em vez disso, podemos apoiar-nos no poder de Deus para guardar nosso coração, direcionando nossas emoções para circunstâncias e relacionamentos apropriados.

Encorajo você a decorar os níveis de conexão emocional do sinal verde, amarelo e vermelho discutidos neste capítulo. A compreensão exata de onde se encontra a linha entre a integridade emocional e o comprometimento emocional é um dos três segredos para guardar seu coração. O segundo é ser honesta consigo e aprender a reconhecer quaisquer motivações ocultas, pois isso mostrará exatamente onde você está em relação a essa linha entre a integridade e a transigência. O terceiro segredo para guardar o coração (e o mais importante) é buscar um relacionamento de primeiro amor com Jesus Cristo (sobre o que falaremos mais no capítulo 11). Uma vez que experimentar um amor assim tão puro e apaixonado, seu coração será fortalecido como você nunca imaginou ser possível.

Peço que, da riqueza de sua glória, ele [as] fortaleça com poder interior por meio de seu Espírito. Então Cristo habitará em seu coração à medida que vocês confiarem nele. Suas raízes se aprofundarão em amor e [as] manterão fortes. Também peço que, como convém a todo o povo santo, vocês possam compreender a largura, o comprimento, a altura e a profundidade do amor de Cristo. Que vocês experimentem esse amor, ainda que seja grande demais para ser inteiramente compreendido. Então vocês serão [preenchidas] com toda a plenitude de vida e poder que vêm de Deus.

EFÉSIOS 3.16-19

7

Cerrando os lábios

• • • • • • • • •

Se [alguma] de vocês afirma ser [religiosa], mas não controla a língua, engana a si [mesma] e sua religião não tem valor.

Tiago 1.26

Qual é a palavra de cinco letras preferida da mulher nas preliminares sexuais? F-A-L-A-R!

Pense nisso. Qual caso já aconteceu sem a troca de palavras íntimas? As mulheres costumam dizer-me: "Não fui infiel a meu marido. Tudo que esse homem e eu fizemos foi falar". Entretanto, qual a natureza das palavras trocadas? Ele pode dizer coisas como:

- "Estava esperando ver seu rosto lindo hoje."
- "Minha mulher e meus filhos estão viajando, e a casa está muito solitária."
- "Tive um sonho muito maluco com você a noite passada. Acordar foi decepcionante."
- "Será que seu marido valoriza a mulher maravilhosa que você é?"

Ela talvez responda então com palavras como:

- "Gosto tanto de estar em sua companhia. Você sempre me faz sentir bem."
- "Quando vou vê-lo outra vez? Telefone logo, combinado?"
- "Penso em você o tempo todo. Não consigo tirá-lo da cabeça."
- "O que sua mulher diria se soubesse que estamos tendo esta conversa?"

O que ela *diria*? O que seu marido diria? "Tudo bem, querida. Você ainda não foi infiel!" Acho que não. Os cônjuges sentem-se muito traídos com tais palavras. Na verdade, essas palavras provavelmente feririam tanto quanto os atos físicos que você poderia ter cometido, porque indicam que seu coração não está mais completamente investido em seu relacionamento conjugal. Considere esta passagem do livro de Tiago:

Se colocamos um freio na boca do cavalo, podemos conduzi-lo para onde quisermos. Observem também que um pequeno leme faz um grande navio se voltar para onde o piloto deseja, mesmo com ventos fortes. Assim também, a língua é algo pequeno que profere discursos grandiosos.

Vejam como uma simples fagulha é capaz de incendiar uma grande floresta. E, entre todas as partes do corpo, a língua é uma chama de fogo. É um mundo de maldade que corrompe todo o corpo. Ateia fogo a uma vida inteira, pois o próprio inferno a acende.

Tiago 3.3-6

Você entendeu essa última parte? A língua "corrompe todo o corpo". Devemos deixar de pensar em pureza e fidelidade estritamente em termos físicos e compreender a importância de fazer com que nossas palavras, pensamentos, atos e convicções correspondam à Palavra de Deus. Quando essas quatro coisas combinam entre si e condizem com a Palavra de Deus, estamos agindo com integridade sexual. Entretanto, se qualquer dessas áreas estiver em desacordo com a Palavra de Deus, comprometemos nossa integridade sexual, não importa até que ponto tenhamos ido fisicamente.

Alinhando nossos lábios

Se desejamos ser mulheres íntegras sexual e emocionalmente, devemos compreender como nossas palavras são uma arma poderosa. As palavras nos levarão a um caso ou o impedirão de acontecer.

Se dissermos a nós mesmas que não podemos resistir à tentação sexual ou emocional, provavelmente cairemos em tentação. Se dissermos, porém, que não cederemos à tentação sexual nem emocional, será bem provável que sustentemos nossas palavras com atos coerentes. É assim que você se torna uma mulher íntegra, uma pessoa cujos lábios estão de acordo com sua vida e vice-versa.

Raça de víboras! Como poderiam [mulheres más] como vocês dizer o que é bom e correto? Pois a boca fala do que o coração está cheio. A [mulher] boa tira coisas boas do tesouro de um coração bom, e a [mulher] má tira coisas más do tesouro de um coração mau. Eu lhes digo: no dia do juízo, vocês prestarão contas de toda palavra inútil que falarem. Por suas palavras vocês serão [absolvidas], e por elas serão [condenadas].

Mateus 12.34-37

Neste capítulo vamos examinar a ideia de vigiar a boca como mais uma proteção contra o comprometimento sexual. Avaliaremos primeiro que tipos de mensagens devemos evitar:

- flertes e elogios
- queixas e confissões
- aconselhamento e oração impróprios

e, em seguida, veremos o que podemos fazer para assegurar que guardaremos nossa boca ao conversar com o sexo oposto.

Flertando com o perigo

Os dicionários definem a palavra *flertar* como "comportar-se amorosamente sem intenção séria". Muitas mulheres me perguntam: "É certo flertar sendo solteira?". A pessoa que faz essa pergunta no geral não compreende o real significado de flerte. Embora talvez não seja errado agir amorosamente (como se desejasse um romance) com alguém em quem você esteja interessada para iniciar um relacionamento mutuamente benéfico, flertar é outra coisa. Flertar também poderia ser chamado de "provocar", uma vez que a pessoa que flerta não tem qualquer intenção séria. Independentemente de seu estado conjugal, deveria uma mulher estimular um homem (emocional ou fisicamente) quando não tem intenção de continuar um relacionamento com ele? É uma prova de amor provocar alguém com suas atenções e demonstrações de afeto se não deseja realizar quaisquer esperanças que possa despertar? Em minha opinião, mostrar amor sincero e respeito por outros não abre espaço para o flerte ou a provocação.

Ainda outras me perguntam: "É errado uma mulher casada flertar desde que não passe disso?". Para mim, nunca é apropriado que uma mulher casada se comporte amorosamente com alguém que não seja seu marido. Se retrocedermos a nossas definições de mulher íntegra, você se lembrará de que ela vive de acordo com seus lábios e vice-versa. Se quisermos ser leais a nosso parceiro de casamento, devemos demonstrar nossa fidelidade não apenas em atos, como também em nossa conversa com outras pessoas. Embora o ditado seja que "os atos falam mais alto do que as palavras", não podemos ignorar o efeito que as palavras têm sobre outras pessoas e sobre nossa própria integridade.

Mesmo que você não tenha uma intenção séria quando começa a fazer elogios ou mostrar amizade excessiva por um homem, o estímulo desses afagos ao ego pode fazê-la entrar na estrada que leva à transigência sexual, que geralmente acontece lentamente, mas algumas vezes na velocidade da luz. Sarah descobriu isso da maneira mais difícil:

> Enquanto trabalhava como consultora de uma grande empresa cristã, gostava de sentar-me com um pequeno grupo de funcionários nos jantares e festas da firma. Sempre nos divertíamos muito, trocando histórias e contando piadas, algumas que podiam ser repetidas em qualquer ambiente e outras não.
>
> Certa noite, estávamos nos divertindo muito durante um jantar em um restaurante e decidimos continuar a festa no saguão do hotel onde os consultores de outras cidades estavam hospedados. Quando nosso grupo alegre foi para o bar, começamos a pedir algumas bebidas e alguém berrou: "Quem quer participar de um jogo?".
>
> Enquanto escolhíamos as equipes, Rick (claro que esse não é seu nome verdadeiro) olhou diretamente para mim, piscou com seus grandes olhos azuis e, numa voz à la Humphrey Bogart, disse: "Somos nós dois agora, garota!". Depois da agradável conversa que havíamos tido durante o jantar e os elogios que ele me fez, gostei da ideia. Lembro-me de ter pensado: "Anime-se e divirta-se um pouco. É uma festa da empresa! E não passa de um jogo!". Telefonei para meu marido e perguntei se podia ficar mais um pouco com o pessoal.
>
> Não me lembro se ganhamos algum dos jogos ou não, mas me lembro da maior parte das conversas que tivemos e como eu me deliciava com cada palavra: "Eu estava esperando que você fosse minha parceira, para que pudéssemos conversar mais... É difícil encontrar uma mulher inteligente *e* também charmosa... Todos estão vendo a mulher linda que está ao meu lado". Lembro-me também de como Rick passava a mão pela minha cintura a cada vez que eu devia participar do jogo. (Confesso que estava dando pouca atenção ao jogo com um galanteador tão adorável ao meu lado a noite inteira). Seu toque me fazia estremecer por dentro.
>
> Quando a noite foi terminando e todos se dirigiam para casa ou para seus quartos Rick me puxou de lado e escorregou a chave de seu quarto em meu bolso. Gostaria de dizer que fiz a coisa certa com aquela chave, mas eu havia flertado com o perigo por tanto tempo naquela noite que acabei fisgada com anzol e tudo, e afundei. A conversa tinha sido tão fascinante. Eu sentia como se pudéssemos conversar a noite inteira. Pensava sinceramente que poderia entrar em seu quarto e manter as coisas no nível da conversa, mas assim que ele me beijou quase não conversamos mais.
>
> Dizer a mim mesma: "Pelo menos não fizemos sexo!" aliviou minha consciência por pouco tempo, mas não demorei a compreender que havia arrumado uma mala mais pesada do que podia carregar. Depois de meses de aconselhamento, oração

e sondagem de alma compreendi que o adultério não é consumado quando o ato sexual acontece, mas quando há uma conversa íntima. Gostaria de ter sabido disso antes daquele dia.

Um filtro para nossas palavras

Embora muitas mulheres flertem deliberadamente com homens, outras não compreendem que seus comentários amorosos são inadequados. Ouvimos com tanta frequência esse tipo de comentário na mídia, dizendo que flertar pode ser uma reação natural ou automática. Algumas mulheres são muito ingênuas para reconhecer o impacto de suas palavras e de seus gestos sobre o sexo oposto. Outras sabem muito bem, mas são tão famintas de afirmação que continuam a abrir mão de sua integridade a fim de ouvir elogios.

Esta é uma lista de perguntas, semelhante à do capítulo anterior, para ajudar você a discernir se as palavras que saem de sua boca e entram nos ouvidos dele são para o bem do outro ou para seu próprio ego.

- Qual é meu motivo para fazer esse comentário? É piedoso?
- O que espero obter ao dizer isso? Essas palavras serão prejudiciais ou benéficas para nós dois?
- Esse homem é casado? Em caso afirmativo, sua mulher ficaria zangada comigo se soubesse que eu estava falando com seu marido desse modo?
- Estou usando as palavras para manipular essa pessoa e levá-la a um relacionamento mais íntimo a fim de satisfazer minhas necessidades emocionais ou para que me sinta melhor?
- Se eu dissesse realmente o que estou pensando e meu marido (ou amiga, chefe, pastor, filho) estivesse atrás de mim, teria de dar algumas explicações?
- Quando percebo que um homem casado está flertando comigo, eu torno a situação mais divertida ao responder à altura ou mantenho minhas convicções pessoais a respeito de guardar minha boca?

Embora palavras e cumprimentos gentis possam ser apropriados, devemos ser honestas quanto a nossos motivos e reconhecer quando estiverem à beira de tornar-se manipuladores ou galanteadores. No entanto, mesmo quando aprendemos a discernir se estamos ou não flertando, existem outras formas de conversa que também levam à transigência sexual e emocional. Vamos continuar examinando esses tipos de palavras.

Queixando-se das queixas

Não irei tão longe a ponto de dizer que as mulheres nunca têm o direito de queixar-se do marido, mas fazê-lo com alguém do sexo oposto pode fazer o tiro sair pela culatra rapidamente. Este é um *e-mail* de Beth que ilustra minha ideia melhor do que eu poderia explicá-la:

> Quando eu estava casada, meu marido abusava emocionalmente de mim quase todos os dias. Ele não era do tipo que acordava cedo, e ao se levantar de mau humor sempre encontrava algo para gritar comigo. Eu deixei que ele ficasse sem creme de barba. Não passei sua camisa favorita. Não cozinhei os ovos tempo suficiente. Havia sempre alguma coisa toda manhã. Chegava às vezes a dizer que se a minha aparência e a da casa não estivessem melhores quando ele voltasse, poderia até ficar fora de vez. Em geral, quando eu saía de casa para trabalhar, sentia-me como se tivesse sido mastigada e cuspida. Não raro, tinha de ficar sentada no carro algum tempo, até me recompor para começar o dia no emprego.
>
> Um colega, Bob, viu-me seguidas manhãs sentada no carro, secando os olhos antes de entrar no escritório. Certa ocasião, quando me perguntou o que havia de errado, desabafei. Contei tudo. Falei sobre os gritos de meu marido e suas queixas a respeito de tudo que eu fazia ou deixava de fazer em casa. Confessei meu ódio pela maneira como ele me tratava. Confessei guardar pouco amor por ele em meu coração.
>
> Bob confessou a mesma frustração com a esposa, dizendo que ela também não o valorizava. Ele disse que cortava a grama, levava os filhos para a escola, lavava o carro, fazia elogios a ela e frequentemente a levava a restaurantes, mas ela nunca estava satisfeita. Pensei então: "Uau! Se meu marido fizesse tudo isso para mim eu derreteria como manteiga!".
>
> Bob e eu começamos a compartilhar histórias de horror no casamento. Ele tornou-se a pessoa com quem eu desabafava toda vez que meu marido fazia alguma coisa para me aborrecer. Bob sempre mostrava compreensão e fazia com que eu me sentisse melhor. Não sei exatamente o dia em que me apaixonei pelo Bob, mas nunca esquecerei o dia em que meu marido descobriu nosso caso.
>
> Eu tinha esperanças de que Bob se divorciasse logo que meu marido saísse de casa, mas ele decidiu que, por causa dos filhos, nunca poderia deixar a esposa. Pediu transferência para um escritório fora da cidade, a fim de recomeçarem sua história.

Em retrospecto, Beth compreende que dois erros não constituem um acerto. Embora o marido não tivesse o direito de tratá-la tão mal, ela apenas piorou a situação ao queixar-se a outro homem sobre ele. Beth diz que deveria ter se queixado a um conselheiro conjugal. Pelo menos o conselheiro poderia tê-la ajudado a estabelecer certos limites a fim de proteger-se do comportamento abusivo do marido. Se Beth tivesse tomado essa atitude, ela e o marido poderiam ter resolvido seus problemas e desfrutado um relacionamento mais sadio.

Falar de aconselhamento nos leva a outra forma de conversa íntima que faz as mulheres perderem seu ponto de apoio: aconselhar e orar com alguém do sexo oposto.

Boa demais a ponto de fazer mal

As mulheres podem ser excessivamente atenciosas em certas situações, mesmo quando os sinais vermelhos começam a surgir. Em geral pensamos: *Mas ele precisa de mim... Estou só tentando agir como amiga... Como poderia não ajudar? Isso não seria muito cristão da minha parte!*

Não há problema em uma mulher solteira aconselhar um amigo solteiro, mas se algum dos dois for casado ou comprometido a coisa pode tornar-se uma receita perigosa para um envolvimento relacional. Ou, se uma mulher solteira sentir que existe um motivo oculto (o desejo de iniciar um relacionamento) por trás do apelo masculino, ela deve ser sábia e esquivar-se caso não seja um relacionamento que deseje cultivar.

Não caia na armadilha de aconselhar um homem quanto a seus problemas se isso exigir conversas pessoais isoladas, especialmente se um de vocês é casado. É para isso que existem os conselheiros profissionais, os pastores e os amigos dessa pessoa. A única maneira de evitar o aumento dos muitos casos que aparecem nos escritórios de pastores e conselheiros é orientarmos a que homens aconselhem homens e mulheres aconselhem mulheres no que diz respeito a questões íntimas.

Se um homem procurar você para aconselhamento ou oração, e se for um relacionamento proibido ou que você não deveria manter, sinta-se livre para agir como Scott. Ao ser abordado na igreja por uma linda e jovem mulher aos prantos, Scott respondeu ao apelo dela sendo gentil: "Como posso ajudá-la?".

Enquanto ela começava a derramar o coração sobre algo que muito a havia incomodado, Scott intuitivamente percebeu as intenções dela e disse: "Por que não espera aqui enquanto chamo outra mulher para orar com você?".

Scott estava sendo insensível? De modo nenhum. Estava sendo muito sensível, não apenas com respeito à situação que afligia a mulher, como também quanto à destruição em potencial caso se tornasse seu confidente e parceiro de oração. Ele não queria alimentar qualquer falsa esperança de que pudesse ter algum relacionamento com ela. Muitos pastores e líderes de ministério se recusam a aconselhar uma mulher sem que o marido dela esteja presente em todas as ocasiões. Isso não é rejeição, é prudência e sabedoria.

Sempre que recebo pedidos de homens para aconselhamento relativo à esposa ou namorada, respondo simplesmente: "Sinto muito. Tenho uma norma estrita de só aconselhar mulheres. Se quiser que sua esposa entre em contato comigo, gostaria de discutir o assunto com ela e possivelmente atendê-los como casal". A sabedoria nos ensina que, se quisermos realmente ajudar outras pessoas (e nos proteger), não podemos ser "boas demais" a ponto de fazer mal a nós mesmas.

Agora que examinamos que tipos de conversas evitar, vamos estudar como podemos ser mulheres emocionalmente íntegras em todas as nossas conversas com os homens.

Restringindo-nos ao assunto em pauta

Dizem que o homem utiliza as conversas como meio de comunicação, enquanto as mulheres as utilizam como meio de ligação. Embora a comunicação e a ligação com nosso marido, filhos ou amigas sejam excelentes, comunicar-se e ligar-se a homens fora do casamento ou com aqueles que não escolheríamos para namorar é perigoso e muitas vezes destrutivo. Quanto mais nos comunicamos com uma pessoa, mais nos ligamos a ela. Portanto, faríamos bem em aprender essa lição com os homens e restringir-nos mais ao assunto. Podemos aprender a nos comunicar com os homens de maneira amigável mas objetiva, a fim de não prejudicar nossa integridade emocional.

Quer o relacionamento seja proibido, quer seja do tipo que não deseje cultivar, estas são algumas diretrizes específicas para ajudá-la a se comunicar com outros homens sem entrar por atalhos que possam levá-la a fazer concessões indevidas.

Conversas por voz

Ao reconhecer que qualquer chama pode ser soprada até tornar-se um fogo ardente por meio de conversas telefônicas, tente estabelecer os seguintes limites para seus telefonemas:

- Se você sofre com a tendência de desviar-se para tangentes inadequadas sempre que tem um ouvido masculino a seu dispor, telefone quando houver outras pessoas por perto. Se isso não for possível, marque o despertador para tocar em cinco minutos ou o tempo de que precisar para resolver o assunto em questão. Se completar o assunto, mas continuar a conversa em nível pessoal, deixe que a campainha seja seu sinal para terminar o telefonema e vá fazer coisas mais importantes.
- Se telefonar para um homem no escritório for uma necessidade, deixe o telefone no viva-voz. Essa é uma atitude especialmente sábia caso esteja telefonando para alguém que goste de flertar com você ou que já enviou sinais inadequados. Se ele suspeitar que outras pessoas poderiam ouvir tudo que está dizendo, terá cuidado com as palavras. O inverso é também verdadeiro. Faça de conta que sua voz está num megafone e que tudo que diz pode ser monitorado.
- Se você já esteve envolvida num relacionamento e ele continuar telefonando, filtre suas chamadas usando uma secretária eletrônica. Você não tem obrigação de responder ao chamado de uma pessoa com quem não quer mais nada, especialmente se ele quiser fazê-la voltar a um relacionamento inadequado. Se você já disse que o relacionamento acabou e ele continua telefonando, é ele quem está sendo rude. Esse sujeito obviamente precisa de uma "dica" um pouco mais forte, e os atos falam muito mais alto do que as palavras! Todavia, se ele tiver uma razão para telefonar e for preciso retornar o chamado dele, ponha em prática a primeira diretriz e telefone quando houver alguém por perto, ou ponha o despertador para limitar o tempo e a energia investidos no telefonema. Isso impedirá que ele, com palavras doces, leve você de volta a um relacionamento nocivo.
- Finalmente, evite conversas telefônicas que não sejam de emergência depois de certo horário à noite, quer seja solteira quer casada. Lembre-se de como seus pais não a deixavam falar ao telefone depois das dez da noite. Havia uma boa razão para essa regra. A maioria das conversas tarde da noite não passa de combustível para alimentar o incêndio.

Conversas presenciais

Apesar de o próximo capítulo abordar os limites físicos (discernindo se e quando é apropriado ficar a sós com um homem em particular), todas sabemos que ocasionalmente surgem situações que não percebemos de antemão. Vamos a uma consulta médica e a enfermeira sai momentaneamente da sala. O eletricista aparece quando você está sozinha em casa. O vizinho amável chega para ver como estão as coisas na noite em que seu marido está fora a negócios. Quando isso acontece, estas são algumas diretrizes:

- Mantenha a conversa no mesmo nível em que faria se outra pessoa estivesse presente. O fato de não haver alguém por perto não é justificativa para você conversar coisas íntimas ou pessoais. Por mais que as mulheres gostem de ir fundo em suas conversas, isso nem sempre é sábio. Antes de entrar em algum tópico mais sério, verifique sua motivação a fim de garantir que não tem um objetivo oculto, tal como usá-lo como confidente, testar sua determinação pessoal ou buscar afagos para seu ego.
- Se um homem tentar envolvê-la numa conversa que pareça um flerte ou chegue perto disso (ela poderia facilmente seguir numa direção imprópria), responda de forma monossilábica e depois encontre um meio de terminar a conversa. Isso enviará uma mensagem clara de que você não tem interesse em entrar no jogo dele.
- Se um profissional aparecer sem um parceiro para fazer um serviço e você estiver sozinha, telefone a uma amiga e veja se ela pode ir à sua casa por alguns minutos para tomar uma xícara de chá — agora! Tenho uma vizinha que combinou isso comigo. Quando uma de nós telefona com um convite inusitado para o chá, é como falar em código: "Largue tudo aí. Venha já. A chaleira está fervendo. Vejo você num instante". Se não houver uma amiga disponível, evite conversar mais que o absolutamente necessário enquanto esse homem estiver em sua casa.

Conversas virtuais

Hoje em dia, *e-mails*, redes sociais e telefones celulares podem desafiar extremamente a comunicação para as mulheres, Vamos estabelecer então algumas diretrizes para conversas com homens no mundo virtual:

- Se tiver de estabelecer contato com um homem por razões de trabalho, mantenha-se presa ao assunto. Evite conversinhas pessoais que façam parecer que você está interessada em mais do que uma relação de negócios.
- Se um homem com quem você se relacionou antes ou por quem se sente extremamente atraída enviar-lhe uma mensagem que exija resposta,

tenha cuidado para não dizer nada que possa ser interpretado como uma porta aberta ou insinuação. Tenha alguma amiga ou algum membro da família que possa verificar essa conversa para você. Se esse relacionamento causar tentação, faça o que é certo e graciosamente retire-se.
- Evite ter contas de *e-mail* particulares e pessoais que ninguém conheça ou às quais ninguém tenha acesso. Temos uma conta de *e-mail* pessoal e uma de ministério. Meu marido e seu assistente têm livre acesso a ambas a qualquer tempo, e isso nos dá a proteção necessária.
- Se um homem fizer contato por qualquer motivo que não seja profissional, pergunte quais são as intenções dele. Você tem toda liberdade para encerrar a conversa. Caso se sinta à vontade para responder, dê retornos breves e direto ao ponto, sem enveredar por conversas que você não gostaria que alguém ouvisse.

Um conto de três mulheres

Para deixar claro o valor de conduzir nossas conversas com integridade, gostaria de compartilhar a história de três mulheres que aprenderam suas lições da maneira mais difícil.

Para começar, Chloe. Certo dia, sentindo que poderia partir para uma aventura, ela disse à melhor amiga: "Aposto dez dólares que consigo encontrar um rapaz bonito no Facebook, convidá-lo para uma conversa privada e fazê-lo se masturbar para mim diante da câmera em uma hora". Sem considerar as consequências de suas ações, sua melhor amiga consentiu. Depois de Chloe ter encontrado Brady num grupo do Facebook, foram necessários apenas 45 minutos para que ganhasse sua aposta. No dia seguinte, sua amiga admitiu ter se sentido horrível pelo que haviam feito. Ela insistiu: "A Bíblia diz que é melhor ser lançado no mar com uma pedra de moinho amarrada ao pescoço do que fazer outra pessoa tropeçar e cair no pecado". O comportamento *on-line* de Chloe pode ter-lhe trazido dez dólares, mas ela perdeu o respeito da melhor amiga e sua própria consciência limpa.

Em seguida, temos Clara, uma jovem de 19 anos que se encontrou com Craig, missionário solteiro de 27 anos, pela internet. Os dois desenvolveram um relacionamento a longa distância, com conversas pelo celular que duravam até a madrugada. Por várias semanas, essas conversas giraram em torno de assuntos espirituais como "Quando Jesus voltará?" e "Como será o céu?". No final, porém, suas interações evoluíram para "O que faríamos se estivéssemos juntos sozinhos neste momento?" e "O que mais excita você?".

Certa noite, Craig pediu a Clara que usasse seu celular para fazer um vídeo dela se masturbando. Clara pensou que seria uma maneira "segura" de satisfazer os dois, tendo em vista os quilômetros que os separavam. Depois disso, porém, os dois estavam se corroendo em razão da culpa. Fizeram votos de nunca mais repetir aquilo — uma promessa que durou apenas duas semanas. Mesmo sendo "tecnicamente virgens", ficaram viciados em sexo pelo celular... até que a mãe de Clara descobriu a mais recente troca de vídeos entre os dois. Mas a vergonha de Clara não foi nada comparada à experiência de Jennifer.

Animada por ter conseguido a posição de pastora de jovens na igreja que ela e seu marido frequentavam, Jennifer decidiu comemorar o feito com um cruzeiro pelo Caribe com uma amiga sua antes de começar na nova posição. Foi então que Jennifer iniciou uma amizade com Jack, que estava viajando com alguns de seus amigos. A despeito de ambos serem casados, Jack e Jennifer trocaram números de telefone e mantiveram contato depois do cruzeiro. Depois de algumas semanas, suas conversas ocasionais se transformaram em ligações frequentes e mensagens de texto tão quentes que se poderia fritar um ovo sobre o celular de Jennifer. Quando ela mencionou que tinha roupas íntimas da Victoria's Secret, Jack insistiu para que ela enviasse algumas fotos íntimas. Ela imaginou que, contanto que nunca chegassem às vias de fato em suas brincadeiras sexuais, eles não estavam *de fato* sendo infiéis a seus cônjuges.

Obviamente, a esposa de Jack não concordou com isso. Imagine o horror de Jennifer quando seu pastor (e chefe) pediu que ela fosse ao escritório dele e, em seguida, mostrou-lhe um *e-mail* que a esposa de Jack havia mandado, detalhando muitas daquelas mensagens de texto com fotos *sexys* anexadas. A esposa dele explicou: "Contratei um investigador particular para seguir meu marido por meses e creio que você merece saber o que sua pastora de jovens anda fazendo", e então enviou uma cópia para cada membro da diretoria depois de ter obtido os endereços de *e-mail* no *site* da igreja. Jennifer perdeu o emprego, sem mencionar a confiança do marido. Agora, ela está passando por aconselhamento, tentando colocar sua vida em ordem de novo.

O traço comum nessas histórias é que cada uma dessas mulheres comprometeu sua integridade sexual através de conversas e interações *on-line*. Não creio que telefones celulares e páginas do Facebook sejam o problema. Foi a maneira como aquelas mulheres estavam se comportando, em primeiro lugar, que as pôs em dificuldades.

Para evitar problemas similares, considere as sete orientações a seguir:

1. No que se refere a qualquer tipo de mensagens de texto (celular, *e-mail*, redes sociais etc.), não digite nada que você não gostaria que qualquer outra pessoa, como seu marido ou seu pastor, ouvisse você dizer pessoalmente.
2. A maneira mais rápida de dar fim a mensagens de texto impróprias é simplesmente não responder. Se a pessoa exigir um retorno perguntando "por que você não está respondendo?", simplesmente diga algo do tipo: "Eu não jogo esse jogo. Converse comigo de maneira respeitosa ou não converse mais comigo de forma alguma".
3. Se um homem for casado, evite mensagens de texto, *e-mails* e ligações pessoais. Se precisar manter contato com um homem casado por questões comerciais, isso é uma coisa. Mas, para assuntos pessoais, comunique-se através da esposa dele.
4. Não poste fotos de ninguém na internet sem o conhecimento e a permissão da pessoa e recuse-se a deixar que outra pessoa coloque imagens com as quais você não se sente confortável.
5. Lembre-se de que trajes de banho são para a praia, não para o perfil do Facebook. Lingerie é roupa íntima, não roupa apropriada para vídeos no celular.
6. Tenha em mente que o propósito das redes sociais é fazer com que as pessoas se conectem. Converse e faça amizade com outras pessoas usando essas ferramentas, mas tenha o cuidado de evitar comportamentos de ostentação ou que chamem atenção.
7. Visite sua página do Facebook ou de outra rede social e analise cada componente dela através dos olhos de outra pessoa. O que ela diz sobre você? Se um empregador em potencial visitasse sua página, o que concluiria sobre seu caráter? Se um rapaz está considerando namorar você ou se uma mulher deseja ser sua amiga, que impressão essas pessoas teriam ao visitar sua página?

Intimidade emocional com um Deus íntimo

Em nossa busca por intimidade relacional, lembremos que há um Deus a quem podemos sussurrar os desejos de nosso coração e de quem recebemos ânimo sem que isso resulte em prejuízos para nossa integridade, mas em seu fortalecimento.

Se você estiver pensando: *É impossível que conversar com Deus me estimule do mesmo jeito que conversar com um homem*, então ainda não se permitiu ser cortejada por nosso Criador. O mesmo Deus cujas palavras tiveram o poder de formar todo o universo anseia por sussurrar, em seu coração faminto, palavras com poder para emocioná-la, curá-la e atraí-la para um relacionamento mais profundo do que jamais imaginou. Um homem pode dizer que você é bonita, mas a Palavra de Deus diz que o Rei "se encanta com sua beleza" (Sl 45.11). Um homem pode dizer-lhe: "É claro que amo você", mas Deus diz: "Eu amei você com amor eterno, com amor leal a atraí para mim" (Jr 31.3). Até seu marido pode afirmar: "Estou comprometido com você até a morte", ao passo que Deus diz: "Não [a] deixarei; jamais [a] abandonarei" (Hb 13.5).

Separe tempo para retirar-se para um lugar sossegado com o Deus que ama sua alma. Diga-lhe o que estiver em seu coração e depois *ouça* enquanto ele fala diretamente do coração dele para o seu.

....

Que as palavras da minha boca
e a meditação do meu coração
sejam agradáveis a ti, Senhor,
minha rocha e meu redentor!

Salmos 19.14

....

8

Construindo fronteiras mais sólidas

• • • • • • • • • •

Vocês não sabem que seu corpo é o templo do Espírito Santo, que habita em vocês e lhes foi dado por Deus? Vocês não pertencem a si [mesmas], pois foram [compradas] por alto preço. Portanto, honrem a Deus com seu corpo.

1Coríntios 6.19-20

Paulo encoraja os cristãos a usarem "toda a armadura de Deus" para se guardarem da tentação: o cinto da verdade, a couraça da justiça, os sapatos da paz, o escudo da fé, o capacete da salvação e a espada do Espírito (ver Ef 6.13-17). Somos muito afortunadas, pois verdade, justiça, paz e fé são ingredientes-chave para manter nossa integridade sexual e emocional, e o Espírito Santo nos dá completo acesso a todas essas coisas.

Todavia, ao vestir essa armadura de Deus, as mulheres se esquecem de verificar os elos fracos que as deixam abertas e vulneráveis à tentação. Os elos fracos e comprometedores mais comuns são:
- roupas
- companhias
- atitudes

Vamos examinar cada um desses elos fracos e tentar discernir se sua armadura pode estar deixando você vulnerável à tentação ou prejudicando sua integridade.

Primeiro elo fraco: roupas comprometedoras

Você provavelmente deve ter ouvido chefes de cozinha famosos dizerem que, quando se trata de comida, a apresentação é tudo. A apresentação é tudo, não apenas no que se refere à comida, mas também a seu corpo. Um dos conceitos que procuro passar às mulheres é que *ensinamos às pessoas como nos tratar*.

Nós as ensinamos a nos tratar com respeito ou com desrespeito. Como? Pelos nossos trajes modestos ou despudorados.

Depois de me ouvir falar pelo rádio sobre a importância da modéstia, Christi, de vinte e poucos anos, escreveu-me a seguinte carta:

> Quando comecei a trabalhar como conselheira num acampamento cristão, decidi que me recusaria a namorar qualquer rapaz no acampamento para poder dedicar-me inteiramente às moças do meu quarto. Queria muito que gostassem de mim e me achassem legal, portanto vestia-me na última moda: *jeans* justos, apertados nos quadris, *shorts* e *tops* curtos e justos, mas suficientemente longos para que, estando em pé, não fosse acusada de vestir-me despudoradamente. Ensinei também às moças a dançarem as músicas da moda com seus novos passos todas as noites no quarto, algo que esperávamos com ansiedade e com o que nos divertíamos muito.
>
> Muitas das garotas ficaram à minha volta a semana inteira no acampamento, em vez de rodear as outras conselheiras. Elas me disseram que preferiam aprender as novas danças à noite no quarto a participar dos estudos bíblicos. Eu gostava de pensar que poderia ter grande influência sobre a vida daquelas moças por receber sua atenção e admiração.
>
> Eu tinha também a atenção e a admiração de alguns dos conselheiros do acampamento, o que tornava difícil não me envolver num relacionamento romântico. Decidi que seria legal brincar um pouco com aqueles rapazes. Eles me perseguiam com revólveres de água, me acompanhavam até a cantina, jogavam gelo por dentro da gola de minha camiseta e outras brincadeiras desse tipo.
>
> Eu ficava pedindo que me deixassem em paz para concentrar-me nas garotas, mas eles raramente respeitavam meus pedidos, por mais sincera que me mostrasse.
>
> Queixei-me a Kathy (uma das outras conselheiras) sobre como os rapazes estavam me distraindo do que pretendia fazer. Ela pôs sua mão sobre a minha e disse suavemente: "Christi, suas ações falam mais alto do que suas palavras. Mesmo que não queira vestir-se para agarrar os rapazes, eles não podem deixar de notar você em seus trajes. Se você se veste e se apresenta como um brinquedo engraçadinho, os meninos se portarão como meninos e tentarão brincar com o brinquedo!".
>
> A enormidade do que eu havia feito me atingiu no último dia do acampamento. Notei todas as minhas meninas enrolando os *shorts* para torná-los tão curtos quanto os meus. Elas estavam indo atrás dos rapazes na cantina e provocando-os para chamar atenção. Quando vi um grupo de garotas dançando na frente de alguns rapazes, meu primeiro pensamento foi: "Elas são jovens demais para dançarem assim!". Depois percebi que elas estavam apenas fazendo os movimentos de dança que eu lhes ensinara sem perceber como eram provocantes. Todos os meus planos iniciais

de ter uma influência positiva sobre as moças do acampamento foram arruinados pelas minhas roupas e danças despudoradas.

No acampamento do ano seguinte levei *shorts* não muito curtos e camisas suficientemente longas para serem enfiadas dentro das calças. À noite ensinei às meninas alguns passos acompanhados por música cristã e até dancei uma das músicas na competição de talentos. Os rapazes não se aproximaram tanto de mim e pude então ajudar as meninas de verdade. Saí do acampamento naquele ano sentindo-me muito melhor comigo do que na temporada anterior.

A história de Christi é uma entre as muitas que ouço de mulheres que reconhecem que a maneira como se apresentam envia uma mensagem não verbal, mas clara, aos homens sobre como querem ser tratadas. Eis alguns outros exemplos:

Meg, 43 anos:

Quando era mais jovem costumava ouvir assobios quando passeava no *shopping* ou atravessava um estacionamento. Agora não sou mais desrespeitada desse modo. Ao notar isso pela primeira vez, pensei que não era mais tão atraente, pois estava ficando velha. Compreendi afinal que não recebia atenção imprópria porque comecei a vestir-me mais modestamente e apresentar-me como uma mulher numa missão para Deus, em vez de uma mulher numa missão para agarrar um homem.

Penny, 32 anos:

Eu costumava andar pela casa meio despida porque me sentia à vontade assim. Achava que era meu direito na privacidade do lar. Nunca pensei muito sobre isso até que meu filho de seis anos levou um amigo para casa depois da escola. Ele deteve o colega na porta e o ouvi dizer: "Espere um pouco, vou ver se minha mãe está vestida! Algumas vezes não está". Decidi dali por diante usar alguma coisa mais do que as roupas de baixo pela casa. Não quero que meus filhos tenham de explicar a falta de comedimento da mãe!

Elizabeth, 38 anos:

No trabalho, minhas ideias eram ignoradas e muitas vezes fui preterida para uma promoção. Isso me deixava furiosa e frustrada. Percebi então que se me vestisse menos como uma "profissional sedutora" e mais como uma "profissional modesta", eles poderiam ver em mim mais do que apenas uma carinha bonita para decorar o escritório. Levou algum tempo para substituir meu guarda-roupa, mas quanto mais conservadores meus trajes, mais respeito e valor pareço ganhar, não só dos homens, mas também das mulheres, assim como dos clientes e vendedores que visitam o escritório. Agora não ouço insinuações quando viajo, o que é bom. Prefiro o respeito à atenção.

Embora a Bíblia não determine especificamente o comprimento de uma saia ou quais partes de pele devem estar sempre cobertas, não custa voltar ao mandamento de Jesus como uma regra para como devemos nos vestir: ame o próximo como ama a si mesma.

Imagine esta cena: você sabe que sua vizinha está fazendo regime para perder quatro quilos antes de seu casamento. Sabe também que, se não perder esse peso, o vestido ficará apertado demais e ela se sentirá desconfortável em seu grande dia. Você, porém, adora culinária e quer ver afirmados seus dotes como cozinheira; portanto, insiste em que sua vizinha experimente porções de bolo, doce de chocolate e creme de coco que leva para a casa dela todos os dias. Você está agindo com amor ou egoísmo para com sua vizinha?

Considere isto: você sabe que os homens são visualmente estimulados ao verem o corpo de uma mulher, especialmente um corpo seminu. Sabe também que homens tementes a Deus estão tentando desesperadamente ser fiéis à esposa, não permitindo que seus olhos os traiam. Em vista disso, se você insistir em usar roupas que revelem suas curvas sinuosas e pele bronzeada, estará agindo de forma amorosa ou egoísta? Essa é uma boa pergunta a fazer-se a cada manhã enquanto se veste para o dia. Em vez de perguntar: "Qual homem cruzará meu caminho hoje e me dará atenção?", tente isto: "Usar esta roupa será uma expressão de amor, não levando meus irmãos a tropeçarem e caírem?".

Paulo escreve em sua carta a Timóteo:

> Da mesma forma, quero que as mulheres tenham discrição em sua aparência. Que usem roupas decentes e apropriadas, sem chamar a atenção pela maneira como arrumam o cabelo ou por usarem ouro, pérolas ou roupas caras. Pois as mulheres que afirmam ser devotas a Deus devem se embelezar com as boas obras que praticam.
>
> 1Timóteo 2.9-10

É claro que a verdadeira questão que Paulo queria tratar não era penteado, joias ou roupas caras, mas a vaidade dos adornos exteriores. Deus quer que nos preocupemos mais com o coração do que com a aparência. A história da mulher virtuosa (também conhecida como a mulher de Provérbios 31) enfatiza o mesmo princípio, mas também promete que Deus honrará tal integridade:

> Os encantos são enganosos, e a beleza não dura para sempre,
>   mas a mulher que teme o Senhor será elogiada.
> Recompensem-na por tudo que ela faz;
>   que suas obras a elogiem publicamente.
>
> Provérbios 31.30-31

Lembre-se de que sua aparência certamente se transformará. Sua pele um dia enrugará, por melhor que seja seu hidratante. Seu corpo, sem dúvida, voltará ao pó. Entretanto, a herança piedosa da integridade e da modéstia que deixará para seus filhos e netos e para as mulheres que influencia durarão muito tempo depois de sua morte.

Segundo elo fraco: companhia comprometedora

Por mais atentas que estejamos para nos tornarmos mulheres íntegras sexual e emocionalmente, as companhias que mantemos podem destruir nossos esforços mais sinceros. Embora devamos ser responsáveis por nossos atos, é preciso assegurar que os outros também façam isso. Quando a responsabilidade é recusada ou não é levada a sério, o amigo logo se torna um inimigo. Foi exatamente o que aconteceu com Pat.

Na metade da casa dos quarenta anos, Pat nunca esperava ficar solteira novamente. Quando seu marido a deixou por outra mulher, ela jurou afastar-se completamente dos homens. Isso durou cerca de três anos. Começou então a sentir que, se encontrasse um homem solteiro, maduro, cristão dedicado e que mostrasse interesse por ela, estaria disposta a experimentar um novo relacionamento. Pat escreve:

> Acima de tudo eu estava procurando companhia. Queria um homem que gostasse de estar ao meu lado e me fizesse rir. Quando conheci Michael, senti como se ele correspondesse a todas as minhas expectativas. Era um cristão dedicado, então pensei que certamente teríamos os mesmos valores, inclusive os mesmos limites sexuais. Supus que as coisas andariam devagar, sem pressão para entrar no âmbito físico. Michael e eu nos sentíamos muito atraídos um pelo outro e conversamos como não seria correto fazer sexo antes do casamento, mas na verdade não discutimos outros limites além desse.

Tornou-se claro, porém, que a opinião de Michael sobre quais outras atividades sexuais eram aceitáveis fora do casamento não estavam em acordo com minhas convicções. Seus beijos gentis gradualmente tornaram-se apaixonados, e eu sentia a pressão sutil de suas mãos passeando por meu corpo e o massageando. Compreendi que deveria dar um basta e reforçar os limites. Quando tentei fazê-lo, ele procurou convencer-me de que eu não tinha razão. Gostava de Michael de verdade, mas me senti frustrada e ressentida com suas tentativas de me vencer pelo cansaço. Não estava lendo a mesma Bíblia que eu? A Palavra de Deus é bem clara sobre evitar qualquer sinal de imoralidade sexual, e fiquei me perguntando por que é que estávamos tendo essas discussões.

Por fim, tive de terminar o relacionamento. Infelizmente, àquela altura, eu já tinha dado meu coração e afastar-me, embora fosse a coisa certa a fazer, foi incrivelmente difícil. Ele telefona de vez em quando para saber se posso dar-lhe outra chance, mas acho que ele não é uma boa companhia para mim se não pode respeitar meus limites pessoais.

Pat se valoriza muito para permitir que alguém queira tirar proveito dela e coagi-la a abandonar completamente sua moral e seus valores. Ela declara: "Vou ser mais inteligente da próxima vez, não só em relação a meu corpo, como também quanto a meu coração". Pat felizmente compreendeu que Michael não a estimava devidamente ao tentar forçá-la além do que as convicções dela permitiam.

Quando você passa tempo com alguém, está dando um presente a essa pessoa: *sua presença*. É verdade. O presente de sua companhia é muito precioso, e seu valor é inestimável. Por trás de seus seios bate um coração no qual habita o Espírito Santo. Por trás de seu belo rosto encontra-se um cérebro que possui a mente de Cristo. Tenha cuidado com os homens que veem a embalagem, mas não enxergam o valor do que está dentro do pacote. Eles podem querer brincar com o laço... desatar o nó da fita... e espiar dentro do embrulho.

Nunca me esquecerei do primeiro Natal de minha filha. Aos nove meses, ela ficou apaixonada pelos pacotes e laços. Tivemos de colocar a árvore de Natal num cercado para crianças, a fim de impedi-la de abrir todos os presentes. A cada mimo recebido dos membros da família, Erin, deliciando-se, rasgava o embrulho, jogava fora o presente e brincava eufórica com o papel, os laços e as fitas.

Muitos homens fazem exatamente o mesmo com as mulheres. Embora o presente por dentro (seu coração e alma) tenha grande valor, o embrulho é o que mantém o interesse deles e motiva seus atos. Os homens que dão mais valor ao embrulho (seu corpo) do que ao presente dentro dele são má companhia. Como mulheres preciosas, pérolas de grande valor, temos todo o direito de nos recusar a agraciá-los com nossa presença e devemos aprender a exercer esse direito como fez José com a mulher de Potifar:

> Potifar entregou tudo que possuía aos cuidados de José e, tendo-o como administrador, não se preocupava com nada, exceto com o que iria comer. José era um rapaz muito bonito, de bela aparência, e logo a esposa de Potifar começou a olhar para ele com desejo. "Venha e deite-se comigo", ordenou ela.
> José recusou e disse: "Meu senhor me confiou todos os bens de sua casa e não precisa se preocupar com nada. Ninguém aqui tem mais autoridade que eu. Ele não me negou coisa alguma, exceto a senhora, pois é mulher dele. Como poderia eu cometer tamanha maldade? Estaria pecando contra Deus!".
> A mulher continuava a assediar José diariamente, mas ele se recusava a deitar-se com ela.
>
> Gênesis 39.6-10

Você pode imaginar um escravo suficientemente corajoso para recusar-se até mesmo a ficar na presença da mulher de seu senhor? José sabia, sem dúvida, que a má companhia corrompe o bom caráter. Ele era um homem de grande coragem e integridade, e Deus o abençoou ricamente e confiou muitas coisas a seus cuidados por causa de sua integridade.

E você? Peça a Deus que lhe dê esse tipo de coragem e integridade. Decida não desperdiçar a dádiva de sua presença com qualquer um. Lembre-se, você é uma pérola de grande valor, uma mulher que deve ser tida em alta estima. Ao ser cuidadosa com suas companhias, você pode assegurar que seu templo do Espírito Santo fique bem protegido.

Terceiro elo fraco: atos comprometedores

Antes de se casar e tomar juízo há trinta anos, Terry frequentava salões de dança *country* com as amigas nos fins de semana. As noites de sexta-feira e sábado eram cheias de caubóis bonitões, alguns drinques e relacionamentos sexuais passageiros. "Depois de casada, as idas à boate para dançar tornaram-se algo que meu marido e eu fazíamos só em ocasiões especiais", rememorou Terri com um tom de tristeza.

Após ficar viúva há dois anos, aos 53, Terri vivia sendo convidada para ir dançar na companhia de amigas do escritório. Cansada de ficar sozinha e sentindo pena de si mesma, ela finalmente aceitou. "Os fins de semana são períodos particularmente solitários para mim. Pensei que seria bom sair e voltar ao salão para me divertir e me exercitar."

Vestindo seus *jeans* justinhos, Terri orgulhou-se ao ver como continuava atraente apesar da idade. Sem dúvida seria tirada para dançar antes que a noite acabasse.

Ao entrar no salão, o coração de Terri começou a bater em sintonia com a guitarra, e seus olhos brilharam enquanto seguiam as luzes coloridas dos refletores que percorriam todo o lugar. Ela e as amigas esgueiraram-se pelo estabelecimento superlotado até encontrarem uma mesa desocupada e sentaram-se nos bancos altos para pedir uma rodada de bebidas. Antes que as bebidas chegassem, porém, um homem alto com um chapéu de caubói vistoso inclinou-se sobre o ombro dela e falou em seu ouvido: "Olá, senhora! Sou Brett e gostaria que dançasse comigo a próxima música!".

Terri olhou alegremente para as amigas, tomou a mão de Brett e dirigiu-se para o centro da pista, onde ele envolveu sua cintura com o braço e prendeu sua mão na dele. Colando seu rosto no dela, Brett acompanhou-a por toda a pista numa dança de passo duplo com uma reviravolta ocasional que faziam sua mente e coração trepidar.

A meia-noite chegou logo, e depois de muitas danças e alguns drinques Brett perguntou se podia levá-la para casa. "Minhas amigas do escritório não me perdoarão se eu não for para casa com elas", replicou Terri. Lisonjeada com a evidente decepção demonstrada por Brett, ela escreveu o número de seu telefone num guardanapo e o colocou no bolso da camisa dele. Com relutância, Terri afastou-se dos raios de luz *neon* para voltar para casa com as amigas, esperando que Brett talvez a convidasse para sair no fim de semana seguinte.

Terri entrou na casa escura, temendo outra noite solitária na cama de casal. Ao entrar na cozinha para verificar as mensagens, surpreendeu-se com o toque do telefone. Encheu-se de prazer ao ouvir o som da voz de Brett. Ainda sob a influência das bebidas, ela concordou em que fosse vê-la, já que agora as amigas não teriam condições de saber.

Os atos comprometedores de Terri infelizmente a levaram a descobrir da maneira mais difícil o que muitas mulheres que voltam à cena do namoro descobrem: *não é a mesma cena de anos atrás*. Até a década de 1970, os pesquisadores só conheciam dois tipos importantes de doenças sexualmente transmissíveis (DST): sífilis e gonorreia. Essas duas moléstias eram facilmente curadas com uma dose de penicilina. Portanto, as DST não significavam um impedimento muito sério para a atividade sexual.

Hoje, porém, os pesquisadores calculam que exista de 20 a 25 tipos de doenças sexualmente transmissíveis importantes, sendo que só algumas delas serão discutidas aqui. Um grupo de especialistas registrou as seguintes estimativas para a incidência, predominância e custo das DST nos Estados Unidos:

- 15 milhões de novos casos de moléstias sexualmente transmissíveis são identificados a cada ano.
- A prevalência corrente das DST passa dos 68 milhões.
- O custo anual direto das DST ultrapassa os US$8 bilhões.
- A DST que contamina a maioria dos americanos é o herpes genital (45 milhões).
- A DST com a maior incidência anual de novas infecções é o papilomavírus humano (HPV) (5,5 milhões).[1]

Uma das DST que recebe maior divulgação é o HIV, que se transforma em AIDS e é essencialmente mortal. Embora os esforços para prevenção da AIDS tenham historicamente como alvo os homossexuais e os adolescentes, em algumas regiões do país o maior índice de transmissão heterossexual da AIDS ocorre em pessoas com mais de cinquenta anos. *Isso mesmo, eu disse pessoas com mais de cinquenta anos de idade*. Em Palm Beach, na Flórida, uma das áreas mais populares entre os aposentados, o índice por infecção de HIV nem pessoas idosas aumentou 71% entre 1992 e 1993.[2]

Se não estivéssemos ouvindo tanta coisa sobre o HIV, ouviríamos muito mais sobre o HPV. Essa moléstia tem o maior índice anual de infecção (novamente, 5,5 milhões de pessoas a cada ano só nos Estados Unidos). Embora as infecções bacterianas possam ser tratadas com antibióticos, não há cura médica para as infecções virais como o HPV, herpes e HIV. Os sintomas das infecções virais podem ser tratados, mas na verdade o vírus permanece com a pessoa a vida inteira. O Instituto de Medicina para a Saúde Sexual diz o seguinte sobre o HPV:

- O HPV é o vírus presente em mais de 93% dos cânceres de colo do útero.
- Mais mulheres morrem de câncer de colo do útero do que de AIDS a cada ano nos Estados Unidos.

- A maior parte dos americanos, inclusive profissionais da saúde, não têm até hoje conhecimento completo da dramática prevalência do HPV. Além do câncer de colo do útero, o HPV pode produzir câncer vaginal, vulvar, peniano, anal e oral.
- O Dr. Richard Kausner, do Instituto Nacional do Câncer, afirmou: "Os preservativos são ineficazes contra o HPV porque o vírus prevalece não só no tecido mucoso (úmido) como também na pele seca circundante do abdome e da virilha, e pode migrar dessas áreas para a vagina e o colo do útero".[3]

O Instituto de Medicina para a Saúde Sexual calcula que de 70% a 80% do tempo o portador da DST não apresenta absolutamente nenhum sintoma. Sem exames médicos apropriados, você talvez nunca saiba que tem a doença, mas pode certamente transmiti-la a qualquer parceiro com quem entrar em contato. Muitas dessas moléstias são suas companheiras de vida e provavelmente causarão infecção em qualquer pessoa com quem você tenha qualquer tipo de atividade sexual (vaginal, oral, anal ou masturbação mútua).

Certos segmentos da sociedade convenceram inúmeras pessoas de que, se você praticar o sexo protegido ("sexo seguro"), não precisará temer a doença. Embora o uso do preservativo possa tornar o sexo mais seguro do que aquele completamente desprotegido, os preservativos de maneira alguma tornam o sexo totalmente *seguro*. Num estudo realizado para determinar se os preservativos protegem contra a proliferação do vírus HIV, os pesquisadores calcularam que eles são eficazes apenas 69% das vezes. Isso deixa um fator de risco de 31%. A doutora Susan Weller é citada como tendo dito: "É um desserviço promover a crença de que o preservativo *irá evitar* a transmissão sexual do HIV".[4]

A única maneira de proteger-se efetivamente é evitar o comprometimento sexual de todas as formas. Nenhum preservativo a protege por inteiro das consequências físicas do comportamento sexualmente imoral. Mais importante ainda, nenhum preservativo protege você das consequências espirituais do pecado (perda da comunhão com Deus). Nenhum preservativo protegerá você das consequências emocionais de um coração partido. Portanto, não pense em termos de "sexo seguro", mas em termos de "sexo certo" no casamento ou em um novo casamento. Sábia é a mulher que evita o comportamento comprometedor que pode colocar seu corpo em risco de uma doença.

Se essa revelação chegar depois de você ter permitido que seus limites físicos tenham sido transpostos, faça-se um favor: vá um médico para um teste de DST. O tratamento pode salvar a sua vida e a de outros.

Alguns outros limites

Se você guardar seu corpo dos elos fracos das roupas, da companhia e dos atos comprometedores, e integrar os limites para suas ações, emoções e palavras como discutido nos capítulos anteriores, terá uma armadura de proteção completa. Antes, porém, de encerrarmos nossa discussão sobre a proteção do corpo, seguem alguns outros limites pessoais a considerar:

- Guarde seus abraços para as amigas e os membros da família imediata. Um abraço é raramente necessário com um amigo quando um aperto de mão, um tapinha nas costas ou um sorriso resolve. Se você decidir que o abraço é apropriado, dê um "abraço de irmão", que é iniciado ficando de pé ao lado da pessoa com o braço ao redor do ombro dela para um aperto rápido lado a lado, ou um tapinha nas costas. Se um homem se aproximar e lhe der inesperadamente um abraço, incline o corpo de maneira que ele abrace seu pescoço e não seu corpo.

- Quando for a algum lugar, seja na cidade, no *campus* ou no corredor do escritório, tome cuidado para não se desviar e encontrar indivíduos que sempre a elogiam ou a fazem sentir-se bem. É extremamente divertido estar com certos homens e é fácil ser tentada a colocar-se no caminho deles, a fim de encher seu tanque emocional ou afagar seu ego. Colocar-se no caminho deles também significa andar pela Trilha da Tentação. Lembre-se: "Quando estiver andando, mantenha o seu curso!".

- Muitos homens e mulheres íntegros decidiram nunca ficar a sós com alguém do sexo oposto sem uma terceira pessoa por perto que possa vê-los e ouvi-los. Billy Graham conta que pede a outro homem para acompanhá-lo das reuniões até seu hotel, a fim de nunca ficar numa situação em que possa conversar a sós com uma mulher. Deus evidentemente honrou esse limite com um ministério proveitoso, e estou certa de que a Sra. Graham também valorizou a integridade de Billy! Se nunca houver ocasião para ficar a sós com um homem, será difícil iniciar um caso, e é tão importante para a mulher cristã evitar a *aparência* do mal quanto evitar o próprio mal.

- Seja seletiva com quem você anda sozinha de carro. O interior de um carro é um lugar extremamente íntimo (como muitas de nós descobriram quando começamos a namorar dentro deles!). A sensação de isolamento e reclusão do resto do mundo enquanto estamos num carro fechado oferece o ambiente perfeito para que pensamentos ou atos impróprios se intrometam.
- Sempre mantenha a porta aberta quando estiver no escritório de um homem e mantenha a sua aberta se um colega entrar no seu. Conheço uma supervisora que mandou colocar uma porta de vidro em seu escritório, a fim de que quando os empregados do sexo masculino desejassem falar particularmente com ela nunca houvesse qualquer dúvida sobre o que estava acontecendo por trás da porta fechada.

Lembre-se de que seu corpo é o templo do Espírito Santo, e seu coração, a habitação de Deus. Como cristã, você tem a mente de Cristo, e suas palavras são instrumentos da sabedoria e do encorajamento dele aos outros. Quando você coloca toda a armadura de Deus e vigia protetoramente seu corpo, seu coração, sua mente e sua boca sem fazer concessões, está a caminho de colher os benefícios físicos, emocionais, mentais e espirituais da integridade sexual.

*Não se deixem enganar: ninguém pode zombar de Deus.
A [mulher] sempre colherá aquilo que semear. [A mulher que]
vive apenas para satisfazer sua natureza humana colherá
dessa natureza ruína e morte. Mas [a mulher que] vive para
agradar o Espírito colherá do Espírito a vida eterna.*

GÁLATAS 6.7-8

Parte III

Abraçando a vitória na retirada

9

Doce rendição

• • • • • • • • •

*Não deixem que nenhuma parte de seu corpo se torne
instrumento do mal para servir ao pecado, mas em vez disso
entreguem-se inteiramente a Deus, pois vocês estavam [mortas]
e agora têm nova vida. Portanto, ofereçam seu corpo como
instrumento para fazer o que é certo para a glória de Deus.*

ROMANOS 6.13

Mindy, participante de um dos grupos de crescimento de meu ministério Well Women, veio consultar-me por não saber mais o que fazer:

> Não estou mais me comportando mal sexualmente, mas estou lutando muito com outras questões. Não sei o que está acontecendo, mas não consigo conviver com minhas colegas de dormitório. Não as suporto, só que também não sei ficar sozinha. Odeio o que vejo no espelho [Mindy é uma jovem belíssima]. Sinto-me estressada, ansiosa e irritada a maior parte do tempo, sem saber o porquê. Quase não durmo à noite, e meu coração está sempre acelerado. Faz meses que tenho ficado doente com uma coisa e outra, mas o médico não encontrou nada de errado quando fui consultá-lo. Estou tendo o mesmo tipo de pensamentos suicidas de quando estive numa instituição para doentes mentais. Você pode me ajudar?

Ao considerar a gravidade das palavras de Mindy, não tive certeza se poderia. Não sou psicóloga formada, por isso a incentivei a conversar com um profissional no *campus*. Depois perguntei se poderíamos conversar. Mindy afirmou que era fiel a seu tempo com Deus, não usava drogas, tinha uma dieta relativamente saudável e havia perdoado todos os seus ex-namorados, assim como seus pais e irmãos por quaisquer erros que julgava terem cometido contra ela. "Não há mais ninguém a perdoar. Reli a lista muitas vezes em minha mente", insistiu Mindy.

Agora era eu quem estava sem saber o que a perturbava e, portanto, encerrei nosso encontro com uma oração: "Deus, por favor, dá-nos discernimento sobre o que está acontecendo na mente, no coração e no corpo da Mindy, e dá-nos discernimento sobre como remediar essa situação", suplicamos juntas.

Entrei em meu carro e me dirigi para a sede da Mercy Ships International, já atrasada para uma aula de treinamento para o discipulado. Nosso orador daquele dia era o pastor Mel Grams, cuja palestra sobre o perdão já havia começado. Quando ele compartilhou a seguinte informação de um artigo publicado na revista *Prevention*, fiquei admirada. Os sintomas relacionados à falta de perdão eram praticamente os mesmos que Mindy apresentava.

Segundo o artigo, os psicólogos afirmam que a falta de perdão geralmente causa sentimentos negativos, falha em reconhecer e desfrutar relacionamentos potencialmente bons e os seguintes problemas psicológicos:

- ansiedade crônica
- depressão severa
- desconfiança generalizada
- baixa autoestima
- ira e ódio
- ressentimento

Além disso, os médicos também citaram as seguintes consequências físicas da falta de perdão:

- aumento do fluxo hormonal acelerando os batimentos cardíacos
- limitação ou paralisação do sistema imunológico
- probabilidade de um ataque cardíaco aumentada em 500%
- risco de hipertensão e colesterol elevado
- aumento do risco de coágulos sanguíneos e câncer
- vários outros problemas crônicos[1]

Sentindo que deveria haver mais coisas nesse cenário, orei outra vez: "Senhor, por que Mindy tem tantos desses sintomas mesmo depois de ter perdoado a todos que a magoaram?". Caiu então a ficha. Ela perdoara a todos, mas teria *se* perdoado?

Copiei, apressada, minhas notas e levei-as ao grupo de crescimento naquela noite para discuti-las com Mindy mais tarde. "Estes parecem ser os sintomas que você está tendo?" Ao ler a lista, ela confirmou a maioria deles. Eu disse: "Mindy, é isso que os psicólogos e médicos declaram que a falta de perdão provoca na pessoa. Você mencionou ter perdoado a todos de que pôde se lembrar, mas perdoou a si mesma?".

Os grandes olhos castanhos dela se encheram de lágrimas antes que pudesse falar qualquer coisa. "Não, e não sei se poderei fazer isso um dia", afirmou.

Livrando-se do sofrimento emocional do passado

Se você quiser vencer a batalha pela integridade sexual, deve livrar-se do sofrimento emocional do passado. Talvez um pai, emocional ou fisicamente ausente, feriu você. É possível que a distância em seu relacionamento com sua mãe deixou-a sentindo-se desesperadamente só. Quem sabe seus irmãos ou amigas nunca a trataram com dignidade ou respeito. Se você foi abusada de alguma maneira (física, sexual ou verbalmente) quando criança, talvez ainda guarde ira e sofrimento que precisam ser reconciliados.

Antigos namorados podem ter tirado proveito de suas vulnerabilidades, enganado você ou sido infiéis. Ou talvez você nunca compreendeu porque Deus permitiu que _____ acontecesse (você preenche o espaço em branco). Qualquer que seja a fonte, temos de abandonar nosso sofrimento do passado para permanecer fortes na batalha pela integridade sexual e emocional.

Levei muito tempo para esquecer o sofrimento da perda de minha irmã de 8 anos quando eu tinha apenas 4, e para perdoar Deus por ter permitido a morte dela. Tive dificuldade em perdoar o garoto de 18 anos que me forçou a ir para a cama quando eu tinha apenas 14. Levei anos para livrar-me da amargura e ira contra meu pai por ser tão emocionalmente desligado de mim. Encontrei gradativamente a graça de Deus para cada pessoa que me deixou, decepcionou ou ofendeu de alguma forma. Perdoar-me pelas más escolhas que fiz durante minha vida, porém, parecia exigir muito mais graça do que as forças que eu conseguia reunir. Sempre que refletia no que havia feito, pensava: "Não consigo acreditar como tenho sido tola. Deveria ter sido mais esperta. Provavelmente ninguém poderia me amar se soubesse de todas as coisas que fiz".

Eu não tinha ideia de que esses pensamentos me tornavam mais vulnerável às tentações emocionais e sexuais. Minha autoestima estava na sarjeta, e eu então sempre procurava afirmação em fontes externas, especialmente em homens mais velhos. Sentia-me exatamente como Mindy — odiava o que via no espelho todos os dias — e esperava que, se os homens me considerassem atraente, eu talvez também pudesse crer nisso. Meu problema não foi solucionado nem mesmo quando encontrei um marido. Não bastava ter um homem que me admirava. Até com uma aliança no dedo, minha antena continuava ligada para ver quem estava me notando. Quando meu radar não funcionava e eu sabia que estava na mira de alguém, acabava sendo um alvo fácil. Dizia a mim mesma: "É melhor ceder. Você sabe como se sente quando tentada. Que mal fará mais uma vez?".

Certo dia, eu estava me reprovando por causa de outro caso emocional e minha melhor amiga me interrompeu com estas palavras sensatas: "Você sabe o que está dizendo sobre o sangue de Jesus quando se recusa a perdoar-se pelo seu passado? Está afirmando que o sangue dele não foi suficiente para você. Não teve poder suficiente para purificá-la". Ela estava certa. Por baixo de minha autopiedade achava-se a ideia de que o sacrifício de Jesus não tinha o poder necessário para libertar-me, e até que alcançasse esse milagre era necessário esbofetear-me em sinal de penitência.

Se isso soa verdadeiro para você também, adivinhe! O Espírito Santo está dizendo-lhe a mesma coisa que me disse no passado: *Jesus abriu a porta da sua prisão. Cabe a você sair dela!* Como fazer isso? Perdoando cada pessoa que a tenha ferido, inclusive você mesma. Se Deus não a despreza pela maneira como tentou preencher o vazio em seu coração, você também não deve desprezar-se. Paulo pregou: "Somos declarados justos diante de Deus por meio da fé em Jesus Cristo, e isso se aplica a todos que creem, sem nenhuma distinção. Pois todos pecaram e não alcançam o padrão da glória de Deus, mas ele, em sua graça, nos declara justos por meio de Cristo Jesus, que nos resgatou do castigo por nossos pecados" (Rm 3.22-24).

Em outras palavras:

- A justiça não procede de uma vida perfeita, mas é uma dádiva de Deus.
- Não recebemos essa dádiva por sermos dignas, mas pela simples fé em Jesus Cristo (e no sangue que ele derramou para a redenção de nossos pecados).
- Somos declaradas justas gratuitamente pela graça de Deus — incondicionalmente.

Quando sou declarada justa, é como se eu nunca tivesse feito tais coisas. Por que então continuamos nos esbofeteando? Por que permitimos que nossa miséria afete nossa saúde mental e física? Você não tem de carregar toda essa bagagem emocional. Entregue seu sofrimento e seu fardo cheio de culpa e vergonha; isso só a faz ficar cansada e irritadiça. Viaje sem eles e deixe que a alegria do Senhor seja sua força! Livrar-se da amargura promove mudanças saudáveis em suas atitudes e em seu corpo, abaixa a pressão sanguínea, desacelera o coração, aumenta a autoestima e confere uma sensação de esperança e paz.

O perdão é essencial não só para a cura emocional e física, como também para a verdadeira adoração. Mateus 5.23-24 diz: "Portanto, se você estiver apresentando uma oferta no altar do templo e se lembrar de que alguém tem algo contra você, deixe sua oferta ali no altar. Vá, reconcilie-se com a pessoa e então volte e apresente sua oferta". Em outras palavras, Deus quer nossa reconciliação uns com os outros antes de nos apresentarmos a ele em adoração. Creio que ele não só deseja nossa reconciliação mútua, como quer que nos reconciliemos também com nós mesmas.

Quando não perdoamos, um bloqueio espiritual permanece em nós. Não conseguimos crescer. Em 2Coríntios 2.10-11, Paulo escreve: "Se vocês perdoam esse homem [essa mulher], eu também o [a] perdoo. E, quando eu perdoo o que precisa ser perdoado, faço-o na presença de Cristo, em favor de vocês, para que Satanás não tenha vantagem sobre nós, pois conhecemos seus planos malignos". Paulo adverte aqui que Satanás usa a falta de perdão como instrumento para nossa destruição. O perdão frustra os planos de Satanás de impedir nosso crescimento espiritual.

Para iniciar o processo do perdão, você deve dar estes passos:

- Reconhecer sua ira e mágoa; elas são muito reais e Deus sabe que existem.
- Compreender que o fato de apegar-se a esse sofrimento só atrasa sua vida.
- Livrar-se conscientemente de qualquer necessidade de vingança.
- Refletir sobre a origem de sua dor: pessoas que sofrem magoam outras pessoas. Coloque-se no lugar delas.
- Ore sinceramente por aqueles que magoaram você, pedindo a Deus que cure as feridas que os levam a ferir outros.
- Ore para que suas mágoas não levem você a fazer o mesmo a outras pessoas.[2]

Dei todos esses passos no processo de perdoar meu pai, meu marido e qualquer outro homem que tivesse me magoado, e consegui me perdoar também. Como resultado, consegui transpor a barricada que me impediu por tanto tempo de experimentar plenamente o amor de meu Salvador.

Não devemos apenas abandonar nosso sofrimento emocional passado para que nosso coração possa receber o amor que Deus generosamente deseja nos dar, mas também devemos renunciar a nosso orgulho.

Renunciando ao orgulho do presente

Uma das primeiras sentenças completas que minha filha aprendeu a formular foi: "Mim faz isso mim mesmo!". Eu aplaudia o desejo de Erin de ser autossuficiente, exceto quando esse desejo de independência era maior do que sua habilidade para agir por si.

Erin muitas vezes recusava segurar minha mão ao caminhar porque desejava andar sozinha. De vez em quando ela se perdia momentaneamente na multidão ou caía de rosto na calçada, chorando para que a mamãe ou o papai a carregasse. Embora isso possa parecer uma maneira irresponsável de educar, sabíamos que forçá-la a segurar nossa mão não lhe ensinaria nada. Permitir que tropeçasse e caísse a ensinaria a não ser tão orgulhosa e pedir ajuda quando necessário. Nosso Pai celestial faz o mesmo conosco. Ele nunca nos *força* a tomar sua mão, mas permite que sintamos a necessidade de sua mão, a fim de que a *desejemos*. Quando dizemos a nós mesmas: *Posso travar esta batalha sozinha, não preciso de ajuda, posso resolver isto sem prestar contas*, estamos nos preparando para uma queda.

Ouvi recentemente uma afirmação que fez meu coração acelerar: "Você nunca se parece tanto com Satanás como quando está cheia de orgulho". É verdade! O orgulho fez com que Satanás fosse expulso do céu. O orgulho impede os pecadores de pedirem a Jesus que seja seu Salvador e de se submeterem a seu domínio. O orgulho também impede os cristãos de se arrependerem das coisas que os fazem tropeçar e cair, tais como a transigência sexual e emocional.

As consequências do orgulho podem ser devastadoras. O orgulho de Eva a levou a ser expulsa do Jardim do Éden quando foi enganada a ponto de crer: *Posso ser tão sábia quanto Deus se comer deste fruto*. Quando Moisés estava guiando o povo de Deus pelo deserto, ele supôs que Deus precisava de sua ajuda quando perguntou aos israelitas: "Será que é desta rocha que teremos de tirar água para vocês?" (Nm 20.10). Essa falha em dar honra a Deus como o único capaz de tal milagre desqualificou Moisés como o líder que faria o povo entrar na Terra Prometida. Quando Davi espiou Bate-Seba do terraço, ele deve ter pensado: "Eu sou o rei e posso ter o que quiser". Seu orgulho o levou a cometer adultério com Bate-Seba e depois matar o marido dela, Urias, enviando seu leal comandante para a frente de batalha, a fim de assegurar sua morte. Estou segura de que Eva, Moisés e Davi confessariam que o orgulho algumas vezes pode dar o bote e morder você antes mesmo de perceber que ele invadiu seu coração. Portanto, nessa batalha pela integridade sexual e emocional, é importante que aprenda a reconhecer o orgulho e arrepender-se dele antes que a faça cair.

Estas são algumas ilustrações de como o orgulho pode nos tornar vulnerável à tentação sexual e emocional:

- Embora esteja casada, Carla acha que não tem problema flertar e brincar com seu amigo Danny. Quando ele lança algumas insinuações sexuais, ela responde à altura, insistindo que qualquer mulher faria o mesmo. *Interpretação: As regras de certo e errado não se aplicam a mim. Posso baixar os padrões da retidão porque outras fazem o mesmo.*
- Alicia parou de frequentar um grupo cristão de auxílio mútuo, no qual era ativa, por causa do tempo que passa com o novo namorado, Rob. Preocupada com a súbita desaparição dela, as amigas do grupo de Alicia tentaram telefonar várias vezes para confirmar se continuava fiel a seu compromisso de manter Deus em primeiro lugar em sua vida e não se deixar envolver em outro relacionamento sexual. Alicia não gosta dos telefonemas, recusa-se a atendê-los e deseja que a deixem em paz com Rob. *Interpretação: Não preciso prestar contas a quem quer que seja. Estou acima da tentação e da censura. O que faço não é da conta de ninguém.*
- O comportamento pré-menstrual de Shirley, casada há quinze anos, afastou cada vez mais seu marido. Para compensar a falta de conexão emocional, suas conversas com um colega amigável se tornaram cada vez mais íntimas. *Interpretação: Se meu marido não pode satisfazer minhas necessidades emocionais, vou satisfazê-las com outra pessoa.*

O orgulho pressupõe várias coisas:

- Mereço aquilo que desejo.
- Minhas necessidades precisam ser satisfeitas a qualquer custo.
- A vida se resume a mim e meu prazer.
- As regras se aplicam a todos menos a mim.
- Estou acima das consequências.

Embora nunca cheguemos a fazer essas afirmações em voz alta, nossas atitudes às vezes não provam que essa postura se aplica a nossa vida?

Se desejamos ser mulheres íntegras sexual e emocionalmente, devemos renunciar a nosso orgulho. Tiago 4.6 nos lembra que "Deus se opõe aos orgulhosos, mas concede graça aos humildes". Podemos imaginar o que pode significar opor-se a Deus (e estremecemos com o pensamento!). Mas o que significa "concede graça aos humildes"? Tito 2.11-14 descreve isso vividamente:

> Pois a graça de Deus foi revelada e a [todas] traz salvação. Somos [instruídas] a abandonar o estilo de vida ímpio e os prazeres pecaminosos. Neste mundo perverso, devemos viver com sabedoria, justiça e devoção, enquanto aguardamos esperançosamente o dia em que será revelada a glória de nosso grande Deus e Salvador, Jesus Cristo. Ele entregou sua vida para nos libertar de todo pecado, para nos purificar e fazer de nós seu povo, inteiramente dedicado às boas obras.

Você quer estar preparada para recusar as paixões mundanas? Ter uma vida disciplinada, reta e piedosa? Ser purificada como propriedade exclusiva de Deus? Estar disposta a fazer o que é bom? Você não pode fazer essas coisas por "mim sozinha!", como Erin costumava dizer. Deus, entretanto, pode lhe dar o que for necessário quando você se humilha diante dele e diz: "Renuncio a meu orgulho. Preciso de ajuda para experimentar o teu plano de satisfação sexual e emocional para mim, e estou disposta a prestar contas de meus atos e responsabilizar-me por eles".

Em seguida, mantenha os olhos abertos para encontrar uma parceira responsável. Quem sabe seja uma amiga ou irmã, uma professora, uma conselheira ou uma mentora. Embora possa ser tentada a procurar alguém que simpatize com sua causa, pode ter mais sucesso em longo prazo com alguém que não esteja lutando ou que já tenha vencido essa batalha. Prender dois bois fracos juntos para arar um campo não é tão eficaz quanto prender um boi fraco a outro forte.

Quando você tem uma orientadora que pode mostrar-lhe como se aperfeiçoar numa dieta de humildade, é possível descobrir uma mudança saudável em seu apetite. Lembre-se de que não podemos pecar e vencer. Se houver pecado sexual ou emocional em sua vida, deve fazê-lo morrer de fome. Não basta "podá-lo", pois ele voltará a crescer e ficar ainda maior do que antes. O pecado deve ser totalmente arrancado pelas raízes.

Você talvez esteja se perguntando se *quer* mesmo cortar completamente certos hábitos. É possível que *goste* do que está fazendo ou pensando.

Uma das orações mais sinceras que já ouvi foi: "Senhor, perdoa-me pelos pecados que aprecio!". O pecado sempre parece bom (pelo menos no início), caso contrário ele não seria tentador. Ao reconhecer como seus pecados de estimação finalmente causam impacto em sua vida, prejudicando-a, isso pode inspirar você a renunciá-los.

Quando nos submetemos humildemente às tesouras de podar do Jardineiro e permitimos que ele corte nosso orgulho para podermos crescer, nossa atitude começa a mudar de direção:

- Enquanto o orgulho diz: "Mereço aquilo que desejo", a humildade diz: "Meus desejos carnais não ditarão meus atos".
- Enquanto o orgulho diz: "Minhas necessidades devem ser satisfeitas a qualquer preço", a humildade diz: "Minhas necessidades são secundárias em relação a amar os outros".
- Enquanto o orgulho diz: "A vida diz respeito a mim e a meu prazer", a humildade diz: "A vida diz respeito a Deus e ao prazer dele".
- Enquanto o orgulho diz: "As regras se aplicam a todos, menos a mim", a humildade diz: "Vou submeter-me às regras por causa da retidão".
- Enquanto o orgulho diz: "Estou acima das consequências", a humildade diz: "Só venço quando resisto ao pecado".

Além de livrar-se do sofrimento emocional e aprender a trocar o orgulho pela humildade, devemos renunciar a nossos medos do futuro se quisermos nos proteger da transigência sexual e emocional.

Medo do futuro

Você já contou quantas referências a *medo* existem nas Escrituras? Trezentas e sessenta e cinco (uma para cada dia do ano!). Uma vez que Deus proclamou tantas vezes: "Não tenha medo", fica evidente que o medo é um grande impedimento para a vida cristã.

Qual a razão de tal obstáculo? Porque o *medo* se opõe à *fé*. Quando nos concentramos no medo em vez de ter fé em Deus para nos livrar do mal, é maior nossa probabilidade de perder a guerra pela integridade sexual e emocional. Como podemos nos concentrar no que sabemos a respeito da vontade de Deus, quando pensamos que estamos condenadas? Essa falta de fé diz a

Deus: "Embora tenhas me trazido até aqui, provavelmente me abandonarás agora, não é?". Vencer o medo e exercer a fé diz a Deus exatamente o mesmo que Davi disse em Salmos 9.10: "Quem conhece teu nome confia em ti, pois tu, Senhor, não abandonas quem te busca".

Gosto de levar os grupos de jovens para um desafiador percurso nas alturas. Usando capacetes e equipamentos de segurança, somos ligados a um cabo-guia para nos movimentarmos sobre uma trave de dez metros de comprimento, suspensa entre dois postes a oito metros de altura. Esse exercício pode fazer surgir o leão na mais tímida das criaturas e o rato na mais ousada. Já vi garotas delicadas subirem ao poste e caminharem graciosamente de um lado para o outro sem nem mesmo transpirar. Já vi também garotões robustos ficarem pálidos de medo e chorarem na metade do percurso.

Antes de subirem nos postes, eu sempre pergunto: "Você teria problema em caminhar sobre uma viga de madeira a cinco centímetros do chão?". Quando dizem não, lembro-os de que andar sobre uma viga a oito metros de altura não é muito diferente. A única diferença é o desafio mental de vencer o medo da altura. O sucesso acontece quando nos esquecemos do que nos cerca e nos concentramos em colocar um pé na frente do outro.

O mesmo se aplica à nossa batalha contra a transigência sexual e emocional. A maioria das mulheres está mergulhada no medo de ficar sozinha, de não ter quem a proteja, de não ter outro homem na reserva caso o atual vá embora. Podemos ficar com tanto medo de comprometer o amanhã que deixamos de notar e celebrar o fato de que estamos firmes hoje.

Por exemplo:
- Helen diz: "Não estou muito interessada no Bill porque ele é sensível demais e se ofende facilmente, mas sempre que chega um fim de semana para o qual não tenho planos, geralmente aceito o convite dele para jantar, pois não consigo encarar um fim de semana inteiro sozinha".
- Casada há oito anos, Barb não tem certeza de que ela e Jim conseguirão continuar juntos. Eles brigam muito, e Barb está terrivelmente decepcionada com a maneira rude como Jim a trata. "Quando fico muito aborrecida com ele, sei que posso ir chorar no ombro do Charlie (Charlie é o ex-namorado de Barb que sempre quis casar-se com ela). Guardei todas as cartas de amor do Charlie e nossas fotos antigas juntos. Tenho medo de me livrar delas. Afinal de contas, ele poderia vir a ser algum dia minha escolha, no caso de Jim e eu não continuarmos juntos."

- Desde a morte do marido, há dois anos, Beatrice se preocupa com sua situação financeira. "Não acho que estou pronta para investir em um novo relacionamento, e nem mesmo tenho certeza de que quero casar-me novamente", diz ela. Todavia, Beatrice acha que talvez deva iniciar um novo namoro porque em algum momento pode precisar de um marido para sustentá-la.

Eu costumava ficar apavorada com a ideia de fidelidade em longo prazo, duradoura. Meu pensamento era: "Nunca poderei ser fiel a um único homem a vida inteira!". Quando uma conselheira me perguntou se eu conseguiria ser fiel por um dia, achei a pergunta ridícula e disse: "Claro que sim. Um dia não é nada! O que me assusta é o resto da minha vida". Ao que ela respondeu:

"A vida consiste em um período de 24 horas após outro. Se puder ser fiel por um dia, é o que importa. Basta fazer a mesma coisa no dia seguinte e no outro".

A simplicidade da resposta dela me desconcertou. Viver um dia por vez e confiar nosso futuro a Deus é tudo de que precisamos. Foi por essa razão que Jesus nos ensinou a orar: "O pão nosso de cada dia dá-nos hoje". Esse é também o motivo pelo qual Deus fez cair pão do céu quando os israelitas estavam peregrinando no deserto sem alimento — para que seu povo aprendesse a depender *diariamente* dele. Quando mudamos nosso foco do futuro distante para o presente imediato, ganhamos força e coragem para vencer o medo do que podemos encontrar pelo caminho. Não fique pensando na possibilidade de ser fiel a um único homem a vida inteira. Apenas concentre-se em ser fiel a ele (ou a Deus, se for solteira) no dia de hoje. Depois faça a mesma coisa amanhã, no dia seguinte e no outro dia.

Agitando a bandeira branca

Agitar a bandeira branca no meio da batalha é sinal de rendição. Uma bandeira branca simboliza que as tropas não estão mais usando suas cores, mas uma cor neutra como símbolo da derrota. Todavia, a bandeira branca que você agita ao entregar seu sofrimento, orgulho presente e medo futuro *não* simboliza a derrota. É um símbolo de vitória, pois representa a pureza. Você será lavada de toda transigência à medida que permitir que Deus a transforme — coração e mente — numa mulher que perdoa seus devedores, anda humildemente e enfrenta o futuro confiando em seu Criador e Sustentador.

O branco é a sua cor, amiga! Faça uso dela orgulhosamente e desfrute a paz e a alegria da doce rendição ao Salvador.

> *A sabedoria que vem do alto é, antes de tudo, pura. Também é pacífica, sempre amável e disposta a ceder a outros. É cheia de misericórdia e é o fruto de boas obras. Não mostra favoritismo e é sempre sincera. E [aquelas] que são [pacificadoras] plantarão sementes de paz e ajuntarão uma colheita de justiça.*
>
> Tiago 3.17-18

10

Reconstruindo pontes

• • • • • • • • •

*Por isso o homem deixa pai e mãe e se une à sua mulher,
e os dois se tornam um só. O homem e a mulher estavam nus,
mas não sentiam vergonha.*

Gênesis 2.24-25

A indústria bancária investe muito tempo no treinamento de seus funcionários para reconhecerem notas falsas. Em vez de apresentar uma variedade de notas falsas e ensinar aos empregados como reconhecê-las, eles fazem com que passem bastante tempo manuseando apenas dinheiro autêntico. A lógica é que, se conhecerem o verdadeiro, jamais aceitarão uma imitação.

O mesmo princípio se aplica à intimidade no casamento. Uma vez que compreenda o dom inestimável de sua sexualidade e como ela pode unir você e seu marido de um modo que jamais experimentará fora do casamento, terá menos probabilidade de aceitar qualquer coisa inferior ao plano de Deus para a satisfação sexual e emocional.

Todavia, tanto homens como mulheres têm manuseado a intimidade falsa por tanto tempo que baixaram seu padrão e passaram a aceitar muito menos do que o dom verdadeiro. Os homens buscam a satisfação no sexo, mas a intimidade física por si só não oferece a máxima satisfação. Muitas mulheres podem comprovar o fato de que só porque um homem é fantástico na cama, não significa que ele preencha suas necessidades emocionais. Aliás, sexo satisfatório no casamento não é o mesmo que intimidade genuína.

Nós, mulheres, buscamos satisfação mediante conexão emocional, mas isso não nos satisfará a não ser que ela esteja unida à intimidade física com nosso esposo. Um casamento sem sexo se assemelha mais a uma amizade do que a um casamento. Em vista de a tensão sexual surgir mais depressa nos homens do que nas mulheres, provavelmente manteremos essa amizade com um marido muito frustrado sexualmente. Nem mesmo a mais profunda conexão emocional substitui a verdadeira intimidade.

A intimidade sexual genuína envolve todos os componentes de nossa sexualidade: físicos, mentais, emocionais e espirituais. Quando os quatro estão combinados, o resultado é um elixir que estimula a alma, cura o coração, cuida da mente e satisfaz por completo.

Como são desafortunados os que nunca provaram a doçura da intimidade sexual como Deus pretendeu que fosse, por terem aceitado uma ou duas partes como substituto para o todo. A satisfação não é dada aos que insistem: "Ele não satisfaz minhas necessidades emocionais, portanto por que devo satisfazer as necessidades dele?", ou "Ela nem mesmo tenta entender meus desejos físicos, por que então devo preocupar-me em tentar compreender os desejos emocionais dela?".

Quando você pegou este livro com o subtítulo *Descubra o plano de Deus para a satisfação sexual e emocional,* talvez tenha pensado que se restringiria à satisfação sexual. É possível que esteja certa, mas não será provavelmente do tipo que você estava esperando. Espero que tenha ficado agradavelmente surpresa ao aprender sobre as coisas que podem estar impedindo sua verdadeira intimidade sexual. Portanto, agora que aprendeu a *não* destruir sua satisfação sexual e emocional, vamos falar de alguns modos específicos de obtê-la em seu casamento.

Inspire em vez de exigir intimidade

Quando meu filho começou a andar, ele muitas vezes levava seus brinquedos para brincar perto de mim. Não importa o que eu estivesse fazendo, ele queria ficar ao meu lado. Eu amava isso. Lembro-me também das ocasiões em que ele levantava a mãozinha para virar meu rosto na direção de alguma coisa e dizia: "Olhe, mamãe, olhe!". Isso me incomodava muito. Se apenas me pedisse para olhar, teria apreciado, mas por sentir que devia forçar-me a olhar, a última coisa que eu queria era corresponder à sua exigência.

Meu filho, felizmente, já deixou esse hábito. Muitas esposas, porém, não fizeram isso. Queremos ainda que nosso marido olhe para dentro de nós, nos dê atenção e a intimidade emocional que desejamos, e muitas vezes tentamos obrigá-lo a isso. Quando tentamos exigir intimidade desse modo, a última coisa que eles querem é corresponder a nossas exigências (ou manipulações, ou o que quer que nos empenhemos em obter). Existe, no entanto, um caminho melhor.

Imagine que queira dar uma cenoura a um coelho. Como você faria? Correria atrás do coelho pelo quintal, o agarraria pelo pescoço e forçaria a cenoura em suas bochechas gordinhas? Claro que não. Você não pode exigir que um coelho aceite uma cenoura de suas mãos. Todavia, pode inspirar o coelho a isso, simplesmente colocando a cenoura na palma da mão, deitando-se embaixo de uma árvore e permanecendo imóvel. Quando o coelho quiser pegar a cenoura, ele o fará.

A comunicação íntima com o marido é muito similar a dar uma cenoura a um coelho. Exigir é inútil. A intimidade, porém, pode ser inspirada. Eu costumava ir para a cama, esperando que meu marido conversasse comigo por algum tempo, não só sobre questões superficiais, mas que realmente se envolvesse numa conversa profunda. Embora tivesse ouvido os psicólogos explicarem que o homem só consegue falar determinado número de palavras a cada dia e que todas já estarão praticamente gastas na hora em que ele chega em casa, pensei que poderia arrancá-las dele. Não é preciso dizer que eu geralmente adormecia desapontada. Algumas vezes, dormia arrasada. Enquanto me esforçava para manter uma conversa significativa, a única resposta que obtinha quando parava de falar era "Zzzzzzzz".

Ouvi então a respeito dessa teoria do coelho e da cenoura e decidi que poderia pelo menos testá-la. Ia para a cama com meu marido num horário razoável, mas em vez de esperar uma conversa eu simplesmente dizia "boa noite" e permitia que ele pegasse no sono. Depois de algumas noites, Greg perguntou:

— Você está aborrecida comigo por alguma coisa?

— Não, por que pergunta? — respondi.

— Tem andado muito quieta ultimamente — explicou.

Sorri e disse:

— Não estou querendo dar um gelo em você, querido. Sei apenas que está cansado à noite, depois de um longo dia de trabalho, e quero que descanse bem.

Mais tarde, naquela mesma noite, estávamos deitados quando Greg começou a perguntar-me como tinha sido meu dia e o que eu planejava fazer no dia seguinte. Respondi, mas não falei muito. De modo surpreendente, ele fez mais perguntas. Depois, contou-me algumas coisas em que estivera pensando nos últimos dias, querendo saber minha opinião. Acabamos conversando por mais de uma hora e depois nos aproximamos um do outro até nos abraçarmos. Decidimos orar juntos, e quando Greg terminou a oração meu desejo de entregar-lhe meu corpo era positivamente dominante! Ele se importou de ficar acordado mais alguns minutos para receber o presente que eu ansiava dar-lhe? De maneira nenhuma!

Tropeçamos em algo naquela noite, há muitos anos, que jamais esqueceremos: a verdadeira satisfação sexual não resulta apenas da conexão física, mas também de uma íntima conexão mental, emocional e espiritual. Embora em algumas noites nós dois durmamos sem que muito seja dito por estarmos cansados, em muitas outras essas conversas íntimas, que estimulam o cérebro, o coração e a alma, acontecem espontaneamente. Nem sempre fazemos sexo, mas quando acontece é uma experiência incrivelmente satisfatória, porque a paixão entre nós foi inspirada e não exigida.

Sirva seu marido como se ele fosse seu melhor amigo

Se quiser tentar essa teoria do coelho e da cenoura, por favor, entenda que não se trata de outro jogo de manipulação. Ao renunciar a suas expectativas de que seu marido satisfaça suas necessidades emocionais e redirecionar seu foco no sentido de satisfazer as necessidades dele (quer sejam de sono quer de prazer físico), você estará servindo-o. Dessa forma, o desejo dele certamente será de servir você também. Ele reconhecerá sua disposição para satisfazer as necessidades dele, e esse desejo será contagioso se você não interromper o processo ficando impaciente ou esperando que aconteça rápido demais. Assim como a intimidade, o serviço prestado de coração é inspirado e não exigido.

Quando falo de servir seu marido, não estou me referindo ao tipo de serviço que faz numa partida de tênis, quando bate na bola e exclama: "Olhe, a bola está do seu lado. É a sua vez de servir-me!". Estou me referindo a atender às necessidades de seu marido por amor profundo e amizade sincera, sem qualquer motivo oculto e sem esperar qualquer retribuição. Jesus se referiu a esse tipo de serviço na seguinte passagem:

> Este é meu mandamento: Amem uns aos outros como eu amo vocês. Não existe amor maior do que dar a vida por seus amigos.
>
> João 15.12-13

Pergunte-se: "Considero meu marido um amigo?". Confesso que era culpada por não tratar meu marido tão respeitosamente como trataria uma amiga. Orgulhava-me de ter mais argumentos do que ele e de poder vencer qualquer discussão com facilidade. Quando meu marido me disse: "Você seria uma ótima advogada", pensei que seu comentário refletia meu intelecto, mas não se tratava de um elogio. Ele tinha razão sobre uma coisa: eu certamente nunca perdia uma discussão, mas perdia algo muito mais importante, ou seja, *a verdadeira intimidade com o homem que amo.*

Greg felizmente reconheceu que essa atitude de "vencer a causa a qualquer preço" estava afetando nosso relacionamento e falou a respeito disso amorosamente. Eu estava discutindo com ele, usando muita ironia. Ele então me perguntou de maneira sincera: "Shannon, você falaria com sua melhor amiga do jeito que está falando comigo agora?" — xeque-mate. Eu estava esperando que meu marido aceitasse tudo que eu lhe dizia, sem compreender que ele merece o tratamento e a cortesia oferecidos a um melhor amigo, tanto ou mais do que qualquer outra pessoa em minha vida. Eu vinha agindo como Jekyll e Hyde, distribuindo sorrisos e palavras doces para todos os de fora e desafogando minhas frustrações nos de dentro. Vim então a compreender que a Shannon que realmente sou não é aquela que o mundo vê, mas a que minha família vê. Manter isso em mente me ajudou a agir amorosamente com meu marido e meus filhos, e isso tem sido útil para que a intimidade em nosso casamento floresça até alcançar seu pleno potencial.

Tenha em mente que tratar seu marido como melhor amigo significa tratá-lo como o homem adulto que é, e não como uma criança. No início de nosso casamento, eu muitas vezes falava com Greg como se ele fosse uma criança, tratando-o como se fosse alguém sobre quem eu exercesse autoridade. Em vez de pedir delicadamente que fizesse algo, esperava ou até exigia que o fizesse, como um pai espera que o filho obedeça a uma ordem. Reclamava da maneira como ele se vestia e escolhia outras roupas para ele quando não havia nada errado com as que usava, comentando astutamente: "Deixe que a mamãe vista você". Cheguei até a corrigir as maneiras dele à mesa na frente de nossos filhos.

Essa dinâmica de mãe e filho pode matar o desejo de intimidade. *Os homens não querem fazer sexo com a mãe.* Seu marido não se casou com você para ter outra mãe, mas para poder ter uma melhor amiga. Se você o tratar como o adulto que é, incentivará nele uma atitude de respeito, admiração e desejo sexual em relação a você.

Aprendam a linguagem do amor um do outro

Quando você se esforçar para falar respeitosamente com seu marido, como a seu melhor amigo e como o adulto que é, perceberá que sente muito mais amor em relação a ele ao conversarem. Poderá também sentir se os pratos da balança da comunicação estão fora de equilíbrio quando ele não corresponder verbalmente a suas expectativas, o que nos leva a outra maneira de cultivar a intimidade: aprender a linguagem de amor um do outro.

Como mencionei antes, a maioria dos homens pronuncia menos palavras do que as mulheres. Não significa, no entanto, que eles não se comunicam, mas simplesmente que o fazem de formas diferentes. Se não compreendermos isso, deixaremos de perceber o que o marido está dizendo. Embora eu tenha tido diversas experiências com fracassos desse tipo, uma delas em especial se destaca em minha mente. Havíamos nos casado fazia um ano, e eu muitas vezes enviava cartões a Greg. A cada duas semanas eu passava a hora do almoço na papelaria, escolhendo todo tipo de cartões sinceros, inteligentes ou engraçados para dizer: "Amo você".

Todavia, não passou muito tempo depois de nosso primeiro aniversário de casamento quando notei que Greg nunca tinha me enviado um cartão. Nenhum sequer. Senti-me negligenciada e furiosa com o tempo e dinheiro que gastara com todos aqueles cartões especiais, sem qualquer reciprocidade da parte dele. Em vez de perguntar o motivo, deixei de mandar-lhe cartões, dei-lhe um gelo e recuei emocionalmente (como se isso fosse inspirá-lo a me enviar um cartão de admiração!).

Fiquei fervendo por dentro durante vários dias até que acabei explodindo, chorando na cozinha em cima de uma salada de atum.

— Caso não tenha percebido, deixei de mandar cartões todas as semanas! Você nunca enviou um cartão para mim! Sabe como isso dói? Ou será que ao menos se importa?

Minha explosão chocou Greg, que esperou até que meus gritos cessassem para responder baixinho:

— Mas eu corto a grama todas as semanas... lavo o seu carro... e eu...

— É claro que faz essas coisas — interrompi. — Você também mora aqui! Essas são as suas responsabilidades!

— Faço isso por amor a você, Shannon!

Não fiquei convencida, até que Greg trouxe para casa o livro que já mencionei no capítulo 6, *As 5 linguagens do amor*, de Gary Chapman. Lemos juntos, e compreendi que Greg tinha razão. "Atos de serviço" é uma legítima linguagem de amor, e embora não seja minha linguagem de amor preferida (que é dar presentes) é a principal forma de Greg mostrar amor por mim. Aprendi também que assim como os atos de serviço de Greg não enchiam meu tanque de amor, meus cartões também não estavam fazendo seu barco flutuar. Nossas linguagens de amor são opostas: as mais importantes para ele (atos de serviço e toque físico) são as menos importantes para mim, e as que mais importam para mim (presentes e palavras de afirmação) são as menos importantes para ele. Tivemos de ficar muito atentos no que se refere a falar e compreender a linguagem de amor do outro, para podermos reconhecer nossas expressões mútuas de amor.

Num aniversário, não muito depois, Greg me deu um presente que nunca esquecerei. Era um cartão (finalmente!), mas este estava coberto de centenas de pequeninos quadrados de papel cor-de-rosa. A princípio pensei que era sua fraca tentativa de surpreender-me com confete feito em casa, mas ao ler o cartão ele me tocou muito mais fundo do que qualquer confete poderia fazê-lo. Dizia o seguinte:

> Shannon, sei que não consigo expressar meu amor por você como gostaria. Não estou me desculpando, mas meu maior desejo é saber reconhecer quando você precisa da confirmação de meu amor sem que se sinta negligenciada ou aborrecida.
>
> Estou dando então a você esses pedacinhos de papel e pedindo que deixe um deles onde eu possa vê-lo quando eu estiver falhando em fazê-la sentir-se tão especial como realmente é para mim. Sempre que vir um pedacinho de papel cor-de-rosa, lembrarei de sua necessidade de que eu expresse meu amor e dedicação a você. Espero que haja papeizinhos suficientes para uma vida inteira, mas se não bastarem eu corto mais alguns.
>
> Seu marido que a ama, Greg

Acho que só tive de colocar um papelzinho cor-de-rosa no carro de Greg duas vezes em todos esses anos depois que ele escreveu isso. Só o fato de saber que Greg deseja satisfazer minhas necessidades emocionais mantém cheio meu tanque emocional, quer ele esteja quer não falando minha linguagem de amor. Aprendi também que, se quiser expressar meu amor por ele, basta lavar suas roupas ou tirar o mato do canteiro de flores em vez de ir à papelaria.

À medida que aprendemos a falar a linguagem de amor um do outro, nossos tanques de amor são abastecidos e protegemos nosso relacionamento conjugal das tentações físicas ou emocionais externas. Quando um ou ambos os parceiros deixam de reconhecer e satisfazer as necessidades do cônjuge, essas tentações podem tornar-se pesadas demais. Ouço frequentemente mulheres dizerem (e eu também já disse): "Sofro tanta tentação assim porque ele não satisfaz minhas necessidades emocionais!". Antes de criticar seu marido por isso, olhe em seu espelho emocional e responda a estas perguntas:

- Você sabe quais são suas necessidades emocionais? (Muitas mulheres não sabem; apenas sabem que não estão satisfeitas.) Conhece sua própria linguagem de amor? (Caso a resposta seja não, recomendo que leia *As 5 linguagens do amor*.)
- Você explicou, com amor e respeito, quais são exatamente essas necessidades e como seu marido pode encher seu tanque emocional?
- Você o inspirou a tentar compreender suas necessidades de intimidade emocional, ou isso é algo que tentou exigir dele?
- Até que ponto você tem sido constante em satisfazer as necessidades físicas de seu marido (não apenas em ocasiões especiais, mas de acordo com o ciclo de necessidades dele)? Atende às necessidades dele de todo o coração e com uma atitude positiva?

Sheila compartilhou isto por *e-mail*, a fim de encorajar as mulheres a reconhecerem seu papel especial como única fonte de prazer do marido:

Se eu não cozinhar para meu marido, ele pode ir ao McDonald's. Se não limpar, ele pode contratar uma faxineira. Mas, se não responder a ele fisicamente, aonde poderá ir? Da mesma forma, se meu marido não satisfizer minhas necessidades emocionais, certamente não poderei ir a outro homem. Não devo satisfazer-me com os elogios e a atenção de outro homem. Se seguirmos verdadeiramente os princípios de Deus, morrermos para nós mesmos e servirmos um ao outro, o casamento pode ser uma bênção maravilhosa!

Embora a palavra de sabedoria de Sheila seja valiosa, permita-me introduzir uma objeção. Compreendo que algumas mulheres tentaram tudo, inclusive atender às necessidades físicas do marido, num esforço para despertá-los emocionalmente. Se for esse seu caso e as perguntas acima só frustraram você em vez de inspirá-la a tentar uma nova abordagem, vocês dois talvez tenham de olhar num espelho emocional com a ajuda de um conselheiro cristão. Nesse caso, eu a encorajo a procurar a cura como casal.

Embora não possa prometer-lhe uma mudança milagrosa, posso prometer que Deus vê o desejo de intimidade em seu coração e honrará sua fidelidade. Posso também prometer que nenhum relacionamento é impossível de ser consertado quando duas pessoas começam a servir uma a outra desinteressadamente. Já vi muitos homens passarem a entender as necessidades emocionais da esposa mesmo depois de anos de confusão e caos em seu casamento. Se seu marido precisa de uma revelação como essa, lembre-se destes três pontos:

1. *A revelação não vem por meios humanos, mas divinos.* Se quiser que seu marido tente compreender suas necessidades mais íntimas de atenção e afeto, ore para que Deus revele isso a ele, no tempo e à maneira dele. Em seguida confie em que Deus fará exatamente isso. Não o importune, apenas ore a favor dele. Deixe o resto com Deus.
2. Quando você orar para que seu relacionamento conjugal melhore, não ore apenas por ele. Não se dança uma valsa sozinho. Se seu coração se tornou amargo ou ressentido pela falta de sensibilidade de seu marido a suas necessidades emocionais, *ore a Deus para que a ajude a transformar seu coração de modo a poder inspirar melhorias.*
3. *Tente satisfazer ao máximo as necessidades sexuais dele.* Não recue quando ele tomar a iniciativa, mas tome você a iniciativa para satisfazer as mais profundas necessidades dele. Aprenda a olhá-lo como quem diz: "Você não precisa nem pedir! Tome-me agora!". Quando demonstrar que as necessidades dele são importantes para você, talvez se surpreenda ao ver como suas necessidades passarão a ter importância para ele.

Compreenda que o sexo é uma forma de adoração

Deus projetou o sexo para ser compartilhado entre dois corpos, duas mentes, dois corações e dois espíritos que se unem para se tornar uma só carne. Se você nunca experimentou em seu casamento essa união de uma só carne, está perdendo um dos momentos mais importantes, fundamentais e satisfatórios de sua vida!

Como então você pode passar de "apenas sexo" para a experiência de uma forma de amor que satisfaz cada fibra de seu ser? Quando compreende que o sexo na verdade é uma forma de o marido e a esposa adorarem a Deus juntos. Quando dois se tornam uma só carne, física, mental, emocional e espiritualmente, estão dizendo a Deus: "Teu plano para a satisfação sexual e emocional é bom. Preferimos teu plano ao nosso".

Esta passagem de Mike Mason no livro *O mistério do casamento* talvez ajude você a compreender o que Deus queria que fosse a noite de núpcias e todos os outros encontros sexuais:

> Que momento na vida de um homem se compara com o da noite de núpcias, quando uma linda mulher se despe e se deita junto dele no leito, e essa mulher é sua esposa? O que se compara à surpresa de descobrir que exatamente a coisa acima de todas as outras que a humanidade se empenha em arrastar pela lama acaba sendo de fato a mais inocente do mundo? Existe qualquer outra atividade que um homem e uma mulher adultos pratiquem juntos (exceto a adoração) que seja na verdade tão infantil, limpa e pura, mais natural e sadia e indiscutivelmente certa do que o ato de fazer amor? Se a adoração é a forma mais profunda de comunhão com Deus (e especialmente esse ato particular de adoração conhecido como comunhão), então certamente o sexo é a comunhão mais profunda possível entre seres humanos e, como tal, é algo absolutamente essencial (em mais do que no sentido biológico ou procriativo) para a sobrevivência da raça. [1]

Para ajudar você a considerar o sexo um ato de adoração, sugiro que comecem despindo-se espiritualmente. Orem juntos e convidem Deus para entrar em seu quarto, a fim de integrar em sua experiência a alegria e a maravilha que ele criou e lhes deu de presente no casamento. Se ainda não tiverem o hábito de orar juntos, isso pode parecer-lhes embaraçoso. Caso desejem fazê-lo, comecem orando juntos a cada noite sem qualquer intenção de fazer amor depois.

Ao conversarem e entrarem em comunhão aberta com Deus e um com o outro, com o passar do tempo vocês com certeza se aproximarão mais espiritualmente, o que pode despertar o desejo de uma proximidade física mais íntima. Caso isso aconteça, estarão avançando na direção certa. À medida que ambos começam a experimentar esse patamar mais elevado de conexão espiritual (e supondo que você permaneça fiel em manter sua mente concentrada na intimidade apenas com seu marido e nenhum outro), descobrirá um nível mais profundo de satisfação emocional em seu relacionamento. Para a mulher, esse nível mais profundo de intimidade mental, emocional e espiritual é a chave que abre a porta para o desejo de intimidade física com o marido.

Uma vez que a mulher experimente a intimidade de estar mental, emocional e espiritualmente nua perante o marido e sinta que é amada por aquilo que realmente é por dentro, sua reação natural será desejar oferecer o embrulho a seu admirador. Note que eu disse *desejar* e não *sentir que deve*. Nosso desejo de oferecer nosso corpo como um troféu para o homem que cativou nosso coração e dedicou sua fidelidade a nós prepara o cenário para a verdadeira satisfação sexual. O sexo praticado apenas por obrigação ou dever jamais satisfará você (ou a ele) tanto quanto apresentar mente, corpo, coração e alma cheios de paixão a seu marido numa bandeja de prata, convidando-o a entrar em seu jardim e provar suas frutas saborosas (ver Ct 4.16).

Cultive a verdadeira intimidade na prática do amor

Considere acrescentar estas ideias de "faça" e "não faça" no cultivo da verdadeira intimidade na hora de fazer amor, e com isso maximizar a satisfação em seu casamento:

- *Fique preparada para tudo*, fazendo da higiene feminina uma rotina diária. Nada impedirá mais depressa você de sentir liberdade para envolver-se na intimidade física espontânea do que pernas não depiladas ou a sensação de não estar suficientemente limpa. Depile as pernas quantas vezes precisar e limpe a área genital diariamente com um sabonete neutro especial. Tornar a higiene feminina parte de sua rotina matinal ou vespertina, tal como escovar os dentes, a ajudará muito a ter a confiança necessária para buscar a satisfação sexual sempre que sentir desejo de envolver-se na intimidade física.
- *Mantenha uma luz fraca acesa* e abra várias vezes os olhos enquanto estiver fazendo amor. Você não apaga as luzes e fecha os olhos para sentir-se mais íntima ao conversar com uma amiga, não é? Minha experiência mostra que, no escuro ou quando mantenho os olhos fechados, fico muito mais tentada a permitir que minha mente vagueie indo para os braços de outra pessoa. Fazer frequentes contatos visuais com meu marido me mantém concentrada nele e mantém meus pensamentos nas experiências agradáveis do presente, o que certamente aumenta minha satisfação

sexual. Admire a beleza de vocês dois, marido e mulher, envolvidos no ato de agradar um ao outro sexualmente, e aprecie essa visão.

- *Treine seu cérebro* para focalizar apenas seu marido durante o sexo. Algumas mulheres tiveram tantas experiências sexuais com outros homens que acham difícil ou até incômodo concentrar-se na intimidade física com o marido. Que pena que aprendemos a confundir intensidade com intimidade. Embora você possa pensar que fazer sexo com um estranho seria mais excitante, com certeza não seria íntimo, e é isso que as mulheres verdadeiramente desejam. Você não conseguirá isso de maneira completa com um estranho. A intimidade ocorrerá apenas como resultado de conhecerem ao máximo um ao outro. Você de forma alguma experimentará isso com um estranho, mas apenas com o homem com quem vive e com quem passará a velhice. Se precisar treinar a mente para se concentrar em seu marido durante o sexo, tente meditar na palavra *marido* ou *adoração*. Lembre-se frequentemente: "Este é meu marido. Agradá-lo sexualmente é um ato de adoração a Deus". Ore até durante os momentos sexuais para que Deus maximize sua intimidade ajudando vocês a se concentrarem exclusivamente um no outro.

- *Esteja pronta para conversar* sobre maneiras de acentuar o prazer físico tanto seu quanto de seu marido. Em geral, conhecemos nosso próprio corpo e o que nos agrada muito melhor do que conhecemos o corpo do sexo oposto, e a maioria dos homens está disposta a aprender tudo que pode sobre a fascinante área destinada exclusivamente para nosso prazer. Sinta liberdade para falar sobre fantasias sexuais com ele, desde que essas fantasias não envolvam outras pessoas além de vocês. Lembre-se, o sexo feminino se excita principalmente pelo que ouve, e palavras sensuais ditas entre o casal enquanto estão envolvidos na intimidade física podem fazer com que uma mulher se derreta como manteiga.

- *Não compre a ideia* de que é certo entreter pensamentos impróprios para chegar mais depressa ao orgasmo. Só porque a mulher leva de cinco a dez minutos mais do que o homem para isso, não significa que devemos deixar a cautela de lado e acabar depressa por causa do tempo. Algo bem mais valioso que o tempo está em jogo aqui, a saber, a satisfação sexual completa como Deus a destinou. Seu marido não ficará ofendido com a demora de seu orgasmo se souber que está se concentrando apenas nele e no prazer que ele lhe dá. Como já disse, você pode treinar seu cérebro para evitar lugares impróprios e concentrar-se em manter a lareira acesa.

- *Não conte quantas vezes* cada um de vocês chega ao orgasmo. Uma amiga relatou: "Eu disse a meu marido que meu orgasmo é tão importante quanto o dele e que me recuso a fazer sexo a não ser que ele também invista tempo e energia para meu orgasmo". Em vez de experimentar o orgasmo quantas vezes desejava, ele só experimentava com a frequência necessária para ela, o que não era assim tão frequente. Vários meses depois, ela se mostrou desolada com os problemas no relacionamento deles e chegou à conclusão de que exigir empate na vida sexual era um tanto injusto. Seu relacionamento conjugal é destinado por Deus para que vocês completem um ao outro e não para que compitam um com o outro. Se ele necessitar de alívio sexual e você não, prover um encontro rápido (também chamado de "rapidinha") mostrará que você não fica registrando pontos, mas é uma parceira de jogo. Tal sensibilidade às necessidades de seu marido fará com que ele seja seu maior admirador.
- *Não esconda seu corpo* de seu parceiro pensando que não está à altura das modelos das capas de revistas. A maioria dos homens não se importa com isso. O que eles gostam, entretanto, é do prazer de contemplar a mulher, sabendo que é uma propriedade sagrada que pertence unicamente a eles. Randy conta sobre a descoberta da beleza da esposa:

> Pensando que essa [toda a satisfação sexual que eu estava obtendo através de meus olhos] fosse talvez a razão de minha perda de apetite por Regina [minha esposa], comecei a parar de alimentar os olhos. Não dava para acreditar no que estava acontecendo! Regina não era mais uma simples amiga. Ela se tornou uma deusa, pelo menos para mim. E é estranho — quanto mais me sacio somente com ela, mais minha predileção muda. Aquelas sobras de gordura em seu bumbum e nas laterais costumavam me incomodar. Agora, quando passo meus dedos sobre elas, tenho outra reação, fico ligado. Não é uma loucura? E aquele pedaço do bumbum que cai para fora da calcinha? Antes isso só fazia me lembrar de quanto peso ela tinha adquirido, agora me faz explodir de desejo por ela. Regina pode não ser uma supermodelo, mas eu também não sou um príncipe encantado. Mesmo assim, para mim ela é a Miss Universo. [2]

Permita-me adverti-la de que, ao experimentar satisfação sexual nesse nível mais profundo (não apenas no nível físico, mas também mental, emocional e espiritual), você poderá notar algumas ocorrências estranhas. Por causa do profundo alívio emocional que a experiência do orgasmo pode trazer para a mulher, você talvez acabe chorando nos braços dele mais tarde. Ou pode rir histericamente (não *de* seu marido, mas *com* ele). Talvez seja motivada a ouvir música de louvor e a adorarem juntos, só vocês dois em seu quarto. Você nunca sabe como será inspirada a reagir ao sentir-se tão incrivelmente satisfeita dos pés à cabeça, e em todos os pontos intermediários (incluindo mente, coração e espírito, é claro). Você pode até acabar gostando e iniciando o sexo com mais frequência do que seu marido!

Reconstruindo sobre um alicerce sólido

Antes de terminar este capítulo sobre a descoberta de um novo nível de intimidade com seu marido, quero abordar um último assunto. Algumas de vocês desejariam ter aprendido alguns desses princípios há anos, porque isso poderia ter evitado o envolvimento num caso físico ou emocional. Agora que estão tentando tornar-se uma mulher íntegra sexual e emocionalmente, ficam imaginando que efeito o segredo que guardam poderia ter em seu casamento se falassem com seu marido a esse respeito.

Alguns psicólogos dizem: "Não há razão para seu parceiro saber sobre seu caso. Qual o propósito de limpar sua consciência se irá perturbá-lo?". Sou a favor de proteger os sentimentos de uma pessoa, não a sobrecarregando com informação desnecessária. Compreendo também seu compromisso em preservar o casamento, especialmente se acredita que divulgar seus segredos seria como bater o prego no caixão do relacionamento. Todavia, antes de decidir que não confessará um caso a seu marido, faça a si mesma estas perguntas:
- Guardar esses segredos está prejudicando tanto nosso casamento quanto aquilo que fiz?
- Estou privando a mim e meu marido da verdadeira intimidade e satisfação sexual por causa da culpa que carrego?
- Minha confiança de que meu marido me ama se baseia no que ele pensa que sou, isto é, uma esposa que nunca o traiu?

Se a resposta a essas perguntas for sim, encorajo você a examinar essa questão sob uma luz diferente. Descobrir um novo nível de intimidade em seu casamento pode ser muito difícil caso você não possa ser completamente transparente com seu marido. Os segredos conjugais não servem a nenhum outro propósito senão afastá-la do único que pode prover o nível de intimidade que você deseja sinceramente como um ser sexual. Se mantiverem segredos um para o outro, acabarão construindo um muro entre vocês e a satisfação sexual e emocional completa.

Todavia, mediante humilde confissão e restauração da confiança, você pode transformar esses muros em pontes que os unirão ainda mais do que antes. Creio que você pode reconstruir um alicerce mais sólido ao abrir-se com seu marido, confessar seu pecado, buscar conselho que promova a cura e recrutar a ajuda dele para vencer tentações futuras. Afinal de contas, quando você acredita que seu marido a ama pelo que pensa que você é (mas você se vê como uma pessoa diferente por saber coisas que ele não sabe), isso não é íntimo nem satisfatório.

Tiago 5.16 afirma: "Portanto, confessem seus pecados uns aos outros e orem uns pelos outros para serem curados". Tiago evidentemente sentia que a confissão é boa para a alma. Embora possa ser terrivelmente penosa a princípio, acredito que a confissão, no final, também é boa para o casamento.

Sua honestidade talvez crie um ambiente onde ele finalmente se sinta seguro para discutir as mais profundas batalhas sexuais dele. Façam um pacto de que você não o julgará pela maneira como ele tende a ser estimulado visualmente e que ele não a julgará pela maneira como você tende a ser estimulada emocionalmente. O seu amor incondicional pode inspirá-lo a vigiar os olhos, e o amor incondicional dele pode inspirar você a vigiar o coração. Considere então tirar a máscara e permitir que ele veja o que há de bom, mau e feio em você. Não se choque quando ele também tirar a máscara. Lembre-se de que todos somos seres humanos com lutas pessoais. O casamento pode ser um lugar em que você e seu esposo tenham condições de polir um ao outro com responsabilidade e não apunhalar um ao outro com críticas.

Além disso, se você luta sexualmente por ter sofrido abuso no passado, conte a seu marido o que lhe aconteceu. Quando Greg e eu nos casamos, eu não queria falar a respeito de como meus tios haviam tentado me molestar na adolescência. Ficava com medo de que ele me visse como "mercadoria avariada" e não se sentisse atraído sexualmente por mim. Todavia, minha conselheira me incentivou a conversar sobre esses medos com Greg, e embora fosse desconfortável fizemos um grande avanço. Contei-lhe como um de meus tios costumava me acordar no meio da noite e levar para a sala onde ele podia me beijar enquanto a esposa dormia. Contei como algumas vezes ainda podia sentir o cheiro de cigarro de seu hálito e sentir seu bigode picando meu lábio, um sentimento que me fazia estremecer de desgosto. Sentia-me muito envergonhada até em pronunciar essas palavras, achando de alguma forma que a culpa era minha e não de meu tio.

Greg, porém, ocupou-se em fazer conexões e discernir como poderia ajudar-me a curar essas feridas. Ele disse compassivo: "Será por isso que você não gosta quando eu a acordo no meio da noite para abraçá-la e beijá-la?". Embora eu nunca tivesse feito essa ligação antes, tive de confessar que não gostava de ser surpreendida com demonstrações físicas de afeto, especialmente no meio da noite. Isso serviu de grande alívio para Greg, pois ele sempre havia julgado minha falta de resposta como desinteresse por ele. Greg também perguntou: "É por isso que você não me beija tanto agora que deixei crescer o bigode?". Mais uma vez, senti como se ele tivesse acertado em cheio. Na manhã seguinte, Greg barbeou-se completamente e passamos meia hora dando todos os beijos que aquele bigode havia nos roubado sem sabermos.

Quando permitimos que a pessoa mais comprometida a nos amar incondicionalmente veja o que de fato se passa conosco, por mais envergonhadas ou quebrantadas que nos sintamos, as recompensas são infindáveis. Ganhamos confiança e coragem, experimentamos a cura de emoções penosas e desfrutamos verdadeira intimidade com aquele que mais amamos e em quem tanto confiamos.

Mantendo as raposas longe do vinhedo

Esta passagem do livro de Cântico dos Cânticos sempre chamou minha atenção:

> Peguem todas as raposas,
>   as raposinhas,
> antes que destruam o vinhedo do amor,
>   pois as videiras estão em flor!

Cântico dos Cânticos 2.15

DESTRUIDORES DA INTIMIDADE	INTENSIFCADORES DA INTIMIDADE
1. Sexo como meio de proximidade	1. Sexo como resposta à proximidade
2. Exigir intimidade do esposo	2. Inspirar intimidade com seu esposo
3. Esperar que suas necessidades sejam satisfeitas	3. Servir às necessidades mútuas
4. Ter conversas sarcásticas ou condescendentes	4. Conversar respeitosamente como melhores amigos
5. Tratá-lo como se fosse seu filho	5. Tratá-lo como marido
6. Ocultar pensamentos e fantasias	6. Conversar sobre suas fantasias e as dele
7. Fazer comparações pouco sadias de seu marido ou de si mesma	7. Aceitar um ao outro incondicionalmente
8. Deixar de usar a linguagem de amor um do outro	8. Aprender e falar a linguagem de amor um do outro
9. Presumir que ele deve necessitar de alívio sexual só com a frequência que você necessita	9. Dispor-se a satisfazer as necessidades sexuais do marido, de acordo com o ciclo de necessidades dele
10. Importuná-lo para que mude seus hábitos ou dar-lhe um "gelo"	10. Orar consistentemente um pelo outro e um com o outro
11. Considerar o sexo um ato mundano	11. Considerar o sexo um ato de adoração
12. Ceder ao sexo por obrigação	12. Iniciar o sexo como resultado de amor
13. Sentir-se pessoalmente impura	13. Manter a higiene feminina
14. Escurecer o quarto ou fechar os olhos durante o sexo	14. Envolver-se visualmente na atividade sexual
15. Expressar frustração porque ele "não está fazendo direito"	15. Conversar sobre o que lhe dá prazer
16. Tentar apressar o orgasmo mediante pensamentos impróprios	16. Saborear a intimidade sexual sem pressa
17. Exigir o orgasmo com a mesma frequência que ele ejacula	17. Evitar fazer contas no quarto
18. Masturbar-se na ausência de seu esposo ou quando ele não está envolvido	18. Depender totalmente um do outro para o prazer sexual
19. Mostrar vergonha do corpo e inibição	19. Estimular visualmente com a nudez
20. Ocultar segredos de falha moral ou abuso sexual	20. Permanecer transparente e sincera sobre batalhas e temores sexuais

Figura 10.1

O vinhedo é uma metáfora para o relacionamento compartilhado entre dois apaixonados. Creio que a videira em flor simboliza um relacionamento no qual a intimidade mental, emocional, espiritual e física se encontra em seu apogeu. Muitas vezes, entretanto, tentei imaginar qual seria o símbolo que as raposinhas destruidoras do vinhedo representam.

Enquanto pensava e orava a esse respeito, comecei a lembrar-me de muitas coisas em nosso casamento que arruinavam nosso vinhedo, criando distância em vez de intimidade com meu marido. Greg e eu trabalhamos para reconhecer esses "destruidores da intimidade" e transformá-los em "intensificadores da intimidade".

A lista na página anterior é um resumo dos princípios sobre os quais falamos neste capítulo. Ao cultivar a verdadeira intimidade com seu marido, evitando seus destruidores e desfrutando seus intensificadores, você experimentará o tipo de prazer mental, emocional, espiritual e físico que Deus pretende para seu relacionamento conjugal.

....

Beije-me, beije-me mais uma vez,
pois seu amor é mais doce que o vinho. [...]

Meu amado é como uma delicada bolsa de mirra
que repousa entre meus seios. [...]

Como uma macieira entre as árvores do bosque,
assim é meu amado entre os rapazes.
À sua sombra agradável eu me sento
e saboreio seus deliciosos frutos.
Ele me trouxe ao salão de banquetes;
seu grande amor por mim é evidente. [...]

Desperte, vento norte!
Levante-se, vento sul!
Soprem em meu jardim
e espalhem sua fragrância por toda parte.
Entre em seu jardim, meu amor,
e saboreie seus melhores frutos. [...]

> *Sua voz é a própria doçura;*
> *ele é desejável em todos os sentido. [...]*
>
> *Eu sou de meu amado,*
> *e ele me deseja.*
>
> Cântico dos Cânticos 1.2,13; 2.3-4; 4.16; 5.16; 7.10

· ·

11

Recuando com o Senhor

• • • • • • • • •

Eu sou de meu amado, e meu amado é meu.

CÂNTICO DOS CÂNTICOS 6.3

Uma noiva radiante recebeu sorrindo os convidados ao entrar no salão de recepção depois da cerimônia de casamento. Ela andou graciosamente, com a cauda de seu belíssimo vestido branco flutuando atrás dela e o véu descendo como cascata costas abaixo.

Dirigiu-se a cada convidado, aproveitando para conversar com eles e agradecer os cumprimentos. "Você está absolutamente maravilhosa!", "Seu vestido é lindo!", "Nunca vi noiva mais bela!", "Que cerimônia esplêndida!", exclamavam. Os elogios continuaram por muito tempo. A noiva não podia estar mais orgulhosa ou apreciar mais a adoração de todos os que estavam presentes. Ela poderia ter ficado ouvindo as expressões extasiadas deles a noite inteira, e na verdade foi o que fez.

Mas e o noivo? Onde estava? Todos se concentravam na noiva, e ela em nenhum momento chamou a atenção de ninguém para o marido. Nem mesmo notou a ausência dele ao seu lado. Olhei pelo salão à procura dele e me perguntando: "Onde será que está o noivo?".

Encontrei-o, afinal, mas não onde esperava que estivesse. O noivo estava sozinho num canto, com a cabeça baixa. Enquanto girava lentamente a aliança de ouro que a noiva acabara de colocar em seu dedo, lágrimas corriam pelo seu rosto e pingavam em suas mãos. Foi quando notei as cicatrizes dos pregos. O noivo era Jesus.

Ele ficou à espera, mas a noiva não olhou para ele em momento algum. Não tomou sua mão. Não o apresentou aos convidados. Agia por conta própria, independente dele.

Acordei de meu sonho com um frio na barriga: "Senhor, foi assim que o fiz sentir-se quando procurava o amor nos lugares errados?". Chorei ao pensar em tê-lo ferido tão profundamente.

É triste dizer, mas esse sonho ilustra exatamente o que está acontecendo entre Deus e milhões de seu povo. Ele se casa conosco, usamos seu nome (como "cristãos") e depois seguimos a vida procurando amor, atenção e afeto em todas as fontes sob o sol exceto no Filho de Deus, aquele que ama nossa alma.

Jesus anseia pelo reconhecimento dos que lhe pertencem, deseja que o apresentem a seus amigos, que fiquem a sós com ele, que se agarrem a ele para encontrar sua identidade, que fitem seus olhos, que o amem de todo o coração e toda a alma.

E você? Tem esse tipo de relacionamento com Cristo? Experimenta a alegria inexplicável da intimidade com aquele que ama você com uma paixão muito mais profunda, muito maior do que qualquer coisa que possa haver neste mundo? Sei por experiência que isso é possível.

Como posso ir daqui para lá?

Você talvez esteja imaginando como, a partir do lugar em que se encontra agora, poderá chegar a esse nível muito mais profundo e gratificante de intimidade com Jesus Cristo. Seria útil examinar onde nossa jornada espiritual se inicia como crentes e como nosso relacionamento com Deus evolui enquanto seguimos rumo à maturidade espiritual. Jack Hill, professor e palestrante internacional, explica que existem seis níveis progressivos no relacionamento com Deus, como encontramos nas seguintes metáforas das Escrituras:

- Oleiro/barro
- Pastor/ovelha
- Senhor/serva
- Amigo/amiga
- Pai/filha
- Noivo/noiva

Creio que Deus nos deu essas metáforas para aumentar nossa compreensão de sua personalidade multifacetada e nos ajudar a compreender a profundidade de seu perfeito amor por nós (embora a mente humana não possa penetrar nessa profundidade). Essas metáforas ilustram o amadurecimento de nossa relação de amor com Deus. Assim como os filhos se desenvolvem fisicamente até alcançar a idade adulta, os que creem em Cristo se desenvolvem em estágios espirituais conforme caminham em direção à maturidade espiritual. Ao examinar a dinâmica de cada um desses estágios, você talvez consiga discernir qual é seu atual grau de intimidade em sua caminhada com Deus. Pode também determinar o nível de conexão que terá à medida que seu relacionamento com Deus progride.

Relacionamento oleiro/barro

Quando aceitamos Cristo, nossa vida espiritual quase não tem forma. Submetemo-nos a Jesus Cristo como nosso Salvador e pedimos a Deus que comece a nos moldar naquilo que ele quer que sejamos. "Nós somos o barro, e tu és o oleiro; somos todos formados por tua mão" (Is 64.8; ver também Jr 18.4-6). Como pedaços de barro, podemos permitir-nos ser moldados e tornar-nos um produto do Oleiro que nos ama, mas não podemos expressar nosso amor em resposta a ele. Não experimentamos nenhuma sensação de profunda intimidade quando permanecemos nesse nível de relacionamento. Por quê? Porque o valor de um punhado de barro está no uso que se pode fazer dele. Quando consentimos e percebemos que Deus está fazendo uso de nós, nos sentimos bem conosco. Quando erramos ou não temos uma noção clara de propósito, nos sentimos culpadas e distantes de Deus. De modo geral, recuamos por pensar que ele esteja zangado conosco devido a nosso fraco desempenho. Efésios 2.10 diz: "Pois somos obra-prima de Deus, criados em Cristo Jesus a fim de realizar as boas obras que ele de antemão planejou para nós". Essa passagem afirma que é importante para nós nos submetermos a Deus e permitirmos que molde nossa vida em algo que dê honra a ele. Todavia, ele não quer que nosso relacionamento pare nesse ponto, mas sim que continue crescendo em intimidade.

Relacionamento pastor/ovelha

A comparação com uma ovelha pode não parecer lisonjeira, mas essa metáfora ilustra como Deus cuida bem de seu povo, da mesma forma que o pastor cuida de seu rebanho. Deus falou por meio do profeta Ezequiel:

> Pois assim diz o Senhor Soberano: Eu mesmo procurarei minhas ovelhas e as encontrarei. Serei como o pastor que busca o rebanho espalhado. Encontrarei minhas ovelhas e as livrarei de todos os lugares para onde foram espalhadas naquele dia de

nuvens e escuridão. Eu as tirarei do meio dos povos e das nações e as trarei de volta para sua terra. Eu as alimentarei nos montes de Israel, junto aos rios e em todos os lugares habitados. Sim, eu lhes darei bons pastos nas altas colinas de Israel. Elas se deitarão em lugares agradáveis e se alimentarão nos pastos verdes das colinas. Eu mesmo cuidarei delas e lhes darei lugar para descansar, diz o Senhor Soberano.

Ezequiel 34.11-15 (ver também a parábola do bom pastor em Jo 10.1-18).

Embora conheçam a voz do pastor e o sigam, as ovelhas não têm ideia do que o pastor sente em relação a elas. As ovelhas não têm condições de compartilhar os sonhos e as esperanças do pastor. Preocupam-se apenas com sua necessidade diária de alimento e água. Apesar de ser importante para nós seguir a Deus e confiar nele como nosso protetor e provedor, como fazem as ovelhas com seu pastor, o desejo de Deus é que tenhamos com ele muito mais do que esse tipo de relacionamento.

Relacionamento senhor/serva

As ovelhas ficam do lado de fora, enquanto os servos ao menos vivem na mesma casa que seu senhor e podem falar com ele, contanto que seja sobre o serviço. O servo usufrui de um relacionamento mais íntimo. Esse nível de relacionamento é mencionado na parábola dos três servos (Mt 25.14-30) e na dos dez servos (Lc 19.11-27). Todavia, os servos sabem pouco do que está acontecendo com o senhor, além daquilo em que estão diretamente envolvidos. O valor da serva se baseia na qualidade com que cumpre a vontade do senhor. Se não corresponder às expectativas do senhor, será removida da casa e substituída por outra. Embora seja importante para nós servir a Deus de todo o coração e fazer sua vontade, ele continua desejando um nível de intimidade ainda maior.

Relacionamento amigo/amiga

O relacionamento do servo com o senhor se baseia no serviço e no desempenho, enquanto o amor e a preocupação mútua são o alicerce do relacionamento entre amigos. Jesus falou claramente aos discípulos sobre esse nível mais profundo de intimidade compartilhado com eles quando disse: "Já não os chamo de escravos, pois o senhor não faz confidências a seus escravos. Agora vocês são meus amigos, pois eu lhes disse tudo que o Pai me disse" (Jo 15.15). Jesus está dizendo: "Vocês têm valor para mim, não só pelo fato de me servirem, mas porque fazem parte do meu coração". O valor de uma amiga não está tanto no que ela faz, mas em quem é como confidente pessoal. Deus quer ser nosso amigo e nos quer como amigos. Podemos experimentar esse nível de amizade íntima, como lemos em Tiago 2.23: "E aconteceu exatamente como as Escrituras dizem: 'Abraão creu em Deus, e assim foi considerado justo'. Ele até foi chamado amigo de Deus!". Provérbios 22.11 diz também: "Quem ama o coração puro e fala de modo agradável terá o rei como amigo".

No entanto, por mais íntimos que dois amigos possam ser, a voz do sangue fala mais alto.

Relacionamento pai/filha

Ao compreender e aceitar a verdade de que não somos apenas punhados de barro, ovelhas, servas ou mesmo amigas de Deus, mas também filhas dele, podemos experimentar completa cura das feridas e decepções da infância. Podemos permitir que Deus seja o Pai ou a Mãe (ele possui qualidades de ambos os gêneros) de que tão encarecidamente necessitamos. Podemos ficar livres do fardo de tentar alcançar o melhor desempenho ou a maior produção para ele quando compreendemos que não somos amadas pelo que fazemos, mas pelo que somos como suas filhas. Paulo escreveu:

> Quando chegou o tempo certo, Deus enviou seu Filho, nascido de uma mulher e sob a lei. Assim o fez para resgatar a nós que estávamos sob a lei, a fim de nos adotar como [suas filhas], Deus enviou ao nosso coração o Espírito de seu Filho, e por meio dele clamamos: "Aba, Pai".
>
> Gálatas 4.4-6

Por mais maravilhoso e libertador que seja o relacionamento pai/filha, o relacionamento noivo/noiva promete a ligação mais íntima de todas.

Relacionamento noivo/noiva

Quando uma mulher fica noiva, o foco de sua vida e suas prioridades mudam, e as outras pessoas e coisas empalidecem comparadas a esse relacionamento primordial de amor. Essa metáfora ilustra novamente uma verdade muito mais profunda: Deus deseja um nível de relacionamento conosco em que nos apaixonamos profundamente por ele, nos deliciamos por simplesmente estar em sua presença, o conhecemos pessoalmente tanto em público como em particular, e nosso foco e prioridades se alinham a seus desejos.

Você talvez sinta que pode se relacionar com Deus como Pai, Salvador ou Senhor, mas está lutando com a ideia de se relacionar com ele tão intimamente como faria com um marido. Embora alguns até possam dizer que não seja respeitoso relacionar-se com Deus de maneira tão íntima, Deus sempre ansiou por esse tipo de relacionamento com seu povo escolhido. Ele disse mediante o profeta Oseias: "Eu me casarei com você para sempre, e lhe mostrarei retidão e justiça, amor e compaixão. Serei fiel a você e a tornarei minha, e você conhecerá a mim, o Senhor" (Os 2.19-20).

De acordo com essa passagem, Deus estendeu um compromisso eterno de amor para nós como seu povo, um amor tão profundo, tão extenso e tão grande que mente terrena alguma poderia imaginar. É o tipo de presente que deveria inspirar-nos a retribuir com um presente igual de amor na medida humana possível.

As Escrituras com frequência se referem à igreja como a *noiva* de Cristo. Se você recebeu Cristo como Salvador, então é noiva dele. João claramente compreendeu o desejo de Deus de casar-se conosco nesse tipo de relacionamento íntimo entre esposa e esposo. Ele escreve:

> Alegremo-nos, exultemos
>   e a ele demos glória,
> pois chegou a hora do casamento do Cordeiro,
>   e sua noiva já se preparou.
> Ela recebeu um vestido do linho mais fino,
>   puro e branco".
>
> Porque o linho fino representa os atos justos do povo santo.
> E o anjo me disse: "Escreva isto: Felizes os que são convidados para o banquete de casamento do Cordeiro". E acrescentou: "Essas são as palavras verdadeiras de Deus".
>
> Apocalipse 19.7-9

O que começou como um noivado entre Deus e os que lhe pertencem, no Jardim do Éden, será finalmente consumado no casamento do Cordeiro, quando Jesus Cristo vier buscar sua noiva (a igreja). Na última linha dessa passagem, o anjo disse especificamente para acrescentar que essas são palavras do próprio Deus, como se de alguma forma o anjo soubesse que esse tipo de relacionamento nupcial com o Todo-Poderoso seria de difícil compreensão. A verdade, porém, é que seu amor de noivo por nós é muito real.

Como então cultivamos um amor de noiva por Jesus e desfrutamos esse relacionamento íntimo que ele quer ter conosco? Sentindo amor ardente por ele e tentando buscá-lo tão apaixonadamente quanto ele sempre nos buscou.

Caindo de cabeça no amor

Christie, de vinte e poucos anos, começou a almejar um tempo mais profundo e significativo de comunhão com Deus. Depois de orar pedindo discernimento sobre como satisfazer esse desejo, decidiu separar uma noite por semana para um "encontro" com Jesus. Por mais que isso pareça extravagante para você, Christie espera ansiosa para afastar-se do trabalho, da escola e de outras amigas a fim de usufruir de suas noites de sexta-feira sozinha com Jesus.

Christie explica:

Às vezes vou a um parque para um piquenique e uma noite de oração. Outras vezes, leio a Bíblia e escrevo cartas a Deus em meu diário, incluindo toda a sabedoria, correção, encorajamento e afirmação que sinto que ele está me dando. Ainda outras vezes, vou a uma cafeteria para tomar um café com o Senhor e ler algum livro da seção "Vida cristã" que ele indicar.

Às vezes preparo uma refeição deliciosa e ponho a mesa para dois, conversando com Deus como se ele estivesse realmente sentado ali comigo, porque sei que está. Há ocasiões em que sinto seu amor com tanta força que fico até tonta! Certa noite, preparei uma mesa para quatro e convidei Deus, Jesus e o Espírito Santo para jantarem comigo. Senti-me tão alegre com a presença deles! Foi como se estivéssemos numa festa celestial!

Se minha companheira de quarto entrasse durante um desses jantares, ela provavelmente pensaria em me mandar para um hospício. Acho, porém, que diria a ela que já estou comprometida com Deus! Amo esse tempo precioso com o Senhor e, se perco um único encontro, sinto tanta falta dele quanto sei que ele sente falta de mim!

Andando e conversando com Jesus

Algumas mulheres gostam de sentar-se numa poltrona confortável para meditar ou para ter seu momento de quietude com o Senhor. Comigo não é assim. Fico distraída pensando em todas as coisas que deveria estar fazendo ou sinto sono. Gosto de andar e conversar com o Senhor. Geralmente deixo meus filhos na escola e depois dirijo até uma estrada de terra onde caminho cerca de seis quilômetros. Começo alongando-me e respirando fundo, agradecendo a Deus por dar-me um novo dia de vida com saúde. Ao beber da beleza das árvores altas, sentir o aroma das flores e a brisa acariciar meu rosto, comungo com Deus ao ar livre durante meu passeio, de uma forma que nunca conseguiria fazer em outra situação. Enquanto ando, converso com ele sobre cinco coisas:

- Adoração (contando-lhe todas as coisas maravilhosas que amo nele, tais como suas misericórdias que se renovam cada manhã, seu poder incomparável, seu caráter compassivo, e assim por diante).
- Confissão (reconhecendo minhas muitas falhas e pedindo que ele me revele qualquer coisa ou atitude em mim que o tenha entristecido).
- Agradecimento (expressando minha gratidão pela multiplicidade de bênçãos em minha vida).
- Súplica (pedindo uma bênção especial ou sua divina orientação para determinada questão).
- Outros (intercedendo pela família e pelos amigos, por mulheres às quais Deus me chamou para servir, por colaboradores e qualquer outra pessoa para a qual Deus chame minha atenção).

Eu ajo em oração até que me sinta ligada a Deus, e sua resposta algumas vezes é audível, não a meus ouvidos, mas a meu coração. Ao confessar, sinto que ele me conforta, dizendo: "Está tudo bem, não vou deixar que isso interfira em nosso relacionamento". Quando peço um conselho, ele geralmente guia meus pensamentos para uma solução que não me ocorrera antes. Ao orar em favor de outros, ele sempre me leva a fazer ou dizer algo específico em benefício deles. Esse momento de resposta é parte vital de minha vida de oração. Ele já sabe o que está em meu coração sem que eu diga uma só palavra. Preciso achar tempo para ouvir o que está no coração dele, porque se não ouvir nunca saberei. Deus frequentemente me faz lembrar disso quando estou caminhando e tagarelando. Às vezes, quando chego aos três quilômetros em minha caminhada, sinto Deus dizendo: "Lembre-se de deixar algum tempo para mim, tenho muito a lhe dizer hoje". Devo me sentir especial porque o Deus do universo deseja ter um tempo para falar especificamente comigo todo dia? Ele quer falar com você também diariamente. Há um espaço em sua agenda para marcar um encontro com ele (parada ou andando)?

Enoque andou com Deus trezentos anos e depois Deus o tomou para si (Gn 5.21-24). Ele não passou pela morte. Dá para imaginar que o andar de Enoque com Deus era tão íntimo, tão alegre, que um dia Deus simplesmente disse: "Bem, Enoque, estamos mais perto da minha casa do que da sua. Vamos para a minha".

Don e Deyon Stephens, cofundadores da Mercy Ships International, contam sobre a tia de Don, Lilly, que se encontrava regularmente com Deus para caminharem juntos às quatro da tarde todos os dias. "Se estivéssemos fazendo uma visita e a tia Lilly desaparecesse perto das quatro horas, já sabíamos o motivo e que ela estaria de volta às cinco. Ela nunca permitia que coisa alguma impedisse seu encontro com Jesus". A tia Lilly morreu há alguns anos, e quando Don estava se preparando para pregar em seu funeral, perguntou qual havia sido a hora exata de sua morte. Suas suspeitas foram confirmadas quando o hospital declarou que ela havia falecido às quatro da tarde. A tia Lilly não perdeu sua caminhada com Jesus.

Um encontro revigorante

Descobri que, quando estou estressada ou desanimada, ficar quieta e descansar na presença de Deus me ajuda a enfrentar as exigências do casamento, da maternidade e do ministério. Eu costumava ser tão irritável que não conseguia parar por tempo suficiente para fazer aqueles "intervalos para respirar", nem me deitava a não ser que tivesse duas horas para poder cochilar. Agora, aproveito cada minuto sempre que posso. Se tiver vinte minutos antes de sair para o jogo de futebol, digo a meus filhos que preciso de um "tempo para a mamãe". Fecho a porta, acerto o despertador, deito-me e imagino Jesus me carregando, acariciando meu rosto e até passando os dedos pelos meus cabelos. Muitas vezes medito sobre Salmos 46.10: "Aquietem-se e saibam que eu sou Deus". Esses poucos minutos podem aliviar o estresse, levantar meu espírito, ajustar minha atitude e dar-me forças para continuar meu dia cheio. Só o fato de saber que o Deus todo-poderoso vê como eu trabalho duro para manter uma casa, criar uma família e exercer um ministério, e sentir seu encorajamento amoroso para seguir em frente me dá forças para continuar a corrida, mesmo quando estou tropeçando e querendo desistir.

Não sei você, mas eu preciso desesperadamente desse tipo de encorajamento e afirmação. Eu costumava representar diante de outros para satisfazer essa necessidade. Fazia o máximo por meu chefe, ultrapassando em muito minhas atribuições, só para ouvir: "Seu trabalho estava ótimo!". Eu me arrumava o tempo todo, vestindo-me de modo a chamar a atenção dos homens e esperando ouvir: "Você está linda hoje!". Envidava esforços para fazer favores a outros, na expectativa de um elogio: "Admiro sua gentileza!". Quando você espera que outros a afirmem, tem de encontrar novos meios de continuar ouvindo esses cumprimentos, e isso acabará por cansá-la. Descobri, no entanto, que a afirmação de Deus enche meu tanque emocional muito mais do que quaisquer palavras lisonjeiras ditas por quem quer que seja. Quando sinto o Deus do universo me dizendo: "Eu vejo tudo que você está fazendo, seu esforço me traz grande alegria... Você é linda para mim mesmo quando está dormindo... Vejo o seu coração e você é muito especial para mim", os sentimentos dele me deixam muito mais reconfortada do que qualquer ser humano jamais poderia fazer.

Fugindo com o Senhor

Além de separar algum tempo a cada dia para descansar nos braços de Deus e conversar com Jesus, recomendo que programe um período sabático a sós com Deus pelo menos uma ou duas vezes por ano. Com base na palavra *Sabbath*, o período sabático é um tempo separado para cultivar melhor um relacionamento de amor com Jesus. Deus se compraz quando você o honra com um presente de tempo. Que melhor maneira de honrá-lo e demonstrar seu desejo pela presença dele do que marcar um longo encontro com ele?

Pratiquei momentos sabáticos nos últimos anos, e nunca houve um em que Deus não tivesse derramado seu amor generoso e renovador sobre mim e me dado uma revelação importante para minha vida ou meu ministério. Lembro-me de um retiro, no qual fui sozinha, só para estar com Deus e alinhar meu coração ao dele. Eu havia acabado de ganhar uma bolsa parcial para um mestrado em aconselhamento. Minha igreja local também se dispusera a cobrir o restante dos custos e as despesas com livros. Fiquei muito entusiasmada com essa incrível oportunidade e tinha plena certeza de que havia sido uma graça de Deus. Todavia, no segundo dia do retiro, enquanto agradecia a ele por essa provisão maravilhosa, senti um fardo pesado em meu coração. "O que pode estar errado?", eu me perguntei. Continuei orando a respeito e fiquei ouvindo: "Estás tentando me dizer algo, Deus? Existe alguma coisa que eu não esteja enxergando?".

Vi então, com os olhos da mente, uma ave deixando dois filhotinhos no ninho. Compreendi na mesma hora que não pensara muito no que esse novo empreendimento significaria para minha filha de quatro anos e meu filho de dois. Comecei a orar por meus filhos e pedi a Deus que me mostrasse porque eu sentia um fardo tão pesado apesar dessa bênção financeira tão grande.

Senti Deus perguntando: "Você confia em mim o suficiente para deixar essas bolsas de estudo no altar? Você as sacrificará em favor de minha vontade para sua família?". Uau! Eu amava minha família, mas a ideia de abrir mão de mais de cinquenta mil dólares para estudar de graça parecia quase uma estupidez. Todavia, quando voltei para casa, sabia sem sombra de dúvida que era exatamente isso que Deus queria que eu fizesse. Quando entrei em casa, abracei bem apertado meus filhos, olhei para meu marido com lágrimas nos olhos e disse:

— Estou desistindo das bolsas. Não vou voltar a estudar até que meus filhos estejam crescidos. Se Deus proveu o dinheiro uma vez, poderá provê-lo de novo quando for a hora certa. Sei que é um choque, mas tenho verdadeira paz em meu coração por sentir que é isso que Deus quer que eu faça.

— Por que então está chorando? — perguntou Greg.

— Porque estou muito grata por ter estes filhotes em nosso ninho e por ter Deus para me orientar na criação deles! — respondi.

É claro que tive de explicar isso para meu marido, mas nunca lamentei minha decisão. Eu sabia que era a vontade de Deus, ainda que, naquela circunstância, não fosse a minha. Sabia que a paz em meu íntimo era uma dádiva dada por ele, muito mais preciosa do que qualquer bolsa de estudos. Sabia também que todas as coisas cooperam para o bem daqueles que amam a Deus, daqueles que são chamados segundo seu propósito (Rm 8.28) — até para mães sem diploma de pós-graduação.

Quando pergunto às mulheres o que as impede de fazer um esforço e fugir para um retiro com o Senhor, as três respostas mais comuns que recebo são: falta de tempo, falta de dinheiro e falta de ajuda em casa com os filhos. Se fugir com Deus é algo que você realmente deseja, terá criatividade para fazer acontecer. Por exemplo, se acha que não tem um fim de semana para estar a sós com Deus, peça a ele que lhe mostre meios de rever suas prioridades a fim de encontrar tempo suficiente durante a semana, mesmo que seja apenas por algumas horas. Todas nós temos as mesmas 24 horas no dia, e ele a ajudará a encontrar tempo para essa alta prioridade. Se não puder gastar dinheiro, use a criatividade a fim de arranjar algum tempo a sós. Eu muitas vezes peço a algumas pessoas da igreja que me deixem usar sua casa na praia por alguns dias durante a semana, e levo minhas refeições ou jejuo durante esse retiro.

Se você achar que não pode sair e fazer um retiro com o Senhor por causa de suas responsabilidades com a casa e os filhos, tente explicar a seu marido que será uma mulher e mãe muito melhor se tiver esse tempo para ficar a sós com Deus. Se for mãe solteira e não conseguir a ajuda necessária por parte de seus parentes, faça um trato com uma amiga na mesma situação. Programem dois fins de semana diferentes ou outras ocasiões em que possam trocar de casa. No primeiro fim de semana você e seus filhos vão à casa dela, para que você possa cuidar dos filhos dela e das tarefas domésticas, enquanto sua amiga desfruta um tempo a sós com Deus na sua casa. Deixe um ambiente agradável para ela, colocando flores num vaso e frutas frescas na mesa. Ponha sais de banho no banheiro, um creme facial e uma vela cheirosa. Deixe um raminho de hortelã no travesseiro e alguns CDs relaxantes no quarto. Quando for a sua vez, ela cuidará de casa e de seus filhos e preparará tudo para a sua fuga com Deus.

Embora seja tentador mandar os filhos embora e ficar em casa, descobri que isso não funciona tão bem porque me distraio com as pilhas de roupa para lavar, os outros serviços domésticos e a correspondência. Vá então para outro lugar. Ofereça-se para tomar conta da casa de outras pessoas. Se for aventureira, vá acampar. Afaste-se do ambiente e das rotinas normais e tenha uma nova e revigorante experiência com o Senhor.

No caso de estar imaginando: "O que eu *faria* num retiro com Deus?" (essa é a Marta em todas nós, achando que temos de fazer algo), eis algumas ideias para inspirar sua criatividade. Lembre-se de pensar como Maria (ver Lc 10.38-42)! Essa é uma oportunidade incrível para afastar-se de tudo e usufruir da presença de Jesus. Além disso, algumas dessas ideias se adequarão tanto à Maria (a adoradora) quanto à Marta (a ocupada) que há em você. Qualquer dessas ideias pode ser adaptada para ajustar-se a sua agenda, quer consiga separar três dias, um dia ou apenas algumas horas.

Retiro "passado, presente e futuro"

Divida seu tempo em três partes. Na primeira, pense sobre sua infância ou passado recente. Há pessoas que precisa perdoar? Há pessoas a quem deve pedir perdão? Aproveite o tempo para escrever cartas a essas pessoas, aliviando sua consciência e pedindo uma bênção sobre elas. Em seguida, examine seu presente. Faça uma lista de como gasta o tempo diário e veja se está investindo em suas verdadeiras prioridades ou simplesmente apagando incêndios dia após dia. Peça a Deus que lhe mostre como reestruturar seu tempo a fim de realizar essas coisas e investir nos relacionamentos mais importantes para você. Por último, concentre-se em seu futuro. Quais são seus principais alvos na vida espiritual, relacional, profissional e/ou financeira? Peça a Deus que lhe mostre como alcançar esses alvos e como tornar-se a melhor administradora possível do tempo precioso com o qual ele a abençoou neste mundo.

Retiro de passatempo

O que você mais gosta de fazer? Pintar? Ler? Escrever? Separe algum tempo para fazer exatamente isso a sós com Deus. O que quer que seja, pegue suas ferramentas ou livros, tudo aquilo de que precisará, e fuja. Pinte com paixão, dedicando sua obra-prima à glória de Deus. Leia vorazmente e sem desculpas um bom livro sobre a vida cristã ou um livro cristão de ficção. Leve uma porção de cartões em ordem alfabética para tomar nota das ideias e, se puder, um *laptop*. Busque a orientação divina e pense em coisas que você pode escrever com criatividade e que glorifiquem a Deus.

Retiro de oração, louvor e paparicos

Às vezes, tentamos nos colocar na presença do Senhor às seis da manhã, de camisola, sentindo-nos tudo, menos charmosas e apaixonadas. Você se lembra do processo meticuloso de preparar-se para um encontro com aquela pessoa especial? Um tempo de processo que tanto desejaríamos nestes dias do tipo "tenho de me aprontar e a todos os outros em 45 minutos ou menos"? Reserve tempo para um fim de semana num spa espiritual. Pegue todos os seus produtos de beleza e prepare-se para apresentar-se diante do Rei. Você se admirará ao perceber como a paixão flui livremente lá de dentro quando se sente bonita por fora. Seu coração adorador voará alto e você não desejará parar de falar com Deus, assim como conversou a noite inteira com aquele namorado especial. Embora Deus certamente nos ame com pernas não depiladas, sem maquiagem ou descabeladas como quando saímos da cama, ele também merece que sua princesa vez ou outra se sente a seus pés quando está com uma bela aparência e se sentindo muito bem, obrigada.

Retiro de intercessão

Muitas mulheres carregam um fardo demasiado grande por causa de outras pessoas, mas o peso de uma rotina ocupada as impede de orar até sentirem paz em relação a isso. Pegue sua Bíblia, agenda de endereços, papel de carta enfeitado e uma caneta, e fuja para um longo período de intercessão. Ore por aqueles que estão próximos a você e por todos os que Deus colocar em seu coração. Peça a Deus que lhe dê um versículo especial da Palavra para transmitir a essas pessoas com as quais você tanto se preocupa e escreva o mesmo em um bilhete delicado a elas. Quer esteja lutando, esforçando-se, sobrevivendo ou tendo sucesso, é muito bom receber um bilhete de uma amiga ou membro da família dizendo: "Você está no meu coração e estou orando por você". A sensação é ainda melhor quando somos nós que iluminamos o dia de alguém com um bilhete assim.

Retiro de gratidão pelas lembranças

Dentre todos os presentes que Deus nos dá nesta vida, existe algum que apreciemos mais do que as lembranças de ocasiões especiais com a família e os amigos? Eu pensei muitas vezes: "Mesmo que minha casa queime inteirinha e eu perca tudo, ainda assim terei minhas lembranças". Meu pensamento seguinte é geralmente: "Se sentir cheiro de fumaça, vou primeiro salvar meu álbum de fotografias!". Compre um bonito álbum, tesouras de cortes diferentes e papel e canetas coloridos. Reúna todas as fotos que guardou numa caixa com o passar dos anos e vá para esse retiro de gratidão pelas lembranças com o coração agradecido por todas as pessoas maravilhosas em sua vida e por todos os momentos especiais de que teve a possibilidade de participar. Agradeça a Deus cada foto em seu álbum e peça uma bênção especial sobre cada rosto que enfeita suas páginas.

Retiro do legado de amor

Leve sua Bíblia, caneta e papel (ou um computador) e muitos lenços de papel para esse retiro. O objetivo é fazer um retrospecto de sua vida e relembrar os momentos espirituais mais importantes que moldaram sua personalidade. Trace uma "linha do tempo espiritual", desde o nascimento até o presente, e marque os altos e baixos espirituais de sua vida. Peça a Deus que lhe mostre esses marcadores espirituais e a razão de ele ter causado ou permitido que tais coisas acontecessem. Procure discernir como todas essas coisas colaboraram para o seu bem e para a glória de Deus. Procure entender qual tem sido o propósito de Deus para sua vida. Em seguida, escreva uma carta para seus filhos, explicando esses eventos e mostrando-lhes como o Deus que esteve com você em todos esses altos e baixos que precisou enfrentar será o mesmo Deus que estará com eles em seus dias mais brilhantes e mais sombrios. Conte-lhes o que espera que tenham aprendido com você e o que deseja que lembrem depois de sua partida.

Meu tio-avô Dorsey (que também foi pastor) fez algo assim pouco antes de morrer. Usando um gravador e fitas-cassete, contou histórias de sua infância, lembranças de seus dias na Segunda Guerra Mundial e várias de suas histórias favoritas de púlpito. Não há herança tradicional em nossa família mais apreciada que a coleção de fitas do tio Dorsey. Reservar tempo para deixar esse legado inesquecível de amor será de grande importância para seus filhos, pois ao ouvi-la falar sobre sua fé em Cristo e seu amor por eles, terão a própria fé fortalecida.

• • • • •

Ao planejar seu retiro particular, não se esqueça de levar algumas coisas que tornem seu tempo a sós com Deus especial e agradável. Esta é uma lista de itens que a ajudará a preparar-se para um retiro inesquecível:
- música de adoração intimista ou música cristã contemporânea e um aparelho de som
- velas perfumadas e fósforos
- sais de banho e aparelho para depilar as pernas
- creme facial e loção perfumada para o corpo
- conjunto de manicure e esmalte
- lenha para a lareira, se houver
- iguarias favoritas (deixe os salgadinhos e as bolachas em casa, mamãe! Leve um bife de filé *mignon* e morangos cobertos de chocolate!)
- pijamas confortáveis, chinelos e seu cobertor e travesseiro favoritos
- Bíblia, devocional, um diário e uma caneta
- roupas e sapatos para caminhadas

Pense nessa experiência como um encontro emocionante. Você está fugindo com aquele que a ama e não se confinando num convento. Seja criativa e entregue-se à beleza desse tempo de intimidade a sós com Deus.

Todavia, quero adverti-la: *experimentar esse prazer incrível pode gerar um hábito*. Meus retiros anuais se transformaram em excursões muito mais frequentes. Nenhum ser humano pode satisfazer nossas necessidades mais profundas como Deus, nem devemos esperar que alguém o faça. Meu marido não se importa de conceder-me esse tempo porque volto renovada, com um sentimento de alegria revigorado por ser uma noiva de Cristo e uma nova paixão por ser a mulher e a mãe que Deus me chamou para ser. Não posso pensar num meio melhor de usar meu tempo.

E você? Precisa de um reavivamento pessoal e uma nova sensação de alegria? Está ansiando por um nível mais profundo de intimidade e satisfação do que um marido pode oferecer? Está pronta para perder-se no amor especial de Deus por você e deleitar-se em seu papel de noiva escolhida dele? Caso a resposta seja sim, arranje um período de tempo especial e um lugar especial para fugir e ter um encontro com seu Noivo celestial.

* * *

Teu amor, Senhor, é imenso como os céus;
tua fidelidade vai além das nuvens.
Tua justiça é como os montes imponentes,
teus decretos, como as profundezas do oceano;
tu, Senhor, cuidas tanto das pessoas como dos animais.
Como é precioso o teu amor, ó Deus!
Toda a humanidade encontra abrigo à sombra de tuas asas.
Tu os alimentas com a fartura de tua casa
e deixas que bebam de teu rio de delícias.
Pois és a fonte de vida,
a luz pela qual vemos.

Salmos 36.5-9

* * *

12

Tudo em paz na frente doméstica

• • • • • • • • •

*O vitorioso se sentará comigo em meu trono, assim como eu fui
vitorioso e me sentei com meu Pai em seu trono.*

APOCALIPSE 3.21

Conheci uma jovem que cresceu em Serra Leoa, na África Ocidental, um país assolado pela guerra. Enquanto os tiros zumbiam pelas ruas da cidade e minas terrestres extirpavam membros de crianças que brincavam nos campos, cada dia era um esforço de sobrevivência para a família de Lela. Ela estava morando nos Estados Unidos havia menos de dois anos quando perguntei do que ela mais gostava na vida em nosso país.

Lela respondeu com um sorriso doce:

— Paz. Não há nada como viver em paz.

Perguntei também:

— Como você conseguiu enfrentar o caos da guerra ao seu redor, dia após dia?

Ela encolheu os ombros e replicou:

— Quando a guerra é tudo que você conhece, não se dá conta do caos que a rodeia.

Embora eu nunca tivesse passado pelo terror de fugir de tiroteios ou de minas, a verdade da declaração de Lela calou fundo em mim. Não compreendia como minha vida era intensa e caótica até que experimentei a paz de viver com integridade sexual e emocional. Durante anos eu entrei às cegas em situações comprometedoras, supliquei por bocados de afeto em mesas de jantar e vez após vez me peguei dormindo com o inimigo. Confundi repetidamente intensidade com intimidade, e a ideia de um relacionamento pacífico parecia impossível.

Em sua soberania, porém, Deus olhou para além de minhas fraquezas e viu minha legítima necessidade de intimidade. Apesar de minha infidelidade, ele tem sido fiel em guiar-me para esse lugar de repouso em meus relacionamentos com meu pai, meu marido e comigo mesma. Não foi uma viagem rápida do caos para a paz, como a de Lela, mas um processo longo e que continua até hoje.

Antes de falar mais sobre o que Deus fez em mim, quero revisitar duas mulheres cujas histórias foram contadas no primeiro capítulo deste livro. Elas também saíram da luta caótica da transigência sexual para um lugar calmo de repouso.

Nada mais de estranhos no quarto

Você se lembra de Rebeca, que fantasiava sobre ser seduzida por um estranho em algum lugar exótico a fim de ter um orgasmo enquanto fazia sexo com o marido? Ela agora relata:

> Na época eu não pensava que estivesse agindo errado. Compreendo agora que Craig ficou tão magoado com o que eu estava pensando naqueles momentos quanto eu ficaria se ele quisesse olhar pornografia ao fazer amor comigo. A compreensão de como cada um de nós luta para manter a integridade sexual transformou nosso casamento, e nosso quarto em particular.
>
> Fiz o que você recomendou... Deixamos acesa uma luz fraca e abro os olhos sempre que sinto a mente distanciar-se do quarto. É preciso concentração, mas quando relaxo e volto-me completamente para Craig durante o sexo e no que estamos experimentando juntos, sinto-me tão próxima dele e, consequentemente, mais próxima de Deus! Na verdade, agora eu gosto mais de sexo, não mais apenas o tolero e deixo que minha mente vagueie. Nunca pensei que pudesse ser tão satisfatório.
>
> Pensamentos impróprios ainda tentam insinuar-se vez ou outra, mas quando comparo nossa antiga vida sexual a esse novo nível de intimidade que descobrimos ao manter nossa mente pura um para o outro, fico inspirada a redirecionar meus pensamentos, voltando à dádiva que Deus me deu em Craig.

Rebeca tem razão. Você será tentada a recorrer a suas antigas fantasias, seu velho hábito de masturbação ou seus padrões disfuncionais de relacionamento. Isso não significa que não possa vencer vez após outra. A cada pensamento levado cativo, a cada palavra imprópria não pronunciada, a cada insinuação extraconjugal rejeitada e a cada experiência sexual íntima que desfrute com seu marido, você estará reforçando sua vitória e aceitando o plano de Deus para sua satisfação sexual e emocional.

Livre da teia da intriga

Seis anos depois que MiamiMike levou Jean a seu apartamento para um banho em sua banheira quente acompanhado de um gole de champanhe, Jean deu-nos estas notícias mais recentes:

> Gostaria de poder dizer que fiz a coisa certa naquela noite. Não fiz. Vivi aquele fim de semana inteiro como uma cena de um filme, mas o final não foi feliz como o da maioria dos filmes a que assisti. Depois do final da semana, Mike e eu nos despedimos. Ele sabia que eu me sentia culpada e respeitou meu desejo de que não mais entrasse em contato comigo. Sei que tive sorte, pois já ouvi histórias horríveis de mulheres que foram perseguidas por homens que conheceram na internet.
>
> Escondi isso de meu marido durante quase três anos, mas sentia como se o segredo fosse corroer-me por dentro se não contasse. Não se passava um dia sem que me lembrasse daquilo e tinha de fingir que gostava de fazer amor com Kevin. Tudo o que eu pensava era: "Ele continuaria me amando se eu contasse meu segredo?". Parecia que estava representando numa peça de teatro, até com meus filhos. Meu segredo estava impedindo que eu me sentisse verdadeira.
>
> Por fim, saí com Kevin para um fim de semana sem as crianças, para que pudesse limpar a consciência. Contei tudo a ele a caminho do hotel, propondo ocuparmos quartos separados se ele precisasse de algum tempo a sós para pensar sobre o que fazer. Eu teria compreendido se ele decidisse divorciar-se de mim. A reação dele, entretanto, foi muito diferente da que eu esperava. Ele perguntou:
>
> — Jean, por que fez isso?
>
> Expliquei aos prantos que não tinha uma razão para fazer o que fiz e que desde aquele fim de semana fatídico vinha lamentando aquele erro monumental.
>
> Em seguida, ele perguntou:
>
> — Sabendo que poderia continuar agindo assim, por que nunca mais você repetiu a experiência?
>
> Essa pergunta me pegou desprevenida.
>
> — Porque eu *não* sou assim, Kevin! — gritei confusa e até um tanto ofendida.
>
> — Eu sabia disso, Jean. Só queria verificar se você também sabia! — disse Kevin compassivamente enquanto me abraçava e chorava. — Estou feliz porque ainda está aqui. Estou feliz por não ter perdido você para sempre. Vamos superar isso.
>
> O perdão de Kevin não foi imediato. Levou tempo e vários meses de aconselhamento conjugal, mas seu amor e sua dedicação nunca vacilaram. Não vou dizer que estou contente por ter feito o que fiz, mas posso afirmar que mediante essa provação nosso casamento se tornou mais íntimo e nossa comunicação, mais aberta e honesta, e crescemos como indivíduos e como casal.

Mudamos o computador para a sala de estar e fizemos um pacto mútuo de não navegar na internet ou entrar em conversas privadas sem que haja outra pessoa presente. Kevin diz que esse pacto não é só para me proteger, mas também para impedir que ele tenha a tentação de procurar pornografia. Desde que tudo veio à tona, somos muito mais sinceros um com o outro sobre nossas batalhas sexuais e tentações emocionais, e dispensamos graça um ao outro e um laço que estava faltando quando mantínhamos segredos.

Cada vez que Jean se une a seu marido em vez de a um amigo virtual, ela fortalece sua decisão de evitar concessões a qualquer custo. Ainda que tenhamos caído uma ou várias vezes, a história de Jean nos lembra de que a intimidade e a satisfação genuínas ainda estão ao nosso alcance. Quando você aprende quem é em Cristo (ao fazer o exercício final do capítulo 4), passa a entender que não é uma vítima dessa batalha, mas uma vencedora! O prêmio? Paz de espírito, libertação de pensamentos e emoções inquietantes e opressivos, harmonia em seus relacionamentos com Deus e os homens, e a satisfação sexual que Deus deseja que experimente.

Meu doloroso processo de alívio

Minha jornada em direção à paz da integridade sexual começou em 1996, com vários meses de aconselhamento individual e em grupo. Ali, rasgando listas telefônicas e gritando com cadeiras vazias em lugar das pessoas inocentes com as quais eu vivia em casa, desabafei minha ira em relação a cada pessoa que algum dia me prejudicou. Sentei-me numa cadeira em frente a uma imaginária "Shannon aos quinze anos" (a jovem que eu fora e que estava prestes a cometer todos os erros sexuais que eu cometi). Com a orientação de minha conselheira, consegui expressar minha nova compreensão da dor e solidão que aquela adolescente sentia, simpatizar com sua ingenuidade e confusão sobre seus desejos sexuais e emocionais, e perdoá-la pelas más escolhas que fez e o sofrimento que sua falta de bom senso causou a mim e muitos outros. Escrevi cartas de perdão para meu pai e minha mãe, cartas dolorosamente honestas que nunca seriam enviadas e outras mais socialmente aceitáveis que foram enviadas e recebidas com sincero apreço. Escrevi também uma carta de perdão para mim. Quando examinei minha lista de parceiros anteriores, reconheci que estava em busca de amor, aprovação e aceitação de cada uma das figuras de autoridade em minha vida, exceto de meu pai deste mundo e meu Pai celestial. Iniciei uma missão para conhecer melhor cada um deles, arranjando, com frequência, tempo para viagens familiares e retiros com o Senhor.

Durante essa temporada de crescimento e cura, crucifiquei meus desejos carnais e sepultei muitas lembranças amargas. Minha conselheira finalmente me expulsou de seu consultório, dizendo: "Você está curada! Vá! Não precisa mais de mim!".

Pouco tempo depois disso, senti o chamado de Deus para falar aos jovens sobre a pureza sexual. Argumentei: "Senhor, eu sou a pessoa errada! Não tenho prática para palestrar, e minha vida não é exatamente um exemplo a ser seguido pelos jovens!". Todavia, mediante um estudo da vida de Moisés com o manual de Henry Blackaby, *Experimentando Deus*, o Senhor me convenceu de que ele sabia o que estava fazendo e que eu estava sendo ridícula em discutir com ele como se não soubesse.

Meu fervor pela pureza sexual cresceu até tornar-se um fogo em meus ossos que me consumiria se eu não abrisse a boca e cuspisse as palavras. Percebi tarde demais que me apaixonei mais pela ideia de falar do que pelo Senhor. Continuava adorando um outro deus. Assumi orgulhosamente que essa coisa de "morrer" era algo do passado e pensava já ter vencido a batalha de uma vez por todas. A meu ver, uma vez que você está morta, está morta mesmo, certo? Não dá para ficar mais "morta". Descobri logo que morrer para meus desejos mundanos era uma exigência diária. Meu sacrifício vivo tinha fugido do altar sem que eu percebesse.

Continuei cedendo a "pequenas" tentações aqui e ali, especialmente num relacionamento com um amigo (vou chamá-lo de John). Durante vários anos, John e eu havíamos almoçado juntos algumas vezes e discutido visões de ministério e sonhos. Nossas conversas me estimulavam mental e espiritualmente, e costumávamos conversar bastante pelo telefone, geralmente quando meu marido estava trabalhando. Eu achava que não havia mal algum nisso porque não estávamos escondendo nada de ninguém.

Trocávamos elogios durante as conversas, mas em certo momento contei a meu marido que alguns dos elogios de John pareciam um tanto galanteadores. Por conhecer bem o John, Greg pôs de lado minha preocupação como uma reação emocional exagerada. Todavia, os galanteios de John se tornaram tão óbvios que senti que era preciso confrontá-lo durante o almoço. Em resposta a um de seus gracejos, eu disse:

— Parece que suas brincadeiras estão mudando, e isso me deixa assustada. Fico preocupada com nossa amizade, e acho que talvez tenhamos de estabelecer certos limites.

John confirmou minhas suspeitas ao responder:

— Por que? Você também está tentada? — ele continuou, dizendo que gostava de mim há muito tempo e que desistiria de seu casamento e ministério se eu concordasse em fugir com ele.

Estava tentada? Com toda certeza.

"Como eu poderia sentir-me tentada se meu casamento era feliz?", você talvez pergunte. Porque cultivei as sementes da transigência, exatamente como adverti a não fazer neste livro. Comparei meu marido a John várias vezes em minha mente. Entretive fantasias de conversas mais íntimas com ele. Se eu tivesse estabelecido limites mentais, emocionais e físicos mais firmes, John jamais teria sentido liberdade para dizer as coisas que disse, e eu não teria me sentido tão atraída por ele emocionalmente. Ao refletir melhor, posso ver como atravessei correndo o sinal verde da atenção e atração, passei voando pelo sinal amarelo do afeto e me atirei de cabeça no sinal vermelho da excitação emocional e do apego ao me envolver num caso emocional.

Embora fosse fácil colocar a culpa em John, eu sabia que não podia fazer isso. Nós ensinamos aos outros como nos tratar, e eu aos poucos havia ensinado ao John que ele podia ser exageradamente amigo, talvez até atrevido comigo. Os passeios de carro, os almoços ocasionais, as conversas sobre detalhes íntimos de nossos casamentos e ministérios, e os gracejos de um para o outro com insinuações românticas haviam pavimentado o caminho. Sou grata porque Deus ofereceu um desvio, como prometeu em 1Coríntios 10.13: "As tentações em sua vida não são diferentes daquelas que outros enfrentaram. Deus é fiel, e ele não permitirá tentações maiores do que vocês podem suportar. *Quando forem tentados, ele mostrará uma saída para que consigam resistir*" (grifos da autora).

A saída de Deus para mim veio na forma de um verdadeiro desvio. Desesperada à procura de orientação, aceitei o convite de uma orientadora para um tempo sabático, a fim de buscar a vontade de Deus nessa situação cada vez mais embaraçosa. Enquanto estávamos no carro, perdemos acidentalmente a saída e continuamos durante mais uma hora antes de perceber que havíamos ultrapassado nosso destino. Paramos para pedir informação e almoçamos em Lindale, Texas. Enquanto minha amiga abençoava nossa refeição, ouvi claramente Deus me dizer: "Mude-se para cá".

Tudo indicava que minha fé estava sendo provada. Poderia confiar que essa direção era realmente de Deus, ou seria minha mente me enganando? Poderia praticar o que estava pregando sobre permanecer sexualmente pura, ou viveria uma vida dupla? Deixaria John sem olhar para trás, ou ele havia se tornado um ídolo ao qual permaneceria apegada? Queria resistir à tentação extraconjugal o suficiente para desistir de meu ministério, vender a casa de meus sonhos, deixar os parentes e os amigos e me mudar para um lugar onde nada me era familiar? Ou queria continuar com meu próprio reino e permanecer em minha zona de conforto? Essas e toneladas de outras perguntas giravam em minha cabeça, mas todas elas se resumiam a: Quem eu amava mais? Em quem confiava mais? A quem seguiria? Deus ou John?

Enquanto Greg e eu orávamos, pedindo confirmação de que essa direção vinha de fato de Deus, nos sentimos atraídos pela história de Abraão. Em Gênesis 12.1, o Senhor disse a Abraão: "Deixe sua terra natal, seus parentes e a família de seu pai e vá à terra que eu lhe mostrarei". Decidimos que confiaríamos e obedeceríamos, embora o caminho que nos afastava do problema não parecesse claro.

Colocamos uma placa "VENDE-SE" no jardim da casa de nossos sonhos. Ela foi vendida em seis dias e tínhamos de desocupá-la em três semanas. Pedimos a um corretor de imóveis de Lindale que rapidamente encontrasse uma casa para nós. O primeiro lugar ao qual ele nos levou tinha sido posto à venda dois dias antes — um terreno grande, afastado, com uma velha cabana de madeira logo acima de um riacho nas matas de pinheiros no leste do Texas. A cabana é verdadeiramente o paraíso de um escritor e um lugar onde a presença de Deus é evidente. Fica também muito perto do acampamento do ministério Teen Mania, onde Deus me deu o enorme privilégio de fundar o ministério Well Women, que ajuda jovens envolvidas em batalhas sexuais e emocionais. Para alguém que sentiu fortemente o gosto da derrota, o sabor da vitória é algo que deve ser saboreado e compartilhado com outros.

Em Mateus 19.29, Jesus diz aos discípulos: "E todos que tiverem deixado casa, irmãos, irmãs, pai, mãe, filhos ou propriedades por minha causa receberão em troca cem vezes mais e herdarão a vida eterna". Fiel a sua palavra,

Deus pagou cem vezes mais do que aquilo que pediu para renunciarmos por causa da justiça. Sacrificamos uma casa bonita num terreno de mil metros quadrados na agitação de Dallas, trocando-a por um terreno de aproximadamente quinhentos mil metros quadrados na tranquilidade da região rural. Sacrifiquei meu ministério de palestrante que talvez alcançasse duzentos jovens por ano, e agora, mediante o Teen Mania e outros ministérios locais, Deus permite que eu ensine a mais de duzentas mulheres por semana. Tão bom quanto ter os territórios físico e espiritual ampliados, é ser sempre lembrada das palavras de Deus a Abraão: "Algum tempo depois, o S ENHOR falou a Abrão em uma visão e lhe disse: 'Não tenha medo, Abrão, pois eu serei seu escudo, e sua recompensa será muito grande'" (Gn 15.1).

Minha alegria não está nesta terra, num ministério, nem mesmo na autoestima restaurada. Minha grande recompensa está em todas as intimidades e êxtases que experimento com o Senhor, um relacionamento que me satisfaz até transbordar, que me concede alegria indescritível e que faz com que todos os outros relacionamentos percam o brilho em comparação.

Não estou prometendo que Deus lhe dará as mesmas recompensas físicas que recebi. Todavia, posso prometer que ele anseia desfrutar esse tipo de relacionamento íntimo com você. Ele também tem recompensas feitas sob medida para você, e satisfará o seu coração da mesma forma como satisfez o meu. Ele promete em Mateus 6.33 que, se buscarmos em primeiro lugar seu reino e sua justiça, suas bênçãos também nos serão acrescentadas.

Também não estou prometendo que Deus sarará você da mesma maneira que me curou. A cura vem gradualmente para a maioria das mulheres, mas Deus sabe qual processo se ajustará melhor a você. Só ele sabe como livrá-la do caos da derrota sexual, levando-a à vitória.

Embora eu espere que você use este livro e seu caderno de exercícios[1] para guiá-la a um lugar de integridade mental, emocional, espiritual e física, encorajo-a ainda mais a olhar diretamente para Deus a fim de que ele a guie até esse lugar. Ele conhece o caminho. Basta ter encontros regulares com ele para ser orientada.

Enquanto você busca a intimidade genuína com o Deus que a ama e tem um plano para sua satisfação sexual e emocional, oro para que não só encontre a alegria da vitória nesta batalha, mas para que também experimente uma alegria indescritível na jornada.

*Que Deus, a fonte de esperança, os encha inteiramente
de alegria e paz, em vista da fé que vocês depositam nele,
de modo que vocês transbordem de esperança,
pelo poder do Espírito Santo.*

ROMANOS 15.13

Posfácio

● ● ● ● ● ● ● ●

(por Stephen Arterburn)

A batalha para a satisfação emocional e sexual não é fácil porque a vida está cheia de decepções. Para algumas mulheres, cada dia é um convite para viver num mundo de fantasia que não corresponde à realidade. Se você é casada, então deve viver cada dia concentrada na construção de um laço com seu marido que se torne mais forte com o tempo, ainda que passem por períodos de turbulência. A realidade da vida é que o casamento não é fácil e requer bastante esforço para que a instituição vá sendo moldada até alcançar o estágio de amor pretendido por Deus. Embora desafiadoras, as recompensas da preciosa intimidade e profunda conexão valem o esforço.

Se você é solteira — quer nunca tenha se casado, quer seja divorciada ou viúva — sua tarefa é diferente. Deve construir um laço mais forte, mais íntimo com Deus. Esse laço pode produzir tamanha satisfação e conexão que você jamais se sentirá incompleta enquanto solteira. O plano de Deus para você é tão rico e abundante quanto seu plano para as mulheres casadas.

E se você for casada com alguém que não quer mudar ou está tão ferido que não pode mudar? Gostaria que alguém pudesse nos proteger para não fazer escolhas erradas no casamento, mas ninguém pode. Você talvez tenha lido este livro inteiro balançando a cabeça negativamente e em lágrimas porque acredita que jamais conhecerá a profundidade de intimidade e conexão que outras experimentam com seus maridos. Pode ter perguntado: "E eu? O que será de uma mulher cheia de amor e desejo, presa num casamento com alguém que é mais um sapo do que um príncipe?".

Se o seu casamento for desse tipo, lamento de verdade. Cada vez que recebo um *e-mail* de alguém como você, sinto grande compaixão. Deve ser muito difícil para você continuar a viver assim todos os dias. Sei que só aprofunda o sofrimento saber que pôde fazer a escolha e foi esse o homem que escolheu. Você talvez fosse muito jovem, ingênua, ou estivesse extremamente magoada quando se casou. Agora está mais velha, mais sábia e mais saudável, mas continua vivendo com as consequências de uma escolha que desejaria nunca ter feito. Em vez de ter sido um livro de esperança para você, ele pode ter feito com que se sentisse ainda mais desanimada e decepcionada do que quando começou a ler. Caso isso tenha acontecido, digo que há esperança para você.

Se estiver vivendo com um homem que é física, emocional, sexual ou espiritualmente abusivo, há algumas coisas que pode fazer para assegurar que ele conheça as consequências de seu comportamento. Se alguém disse que você tem de sentar-se e tolerar pacientemente o abuso de seu marido, esse alguém estava errado. Sentar-se e não fazer nada só o incentiva a continuar sendo um homem que provavelmente ele mesmo despreza. Se estiver em perigo físico, vá embora. Se estiver tão desesperada que acredita não poder sair, comece a procurar alternativas desde já. Encontre recursos que possam ajudá-la a sair de seu desespero, para que você e seus filhos não corram perigo.

Se não correr risco físico, tome algumas providências para ver se o relacionamento pode ser transformado. Isso exigirá coragem e perseverança. Exigirá também a ajuda de outros. Você simplesmente não pode fazer isso sozinha.

Em primeiro lugar, procure conselho adequado. Se possível, consulte uma conselheira cristã, uma profissional instruída e com reputação sólida. Essa pessoa pode ajudá-la à medida que luta para modificar seu comportamento e se arrisca para dar alguns passos que deem início à transformação. Se uma profissional não estiver ao alcance, procure uma mulher sábia em sua igreja ou um grupo de recuperação que a apoie durante o processo. Alguém que já tenha passado por isso pode guiá-la e incentivá-la.

Segundo, busque ajuda de outras mulheres. Uma das razões pelas quais você pode ter entrado num relacionamento pouco sadio com um homem é a falta de relacionamentos sadios com mulheres. O cuidado e a atenção delas podem ajudar em sua cura. A presença de mulheres fortes que a amam e apoiam será de grande ajuda para que se sinta menos desesperada. Com o apoio delas, poderá descobrir novas soluções e alternativas que, sozinha, não teria condições de encontrar.

Terceiro, crie uma vida para si. Você tem escolha sobre como quer viver. Não precisa viver como se estivesse presa na vida de outro. Pense em atividades que poderia realizar em vez de sentir pena de si mesma ou viver isolada. É possível que haja grupos aos quais possa juntar-se só por diversão. Pode ser para aprender a dançar, jogar cartas ou desenvolver uma nova habilidade. Há oportunidades não exploradas para experimentar com mulheres que gostem de você. Essa talvez não seja a vida que sempre desejou, mas pode ser uma vida bem mais significativa do que jamais imaginou.

Ao longo dos anos, observei várias mulheres fazerem mudanças dramáticas que as levaram a uma vida bastante satisfatória, embora vivessem em um casamento insatisfatório. Algumas vezes, mas nem sempre, o marido muda como consequência das mudanças da esposa. Quanto mais forte ela se torna e quanto mais diversos seus interesses e mais amplas suas conexões, tanto mais ele é atraído por ela. No começo ele pode tentar reprimir os esforços de autoexpressão e aperfeiçoamento dela. Pode exercer mais controle e ser mais grosseiro e ofensivo. Depois, porém, isso faz com que deseje mais a esposa. Mesmo nos casos em que isso não acontece, essas mulheres escolheram viver, isto é, ter relacionamentos sadios e estimulantes com outras mulheres, crescendo e aprendendo. Procure então as amigas de que necessita e viva a vida que deseja.

Se quiser encontrar a vida que Deus deseja para você, é preciso que faça mais uma coisa: perdoar. Essa pode ser a última coisa que deseja fazer, mas pode ser exatamente aquilo de que mais necessita. Seu marido talvez nunca peça seu perdão. Ou ele pode dizer às vezes que sente muito, só para em seguida repetir a ofensa. Pode ser o pior dos piores, mas não importa quão "mau" ele seja, você precisa encontrar um meio de perdoá-lo. Não por causa dele, mas por sua causa.

Quanto mais tempo recusar-se a perdoá-lo, mais controle ele terá sobre você. É possível que pense que ele não "merece" perdão, mas você merece viver além da amargura e do ressentimento que essas feridas lhe causam. Merece a liberdade que só virá quando puser de lado tudo que tem contra ele. Não é um processo fácil nem instantâneo. Você pode estar tão ferida que serão necessários anos para perdoá-lo totalmente. Se for esse o caso, é mais uma razão para começar agora o processo.

Muitos de nós, homens, nem sequer temos ideia do tamanho da mágoa e do sofrimento que causamos às mulheres que amamos. Temos o hábito de sair por aí derrubando as pessoas mais importantes de nossa vida. Por favor, perdoem-nos pelo mal que fizemos. Por favor, perdoe seu marido para que possa desprender-se de um passado que não pode mudar e de sentimentos destrutivos que não deve guardar. Perdoe o imperdoável e prossiga para a vida que está à sua espera.

Deus esteja com você à medida que avança corajosamente e descobre uma vida com significado e propósito. Minha esperança e oração é que possa experimentá-la com um marido que a ame, mas, acima disso, espero que aprenda a experimentar a vida em sua plenitude, com um marido sadio ou não.

• • • • •

P.S.: Se encontrou esperança, encorajamento ou discernimento por meio deste livro, compartilhe suas descobertas com suas amigas ou classe da escola dominical. Você pode até liderar uma classe ou grupo de discussão usando o "Caderno de exercícios" de *A batalha de toda mulher*. Se fizer isso, por favor, mande notícias sobre como as coisas estão indo para o *e-mail:* sarterburn@newlife.com.

CADERNO DE EXERCÍCIOS

Possíveis dúvidas sobre este caderno de exercícios

• • • • • • • • •

O que o caderno de exercícios de *A batalha de toda mulher* fará por mim?

É muito comum que as mulheres leiam livros e pensem em todas as outras pessoas que precisam ouvir sua mensagem. Contudo, *A batalha de toda mulher* é para toda mulher... especialmente você. Este caderno de exercícios a ajudará a reconhecer suas dificuldades individuais com a integridade sexual e emocional e como o plano de Deus para sua satisfação pode ser diferente do plano menos eficiente que você tem.

Você descobrirá maneiras de guardar não só o corpo, mas também a mente, o coração e a boca, evitando a transigência sexual. Por meio de perguntas provocativas e de exercícios de sondagem da alma, começará a enxergar uma nova revolução sexual tomando forma não apenas no mundo, mas especialmente dentro de você.

Este caderno de exercícios é suficiente ou também preciso ler *A batalha de toda mulher*?

Muito embora existam excertos de *A batalha de toda mulher* em cada capítulo (cada um deles marcado no início e no final pelo símbolo 📖), recomendamos que você leia o trecho no contexto do livro para ter uma ideia do quadro geral e assim compreender plenamente os conceitos apresentados.

Quanto tempo é necessário? Preciso trabalhar em todas as partes de cada capítulo?

De acordo com Annette, Dee, Jenny, Karen e Lori (nossas queridas "cobaias" deste caderno de exercícios), você será capaz de terminar cada capítulo do caderno em 25 ou 30 minutos. Embora seja importante interagir com todas as perguntas de cada capítulo, talvez queira passar mais tempo naquelas que abordam suas necessidades específicas.

Cada capítulo contém quatro partes: Plantando boas sementes (Buscando pessoalmente a verdade de Deus), Podando o engano (Reconhecendo a verdade), Colhendo satisfação (Aplicando a verdade) e Crescendo juntas (Compartilhando a verdade em discussão em pequenos grupos). As três primeiras seções são voltadas para o estudo individual. Elas a ajudarão a guardar a Palavra de Deus em seu coração, a reconhecer e remover coisas de seu coração que a atrapalham nessa batalha e a colher as recompensas de uma vida sexual e emocionalmente íntegra. A última seção de cada capítulo se destina especialmente à discussão em grupo, embora também possa ser feita de forma individual.

Como posso organizar um grupo de estudo?

Você se admirará ao ver como pode extrair mais coisas deste livro e deste caderno de exercícios se estudá-los com um grupo de mulheres que pensam da mesma forma. Se você não conhece um grupo já existente, monte o seu próprio! Quer seja uma classe da escola dominical, um grupo de colegas de trabalho, de vizinhas ou de amigas, convide algumas mulheres para examinar o livro e o caderno de exercícios. A maioria reconhecerá que sempre existe espaço para melhorias na área da integridade sexual e emocional, e o livro é planejado para ter algo a oferecer a qualquer mulher, independentemente da idade, estado civil ou experiência sexual.

O tempo necessário para cobrir todo o livro e o caderno de exercícios não é significativo. A maioria das mulheres consegue encontrar uma hora por semana para ler um capítulo do livro e responder às perguntas correspondentes no caderno de exercícios. Além disso, seu grupo precisará se reunir para discutir cada capítulo, num total de doze encontros. As reuniões devem se limitar a uma quantidade razoável de tempo (recomendo de 60 a 90 minutos), de modo que todas venham a considerá-las uma bênção em vez de um fardo. Se as noites não são um bom horário, considere a ideia de um café da manhã semanal ou um encontro rápido durante um almoço.

Quando mulheres se reúnem para discutir um tópico tão íntimo, a tentação de se desviar para uma variedade de outros tópicos "mais seguros" pode ser enorme, especialmente para as que se sintam desconfortáveis no início. Portanto, uma pessoa deve ser designada como facilitadora do grupo, a fim de garantir que a conversa permaneça nos trilhos. Essa facilitadora não tem a responsabilidade de ensinar, palestrar ou preparar qualquer coisa antecipadamente, mas tão somente de começar e terminar a reunião no horário determinado e garantir que a conversa se encaminhe de maneira produtiva.

Antes de iniciar as reuniões, considere a possibilidade de as participantes convidarem amigas que possam querer fazer parte de um grupo assim. Não existe nada mais saudável e restaurador do que várias mulheres se reunindo, removendo as máscaras por trás das quais talvez estejam se escondendo há muitos anos e sendo verdadeiras umas com as outras sobre os problemas sexuais e emocionais que são comuns a todas nós. Se ser honesta com um grupo de outras mulheres provoca sentimentos de medo e desconfiança, encorajo você a analisar o mito número 7 no capítulo 3 de *A batalha de toda mulher*. Você realmente não está sozinha em suas lutas, e outras mulheres precisam saber que elas também não estão sós. Que tal ser aquela que lhes dirá isso?

Nunca se sabe, mas talvez seu grupo venha a resgatar alguém da armadilha das fantasias impróprias, do laço da masturbação, ou talvez você venha a iniciar um grupo pouco antes de alguém que você conhece sucumbir a um caso emocional ou sexual. Seu grupo de prestação de contas pode ser uma verdadeira tábua de salvação não só para você, mas para todas as mulheres que dele participarem.

1

A batalha não é só do homem!

• • • • • • • • •

Leia o capítulo 1 de *A batalha de toda mulher*.

PLANTANDO BOAS SEMENTES
(*Buscando pessoalmente a verdade de Deus*)

Em sua busca por descobrir o plano de Deus para a satisfação sexual e emocional, eis boas sementes para plantar em seu coração:

> Vocês ouviram o que foi dito: "Não cometa adultério". Eu, porém, lhes digo que quem olhar para [um homem] com cobiça já cometeu adultério com [ele] em seu coração.
>
> Mateus 5.27-28

> Que não haja entre vocês imoralidade sexual, impureza ou ganância.
>
> Efésios 5.3

1. O que esses versículos dizem a você?
2. Como sua vida se encaixa nesses padrões?

Em busca da esperança de que é capaz de vencer a batalha pela integridade sexual e emocional, uma boa semente para plantar em seu coração é 1Coríntios 10.13:

> As tentações em sua vida não são diferentes daquelas que [outras] enfrentaram. Deus é fiel, e ele não permitirá tentações maiores do que vocês podem suportar. Quando forem [tentadas], ele mostrará uma saída para que consigam resistir.

3. Reescreva esse versículo usando suas próprias palavras.

PODANDO O ENGANO
(*Reconhecendo a verdade*)

📖 Durante a última década em que vim buscando minha cura desses (e de outros) problemas e passei a ensinar sobre o tema da pureza sexual e restauração, compreendi finalmente que, de uma ou de outra maneira, a integridade sexual e emocional é uma batalha que toda mulher trava [...]. Muitas delas creem que só porque não estão envolvidas sexualmente, não têm problemas com a integridade sexual e emocional. Como resultado, deixam-se levar por pensamentos e comportamentos que comprometem sua integridade e lhes roubam a verdadeira satisfação sexual e emocional. 📖

4. Você concorda com as declarações de que toda mulher trava uma batalha pela integridade sexual e emocional? Por que sim ou por que não?
5. Reflita novamente sobre as histórias apresentadas no capítulo 1. Alguma das histórias daquelas mulheres a tocou mais profundamente? Qual foi? De que maneira a leitura dessa história lhe abriu os olhos para sua própria batalha?
6. Faça um círculo que indique com que frequência você tem se envolvido em algumas das práticas a seguir:

Comparações não saudáveis	Nunca	Às vezes	Com frequência	Sempre
Fantasias mentais	Nunca	Às vezes	Com frequência	Sempre
Casos emocionais	Nunca	Às vezes	Com frequência	Sempre
Novelas e/ou livros românticos	Nunca	Às vezes	Com frequência	Sempre
Masturbação	Nunca	Às vezes	Com frequência	Sempre
Atividade imprópria na internet	Nunca	Às vezes	Com frequência	Sempre
Outras disfunções sexuais	Nunca	Às vezes	Com frequência	Sempre
_____	Nunca	Às vezes	Com frequência	Sempre
_____	Nunca	Às vezes	Com frequência	Sempre

7. Que áreas de transigência sexual você precisa podar de sua vida?
8. De modo específico, que efeito essa atividade teve sobre seu casamento? Sobre seu relacionamento com Deus? Sobre sua autoestima?

COLHENDO SATISFAÇÃO
(Aplicando a verdade)

📖 Alegro-me por poder dizer que nosso casamento de treze anos continua forte e nunca esteve melhor (embora, como qualquer outro casal, tenhamos nossos momentos difíceis). Sou agradecida por nunca ter trocado Greg por outro modelo e ainda mais grata porque ele também não desistiu de mim. Juntos, descobrimos um nível de intimidade que não sabíamos existir, tudo porque deixei de comparar e criticar, passando a aceitar a singularidade de meu marido. 📖

9. Se você se abstivesse de quaisquer atividades comprometedoras que tenha identificado e (se você for casada) começasse a concentrar todas as energias sexuais em seu marido, qual seria o resultado disso em seu casamento?
10. Qual seria o resultado em seu relacionamento com Deus?
11. Qual seria o resultado em sua autoestima?

CRESCENDO JUNTAS
(Compartilhando a verdade em discussão em pequenos grupos)

📖 Quando ouço as pessoas dizerem que as mulheres não lutam com questões sexuais como os homens, não posso fazer outra coisa senão ficar pensando de que planeta elas são ou debaixo de que pedra estiveram escondidas. É possível que na verdade queiram dizer que o ato *físico* do sexo não seja uma tentação predominante para as mulheres como é para os homens.

Homens e mulheres lutam de formas diferentes quando a questão é a integridade sexual. Enquanto a batalha do homem começa com o que ele absorve com os olhos, a da mulher tem início no coração e nos pensamentos. O homem deve proteger seus olhos a fim de manter a integridade sexual, e pelo fato de Deus ter feito as mulheres mais estimuladas emocional e mentalmente, devemos proteger de perto nosso coração e mente tanto quanto nosso corpo se desejarmos experimentar o plano de Deus para a satisfação sexual e emocional. A batalha da mulher é pela integridade sexual *e* emocional. 📖

12. Por que, a seu ver, tantas pessoas presumem que as mulheres não enfrentam dificuldades com as questões sexuais?
13. O que impede as mulheres de reconhecer que fizeram concessões nos âmbitos sexual e emocional?

14. Uma vez que as mulheres tenham reconhecido isso, o que nos impede de falar a respeito com outras pessoas?

> 📖 Embora o homem precise de uma ligação mental, emocional e espiritual, suas necessidades físicas tendem a ocupar o lugar do motorista enquanto as demais ficam no banco de trás. O inverso acontece com as mulheres. Se existe uma necessidade específica que nos domina, trata-se certamente de nossas necessidades emocionais. É por isso que dizem que os homens *dão amor para conseguir sexo* e as mulheres *dão sexo para obter amor*. 📖

15. Você já deu sexo para obter o amor que desejava? Em caso afirmativo, esse método funcionou para você? Por que sim ou por que não?
16. O que levou você a ler *A batalha de toda mulher* e usar este caderno de exercícios?
17. Das 25 perguntas feitas para determinar se você se envolveu numa batalha pela integridade sexual e emocional (ver p. 29), o que a surpreendeu? O que a assustou?
18. Qual ou quais perguntas mais falaram a seu coração, e por quê?
19. Qual é a principal coisa que você espera obter nas próximas doze semanas a partir da leitura de *A batalha de toda mulher*? E da atividade deste caderno de exercícios? E da participação de um grupo de discussão?

• • • • •

Senhor, somos gratas porque és um Deus fiel que nos mostra uma saída quando somos tentadas. Agradecemos por revelares que não estamos sozinhas em nossas lutas pela integridade sexual e emocional. Conforme buscamos aprender tuas verdades, podar o engano de nossa vida, colher uma colheita abundante de satisfação em nossos relacionamentos e crescer juntas como irmãs em Cristo, pedimos que guies nosso coração e nossa mente para maiores níveis de santidade pessoal. Em nome de Jesus. Amém.

2

Um novo olhar para a integridade sexual

• • • • • • • • •

Leia o capítulo 2 de *A batalha de toda mulher*.

PLANTANDO BOAS SEMENTES
(*Buscando pessoalmente a verdade de Deus*)

Em sua análise para sair com sucesso de um lugar de transigência para um de integridade sexual e emocional, plante estas boas sementes em seu coração:

> Eu, o Senhor, o chamei para mostrar minha justiça;
>   eu o tomarei pela mão e o protegerei.
> Eu o darei a meu povo, Israel,
>   como símbolo de minha aliança com eles,
>   e você será luz para guiar as nações:
> abrirá os olhos dos cegos,
>   libertará da prisão os cativos,
>   livrará os que estão em calabouços escuros.
>
> Isaías 42.6-7

> Posso todas as coisas por meio de Cristo, que me dá forças.
>
> Filipenses 4.13

1. Que efeito exerce sobre seu nível de confiança o fato de que Deus a tomará pela mão e a levará das trevas para a luz? Por quê?

Para relembrar a si mesma as coisas mais importantes na vida e em seus relacionamentos, plante a seguinte semente em seu coração:

"Ame o Senhor, seu Deus, de todo o seu coração, de toda a sua alma e de toda a sua mente." Este é o primeiro e o maior mandamento. O segundo é igualmente importante: "Ame o seu próximo como a si [mesma]". Toda a lei e todas as exigências dos profetas se baseiam nesses dois mandamentos.

Mateus 22.37-40

2. Quão bem sua vida se alinha com este versículo? Que mudanças precisa fazer para poder cumprir esses dois mandamentos?

Em sua análise dos comportamentos nos quais deveria ou não se envolver — incluindo aqueles não especificamente proibidos nas Escrituras —, plante esta semente em seu coração:

> "Tudo é permitido", mas nem tudo convém. "Tudo é permitido", mas nem tudo traz benefícios. Não se preocupem com seu próprio bem, mas com o bem dos outros.
>
> 1Coríntios 10.23-24

3. Reescreva esse versículo usando suas próprias palavras.

PODANDO O ENGANO
(Reconhecendo a verdade)

> 📖 Por definição, nossa sexualidade não é *o que fazemos*. Até mesmo as pessoas comprometidas com o celibato são seres sexuais. Nossa sexualidade é *quem somos* e fomos feitos com corpo, mente, coração e espírito, e não apenas com um corpo. Portanto, a integridade sexual não enfoca apenas a castidade física. Ela abrange a pureza nos quatro aspectos de nosso ser: corpo, mente, coração e espírito. Quando esses quatro aspectos se alinham perfeitamente, nossa "tampa da mesa" (nossa vida) apresenta equilíbrio e integridade. [...]
>
> Não há motivo para rir quando uma das "pernas" de nossa sexualidade dobra, porque nossa vida pode então se tornar uma rampa escorregadia que resulta em descontentamento, transigência sexual, autorrepulsa e problemas emocionais. Quando isso acontece, a bênção de Deus dada com o propósito de trazer excelência e prazer à nossa vida parece mais uma maldição que produz sofrimento e desespero ainda maiores. 📖

4. Em seus namoros, onde você acreditava que se encontrava "a linha" da integridade sexual? Até onde se podia ir "sem problemas" antes do casamento? De onde veio essa crença?

5. Caso já tenha cruzado essa linha imaginária, você conseguiu voltar e reestabelecer seus padrões anteriores? Por que sim ou por que não?

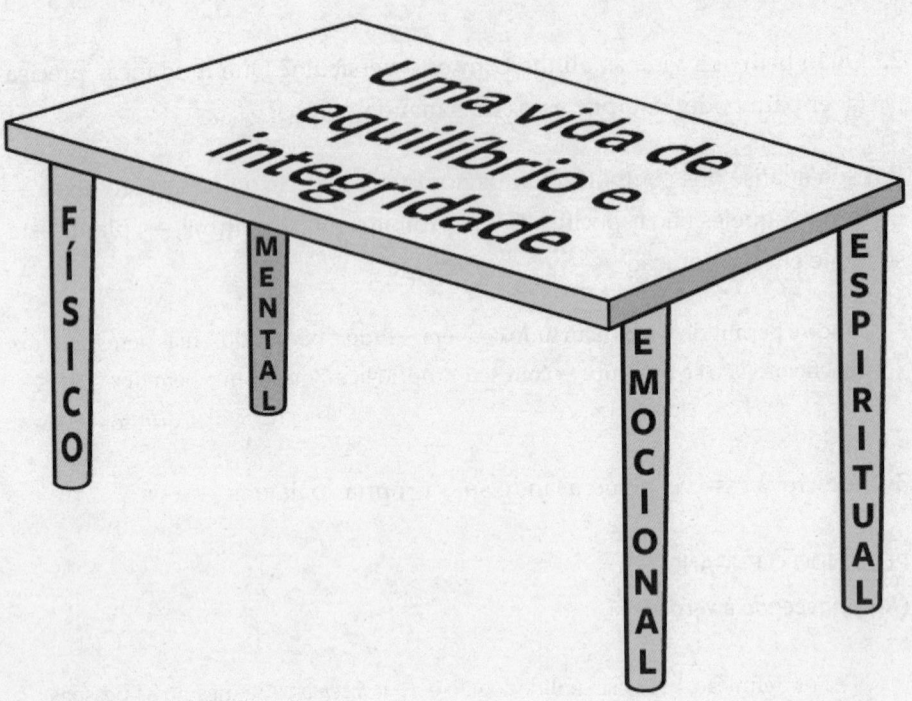

Uma vida de equilíbrio e integridade

Pernas da mesa: FÍSICO, MENTAL, EMOCIONAL, ESPIRITUAL

Sexualidade em cima da mesa

6. Durante a leitura do capítulo 2, que percepções você teve sobre a localização da linha entre a integridade e a transigência?

COLHENDO SATISFAÇÃO
(*Aplicando a verdade*)

📖 Precisamos cuidar de cada perna de nossa mesa conforme o plano perfeito de Deus a fim de alcançarmos a suprema satisfação e sentirmos aquela estabilidade física, mental, emocional e espiritual que Deus pretendeu que tivéssemos. Se uma perna é negligenciada, abusada ou tratada erroneamente, o resultado é algum tipo de transigência sexual ou prostração emocional. Quando cada perna é tratada ou atendida corretamente, o resultado é integridade sexual e plenitude emocional. 📖

7. De que maneira as necessidades a seguir estão sendo satisfeitas em sua

vida? Alguns desses aspectos precisam de atenção? Em caso afirmativo, como você pode satisfazê-los de modo agradável a Deus?
- físico (expressão sexual, exercício, nutrição adequada)
- mental (crescimento educacional ou profissional; equilíbrio entre estímulo e relaxamento)
- emocional (tempo de qualidade com cônjuge, família ou amigos; desfrutar um *hobby*)
- espiritual (conexão com Deus por meio de oração, adoração, estudo bíblico; ministração a outras pessoas)

CRESCENDO JUNTAS
(Compartilhando a verdade em discussão em pequenos grupos)

À medida que uma pessoa do grupo lê em voz alta a passagem a seguir extraída de *A batalha de toda mulher*, uma sentença ou frase por vez, sublinhe quaisquer frases que, a seu ver, descrevam você com precisão. Sublinhe as frases que se destacam como coisas para as quais você ainda precisa envidar esforços.

Para a mulher cristã, integridade sexual e emocional significa que seus pensamentos, palavras, emoções e ações refletem beleza interior e amor sincero por Deus, pelos outros e por ela mesma. Não significa que ela nunca será tentada a pensar, dizer, sentir ou fazer algo inadequado, mas sim que tenta diligentemente resistir a essas tentações e permanecer firme naquilo em que acredita. Ela não usa os homens na tentativa de ver satisfeitos seus desejos emocionais, nem entretém fantasias sexuais ou românticas sobre homens com os quais não está casada. Não compara o marido com outros homens, desprezando o valor pessoal dele e reprimindo parte de si mesma como castigo por suas imperfeições. Não se veste para atrair a atenção masculina, mas também não se limita a um guarda-roupa que a veste até os tornozelos. Pode vestir-se na moda e parecer inteligente ou até *sexy* (assim como a beleza, a sensualidade está no olhar de quem contempla), mas sua motivação não é interesseira ou sedutora. Ela se apresenta como uma mulher atraente porque sabe que representa Deus para outros.

A mulher íntegra vive de acordo com suas crenças cristãs. Vive segundo o padrão do amor e não da lei. Ela não se sustenta como seguidora de Cristo se desprezar tantos de seus ensinamentos sobre imoralidade sexual, pensamentos lascivos, vestuário indecoroso e conversas impróprias. A mulher íntegra vive aquilo em que acredita sobre Deus e isso se revela em toda parte, desde a sala de reuniões da diretoria até o seu quarto. 📖

8. Compartilhe suas conclusões (com o grupo todo ou em grupos menores) sobre o que você entende serem seus pontos fracos e fortes quando se trata de ser uma mulher de integridade sexual e emocional.

• • • • •

Jesus, agradecemos por nos dares um novo olhar sobre a integridade sexual. Ajuda-nos a viver de forma equilibrada e saudável à medida que buscamos abraçar, expressar e controlar nossa sexualidade de acordo com teu plano perfeito. Em teu precioso nome nós oramos. Amém.

3

Sete mitos que intensificam nossa luta

• • • • • • • • •

Leia o capítulo 3 de *A batalha de toda mulher*.

PLANTANDO BOAS SEMENTES
(*Buscando pessoalmente a verdade de Deus*)

Em sua busca por discernir as diferenças entre mito e verdade na batalha pela integridade sexual e emocional, o versículo a seguir contém boa semente para plantar em seu coração:

> É melhor ter sabedoria que armas de guerra.
>
> Eclesiastes 9.18

1. De que maneira a sabedoria pode ajudá-la em sua batalha?

> A vontade de Deus é que vocês vivam em santidade; por isso, mantenham-se [afastadas] de todo pecado sexual. Cada [uma] deve aprender a controlar o próprio corpo e assim viver em santidade e honra, não em paixões sensuais, como os gentios que não conhecem a Deus.
>
> 1Tessalonicenses 4.3-5

2. Você acredita que Deus pode santificá-la e ajudá-la a exercer controle sobre o corpo? Por que você acredita nisso? Como seus relacionamentos com os homens mudariam se você aprendesse a controlar seu corpo de maneira santa e honrável?

Ao se dar conta da necessidade da graça de Deus nesses assuntos, plante isto em seu coração:

> Nosso Sumo Sacerdote entende nossas fraquezas, pois enfrentou as mesmas tentações que nós, mas nunca pecou. Assim, aproximemo-nos com toda confiança do

trono da graça, onde receberemos misericórdia e encontraremos graça para nos ajudar quando for preciso.

Hebreus 4.15-16

3. Como você se sente ao saber que Jesus entende todas as suas fraquezas (até mesmo suas fraquezas sexuais)? Por quê?

PODANDO O ENGANO
(*Reconhecendo a verdade*)

📖 Quando nos comparamos a outros, colocamos uma pessoa acima da outra. Ficamos por cima (produzindo vaidade e orgulho em nossa vida) ou por baixo (produzindo sentimentos de decepção com o que Deus nos deu). Independentemente de estarmos ou não à altura quando fazemos tais comparações, nossos motivos são egoístas e pecaminosos em lugar de mostrar amor. 📖

4. Você já comparou a si mesma com outras mulheres ou comparou seu marido com outros homens? Em que aspectos? Qual foi o resultado?

📖 Quando você fantasia sobre alguém ao fazer amor com seu marido, está mentalmente fazendo sexo com outro homem. *Ele*, e não seu marido, é aquele por quem se sente apaixonada. *Ele*, e não seu marido, é aquele de quem se sente emocionalmente íntima. 📖

5. Você concorda com as declarações acima? Por que sim ou por que não?
6. Você já fantasiou sobre outro homem enquanto fazia amor com seu marido? Como isso afetou sua satisfação em última análise?

📖 "Se o pecado não conhece você, ele não chamará o seu nome!" Uma vez que o pecado da masturbação conhecer você pelo nome, ele *irá* chamar. Chamar... chamar... chamar. [...]. A única maneira de acabar com um mau hábito é *parar de alimentá-lo*. Deixar um vício pode ser penoso, mas não tão penoso quanto permitir que ele a domine. 📖

7. Se a masturbação tem sido um problema para você, qual benefício você acredita que ela poderia trazer? Que efeito a masturbação tem tido sobre seus pensamentos ou sobre sua capacidade de controlar o corpo em relacionamentos com homens?

COLHENDO SATISFAÇÃO
(*Aplicando a verdade*)

📖 Deus, entretanto, nos dá a graça de nos aceitarmos e a nosso marido como realmente somos, e nos dá a capacidade de amarmos um ao outro incondicionalmente e sem reservas.

Se desejamos a verdadeira intimidade, devemos aprender a buscá-la nesse tipo de relacionamento no qual impera a graça. Podemos olhar um dentro do outro e respeitar, apreciar e valorizar de fato o que está ali, independentemente de quanto isso esteja à altura de qualquer outro indivíduo? Esse é o amor incondicional e a intimidade relacional, e esse tipo de intimidade só pode ser descoberto por duas pessoas que estiverem buscando a integridade sexual e emocional com toda a mente, corpo, coração e alma. 📖

8. Você tem alguma reserva quanto a seu marido (ou às pessoas mais próximas de você) ver cada parte sua? Por que sim e por que não? Há algo que você esconde de seu marido (ou das pessoas mais próximas de você)? Por quê?
9. À medida que a intimidade floresce em seu casamento e você observa atentamente o coração e a mente de seu marido, como pode dar a ele a mesma graça que Deus dá a você? Que aspectos dele você talvez precise aceitar para amá-lo de maneira incondicional e sem reservas?

📖 Assuma as rédeas. Invista no relacionamento que tem agora. Concentre-se de todo o coração em seu casamento, como se não existissem outros homens. Admita que seu esposo é o homem com quem vai envelhecer. Seu marido é a dádiva de Deus para você. Desembrulhe o presente e aproveite-o enquanto ele está do seu lado. 📖

10. O que você precisa mudar para que possa investir tudo que tem em seu relacionamento conjugal? Como isso afetará o relacionamento com seu marido? Por sua vez, como isso afetará seu nível de satisfação?

CRESCENDO JUNTAS
(*Compartilhando a verdade em discussão em pequenos grupos*)

📖 67% das mulheres terão pelo menos um ou mais casos pré-matrimoniais ou extraconjugais em sua vida. Esse é o número de mulheres que *cedem* às tentações desse tipo. Creio que é bem maior a porcentagem (estou pensando num índice de 90%) de mulheres que simplesmente experimentam a tentação de envolverem-se em casos pré-matrimoniais ou extraconjugais. 📖

11. Você acha essas estatísticas surpreendentes? Por que sim ou por que não?
12. Em quais dos sete mitos discutidos no capítulo 3 você já acreditou? Como a crença nesses mitos intensificou sua luta?
13. Durante a leitura sobre tais mitos, Deus lhe faltou a respeito de um problema que vem impedindo você de descobrir o plano dele para sua satisfação sexual e emocional? O que você sentiu que Deus estava lhe revelando, e por quê?
14. O que você está fazendo para incorporar essa verdade à sua vida diária?
15. Há alguém a quem você poderia pedir ajuda para mantê-la focada na batalha pela integridade sexual e emocional? Está disposta a prestar contas a alguém nessa área? Por que sim ou por que não?

• • • • •

Deus Pai, agradecemos por nos dares tua verdade e por dissipares os mitos que nublam nosso julgamento. Reconhecemos que toda sabedoria vem de ti e que tua verdade é tudo de que precisamos para sermos livres e desfrutarmos relacionamentos saudáveis. Em nome de teu Filho oramos. Amém.

4

Hora de uma nova revolução

• • • • • • • • •

Leia o capítulo 4 de *A batalha de toda mulher*.

PLANTANDO BOAS SEMENTES
(*Buscando pessoalmente a verdade de Deus*)

Em sua busca por tornar-se a pessoa que Deus quer que você seja, uma boa semente para plantar em seu coração é:

> [Deus] procura [aquelas] cujos corações e mentes foram mudados pelo Espírito e não pela Lei escrita. Qualquer [uma] que tiver esse tipo de mudança em sua vida receberá o louvor de Deus e não de homens.
>
> Romanos 2.29, NBV

1. Em que aspectos sua vida tem se conformado aos padrões mundanos? Como seu coração e sua mente precisam ser transformados para que deixem de se conformar a esses padrões?

Em sua reivindicação da dádiva da autoridade de Deus sobre Satanás e o mundo e em seu exercício do domínio próprio, uma boa semente para plantar em seu coração é Gálatas 5.22-23:

> Mas o Espírito produz este fruto: amor, alegria, paz, paciência, amabilidade, bondade, fidelidade, mansidão e domínio próprio.

2. Que aspecto do fruto do Espírito você considera ser evidente em sua vida? Qual precisa de mais desenvolvimento e por quê?

3. À medida que busca entender plenamente o plano de Deus para você, algumas boas sementes a plantar em seu coração são as passagens das Escrituras destacadas no quadro "Quem eu sou em Cristo" no final do

capítulo 4 (p. 73-74). Qual dessas passagens se destaca para você como tendo o poder de transformar sua vida se você a abraçar e viver de acordo com ela? (Lembre-se de que o "Desafio dos trinta dias" de recitar esses versículos diariamente a ajudará a internalizar quem você é em Cristo.)

PODANDO O ENGANO
(*Reconhecendo a verdade*)

📖 Queria entender a razão de ainda me sentir tentada fora do casamento, e minha terapeuta pediu que eu passasse uma semana fazendo uma lista de todos os homens com os quais já me envolvera sexualmente ou que procurara emocionalmente. Fiquei chocada e entristecida ao ver como minha lista crescera ao longo dos anos.

Na visita seguinte, ela pediu-me que passasse uma semana orando e me perguntando: "O que esses homens têm em comum?". Deus mostrou-me que todos os relacionamentos tinham sido com homens mais velhos do que eu e que de alguma forma eram autoridades sobre mim — meu professor, meu chefe, meu advogado.

Enquanto sondava minha alma para discernir porque existia esse elo em minhas buscas relacionais, a raiz do problema tornou-se evidente: minha sede de poder sobre um homem. 📖

4. Se você criasse uma lista dos homens com quem teve experiências sexuais, a quem procurou emocionalmente (ou que permitiu que a procurassem) ou sobre os quais fantasiou, quais tendências comuns você acha que surgiriam? (Se lhe parecer útil fazer uma lista, escreva numa folha de papel avulsa que possa ser destruída posteriormente.)
5. O que você esperava obter dos relacionamentos sexuais, envolvimentos emocionais ou fantasias impróprias experimentados no passado (poder, *status*, distração do tédio ou da pressão, atenção, afirmação, afeto, segurança e assim por diante)?
6. Qual você suspeita ser o problema básico que a tem levado a tal comportamento?
7. Você acredita que aquilo que está procurando pode ser de fato encontrado em um relacionamento não saudável ou numa fantasia? Em caso afirmativo, você já encontrou? Senão, qual seria um lugar melhor onde procurar?

COLHENDO SATISFAÇÃO
(*Aplicando a verdade*)

📖 Em minha tentativa de preencher o vazio em forma de pai em meu coração e estabelecer alguma imagem de valor pessoal mediante aqueles relacionamentos disfuncionais, eu estava criando uma longa lista de ligações vergonhosas e um caminhão de bagagem emocional. Estava esquecendo a única e verdadeira fonte de satisfação e valorização pessoal: um relacionamento íntimo com meu Pai celestial. Ao buscar primeiro e principalmente esse relacionamento, não só Jesus se tornou meu primeiro amor e me deu um senso de valor muito acima daquele que qualquer homem poderia dar, como restaurou também meu relacionamento com meu pai terreno e ajudou a manter-me fiel a meu marido. 📖

8. Você acredita que pode ter um relacionamento íntimo e satisfatório com Deus? Por que sim ou por que não? O que vem fazendo para buscar um relacionamento desse tipo com Deus?
9. Qual seria o resultado se toda mulher do planeta descobrisse o plano de Deus para a satisfação sexual e emocional e vivesse de acordo com ele?
10. Você acredita que Deus verdadeiramente deseja satisfação sexual e emocional para a sua vida? Para a vida de toda mulher? Escreva sua resposta em forma de oração, pedindo a Deus essa satisfação para você e para todas as outras mulheres (ou pedindo fé para acreditar que isso é possível).

CRESCENDO JUNTAS
(*Compartilhando a verdade em discussão em pequenos grupos*)

11. Qual é a pérola de sabedoria mais benéfica que você vislumbrou neste capítulo? Por quê?

📖 Em vez de usar a beleza que Deus me dera para glorificá-lo, fiz uso dela como uma isca para atrair homens e assim alimentar meu ego. Em lugar de inspirar os homens a adorarem a Deus, eu queria subconscientemente que eles me adorassem, e quando conseguia fisgar um homem com meu charme, sentia-me secretamente poderosa. 📖

12. A seu ver, por que Deus dá dotes físicos a uma mulher (um corpo atraente, um rosto adorável, belos olhos, um sorriso brilhante ou uma personalidade

magnética)? Que responsabilidades acompanham essas dádivas? Como deveríamos usá-las? Como não deveríamos usá-las?

13. Você usa os dotes físicos que Deus lhe deu para glorificar *a si mesma* em vez de a ele? Explique sua resposta.

📖 Mudar a maré em nossa cultura pode parecer uma tarefa impossível, mas não estamos sozinhas nesse desafio, *Deus* irá mudar a maré *através* de nós. Ele simplesmente nos pede que submetamos nossa vidas a ele e sejamos testemunhas do que seu poder e amor podem fazer. À medida que mais e mais mulheres receberem essa revelação e compartilharem essa sabedoria com outros, a maré em algum momento mudará [...].

Precisamos começar a nos concentrar em nosso próprio comportamento, para não permitirmos que o mundo continue a nos influenciar. Isso só pode ser feito reivindicando pessoalmente a dádiva da autoridade que Eva no princípio cedeu. 📖

14. Se você acredita que chegou a hora de uma nova revolução, o que poderia fazer especificamente para:
    - exercer a autoridade dada por Deus e buscar entender quem você é em Cristo?
    - abraçar o plano de Deus para a satisfação sexual e emocional?
    - evitar que o mundo a leve a fazer concessões novamente?
    - inspirar outras mulheres a buscar a integridade sexual e emocional?

• • • • •

Pai celestial, reconhecemos que nossa sociedade se desviou de teu plano para a satisfação sexual e emocional. É de fato hora de uma nova revolução sexual, e oramos para que ela comece hoje mesmo em cada uma de nós. Em nome de Jesus. Amém.

5

Levando cativo os pensamentos

• • • • • • • • •

Leia o capítulo 5 de *A batalha de toda mulher*.

PLANTANDO BOAS SEMENTES
(*Buscando pessoalmente a verdade de Deus*)

Em sua busca por reconhecer que a batalha pela integridade sexual e emocional começa na mente, uma boa semente para plantar em seu coração é 2Coríntios 10.3-5:

> Embora sejamos [humanas], não lutamos conforme os padrões humanos. Usamos as armas poderosas de Deus, e não as armas do mundo [...]. Levamos cativo todo pensamento rebelde e o ensinamos a obedecer a Cristo.

1. De que maneira levar cativo o pensamento rebelde é uma arma contra a transigência sexual e emocional? Você aprendeu a usar essa arma de maneira eficaz? Por que sim ou por que não?

Em meio à tentação para buscar satisfação sexual e emocional à maneira do mundo, Romanos 12.1-2 é uma boa semente para plantar em seu coração:

> Portanto, [irmãs], suplico-lhes que entreguem seu corpo a Deus, por causa de tudo que ele fez por vocês. Que seja um sacrifício vivo e santo, do tipo que Deus considera agradável. Essa é a verdadeira forma de adorá-lo. Não imitem o comportamento e os costumes deste mundo, mas deixem que Deus [as] transforme por meio de uma mudança em seu modo de pensar, a fim de que experimentem a boa, agradável e perfeita vontade de Deus para vocês.

2. Usando suas próprias palavras, descreva aquilo que Paulo está dizendo em cada uma das sentenças acima.

PODANDO O ENGANO
(*Reconhecendo a verdade*)

📖 No filme *Do que as mulheres gostam*, Nick Marshall (Mel Gibson) desenvolve uma habilidade telepática de ouvir cada pensamento, opinião e desejo que passe pela cabeça de uma mulher.

Imagine isto: você acorda pela manhã e todos os homens do planeta desenvolveram a capacidade de ler sua mente só de chegar perto de você. A ideia a deixa nervosa? [...]

Embora possamos estar seguras de que os homens e as mulheres provavelmente não irão adquirir essa habilidade tão cedo, temos uma preocupação ainda maior: Deus sempre possui esta capacidade. Você poderia ser tão corajosa quanto Davi a ponto de fazer uma oração como esta? "Põe-me à prova, Senhor, e examina-me; investiga meu coração e minha mente" (Sl 26.2). 📖

3. Como você se sente com o fato de que Deus tem plena consciência de todo e qualquer pensamento seu? Que efeito os pensamentos impróprios que nutrimos têm sobre o coração de Deus? Por quê?
4. Assim como Davi, você está *ansiosa* para que o Espírito Santo examine sua mente e investigue seu coração? Por que sim ou por que não?

Considere o texto bíblico a seguir:

> O cuidado que tenho com vocês vem do próprio Deus. Eu [as] prometi como noiva pura a um único marido, Cristo. No entanto, temo que sua devoção pura e completa a Cristo seja corrompida de algum modo, como Eva foi enganada pela astúcia da serpente.
>
> 2Coríntios 11.2-3

5. Quão consistente você tem sido em sua devoção a Cristo? O que impede sua mente de se devotar plenamente a ele?
6. Que coisas específicas você pode fazer para restaurar sua devoção a Cristo? Que efeito isso terá em seus pensamentos? E em sua habilidade de resistir à tentação?

COLHENDO SATISFAÇÃO
(*Aplicando a verdade*)

📖 Plante um pensamento, colha um ato;
Plante um ato, colha um hábito;
Plante um hábito, colha um caráter;
Plante um caráter, colha um destino.

                                                    Samuel Smiles 📖

7. Que coisas específicas você acredita que Deus planejou para que você realizasse na vida?
8. Descreva as características de uma pessoa que realizou tais coisas ou que cumpriu os papéis que você listou acima.
9. Que ações regulares e hábitos uma pessoa com esse caráter praticaria?
10. Seus pensamentos equipam você ou a impedem de ser a pessoa que Deus a criou para ser e de cumprir o destino que ele tem para você? De que maneira?
11. Que pensamentos recorrentes específicos você precisa levar cativos com o objetivo de ser tudo aquilo que Deus quer que você seja? Você está disposta a entregar esses pensamentos e torná-los obedientes a Cristo?

CRESCENDO JUNTAS
(*Compartilhando a verdade em discussão em pequenos grupos*)

12. Que parte deste capítulo lhe foi mais útil? Por quê?
13. Que nova linha de defesa você planeja incorporar à sua vida a fim de resistir à tentação que bate à porta, redirecionar pensamentos tentadores e renovar sua mente?
14. O que o ditado a seguir significa para você? Como o explicaria a uma mulher mais jovem?

Você *não pode* impedir que um pássaro voe sobre sua cabeça, mas *pode* impedi-lo de fazer ninho em seus cabelos!

15. Como você impede que os "pássaros" façam "ninho em seus cabelos"? Em outras palavras, como se distrai visando não dar guarida a pensamentos aleatórios e impróprios?

> 📖 Estamos ensaiando quando pensamos sobre conversas que teríamos com esse homem em especial caso venhamos a ficar a sós com ele, quando entretemos pensamentos de um encontro íntimo, ou desejamos que certo homem note nossa presença de maneira distinta [...]. Então, quando Satanás prepara a armadilha e traz esse homem em nossa direção, adivinhe o que acontece? É mais do que provável que desempenharemos nossa parte como a ensaiamos. Quando não guardamos a mente nos relacionamentos com homens, enfraquecemos nossa resistência antes que qualquer encontro tenha ocorra. 📖

16. Você concorda que nossos pensamentos são muitas vezes ensaios para o modo como nos comportaremos diante de uma tentação? Por que sim ou por que não?

17. Compartilhe com o grupo um exemplo de como você ou sucumbiu ou resistiu à tentação em razão do ensaio que praticou de seu papel em seus pensamentos. O que aprendeu com essa experiência?

• • • • •

Espírito Santo, sonda nossa mente e revela aqueles pensamentos que impedem nossa derradeira satisfação em relacionamentos com outros e contigo. Continua a nos ensinar a levar todo pensamento cativo e a torná-lo obediente a Cristo. Em nome de Jesus. Amém.

6

Guardando o coração

• • • • • • • • • •

Leia o capítulo 6 de *A batalha de toda mulher*.

PLANTANDO BOAS SEMENTES
(*Buscando pessoalmente a verdade de Deus*)

Em sua busca por entender o papel fundamental que o coração desempenha em sua vida sexual, emocional e espiritual, algumas boas sementes para plantar em seu coração são:

> Acima de todas as coisas, guarde seu coração,
>> pois ele dirige o rumo de sua vida.
>
> Provérbios 4.23

> Eu, o SENHOR, examino o coração
>> e provo os pensamentos.
>
> Dou a cada [mulher] a devida recompensa,
>> de acordo com suas ações.
>
> Jeremias 17.10

1. De acordo com essas passagens, por que você deveria guardar seu coração?

Em sua busca por alinhar sua vida com o plano de Deus para a satisfação sexual e emocional, uma boa semente para plantar em seu coração é:

> Vocês também conhecem este mandamento: "Não vá para a cama com quem é casado". Mas não pensem que terão preservado a sua virtude simplesmente porque não foram para a cama. De fato, o *coração* pode ser corrompido pelo desejo ardente ainda mais rapidamente que o *corpo*.
>
> Mateus 5.27, *A Mensagem*

2. O que, a seu ver, Jesus estava dizendo a seus discípulos nessa passagem? O que a passagem diz a você pessoalmente?

PODANDO O ENGANO
(*Reconhecendo a verdade*)

📖 Embora a necessidade de amar e ser amada seja um grito universal do coração, o problema está em onde procuramos esse amor. Se não estivermos obtendo o amor que necessitamos ou desejamos de um homem — quer tenhamos quer não um marido — provavelmente iremos atrás dele. Algumas procuram em bares e outras em escritórios. Algumas fazem isso em *campi* universitários e outras em igrejas. Certas mulheres procuram amigos do sexo masculino, enquanto outras saem em busca de fantasias. Quando o amor foge delas, algumas procuram medicar a dor da solidão ou rejeição. Certas mulheres buscam consolo na comida, e outras em relacionamentos sexuais com qualquer parceiro disposto. Algumas se apegam a novelas, outras, a compras compulsivas, e outras ainda, à autossatisfação.

Se você tentou qualquer uma dessas possibilidades por longo tempo, chegou provavelmente a um beco sem saída. Sua busca a deixou desejosa de algo melhor, mais satisfatório, mais profundo. 📖

3. Você já procurou amor em lugares problemáticos? Em caso afirmativo, onde procurou e qual foi o resultado?
4. Você já tentou medicar a dor da solidão ou da rejeição? De que maneira isso funcionou para você?

📖 Em lugar de correr para o Médico Supremo a fim de pedir alívio para suas feridas emocionais, as mulheres em geral fazem ídolos dos relacionamentos — adorando um homem e não a Deus. Começamos submetendo-nos aos desejos impuros de um homem e aos nossos, em vez de nos submetermos aos desejos de Deus para nossa santidade e pureza, e com isso nos tornamos escravas de nossas paixões.

Quando removemos as camadas que revestem essa questão, é possível enxergar o problema essencial: *dúvida de que Deus realmente possa satisfazer nossas necessidades mais profundas*. Olhamos então para um homem que não é nosso marido e logo descobrimos que ele também não nos "conserta". 📖

5. Você acredita que no cerne da transigência sexual e emocional esteja a

dúvida de que Deus é verdadeiramente suficiente para satisfazer nossas necessidades mais profundas? Por que sim ou por que não?
6. *Você* dúvida que Deus pode satisfazer *suas* necessidades mais profundas? Em caso afirmativo, escreva uma oração a Deus confessando essa dúvida e pedindo que ele a remova. Senão, escreva uma oração afirmando sua crença de que ele é suficiente.

📖 [Deus] quer habitar em cada parte de seu coração e não apenas alugar um quarto nele. Quer encher seu coração até transbordar.

Não permita que a culpa de erros passados a impeça de buscar esse relacionamento de primeiro amor verdadeiramente satisfatório com ele. Deus não despreza você pela maneira como tentou preencher o vazio em seu coração. Ele diz: "Venham, vamos resolver este assunto [...]. Embora seus pecados sejam como o escarlate, eu os tornarei brancos como a neve; embora sejam vermelhos como o carmesim, eu os tornarei brancos como a lã" (Is 1.18). Ele está pronto para purificar seu coração e ensinar-lhe como guardá-lo do sofrimento e da solidão no futuro. 📖

7. Deus habita em seu coração ou apenas aluga um quarto nele? Um coração culpado a impede de experimentar a plenitude do amor incondicional de Deus por você? Por que sim ou por que não?

COLHENDO SATISFAÇÃO
(*Aplicando a verdade*)
8. Usando suas próprias palavras, explique os estágios do nível de luz verde de conexão emocional e por que eles são aceitáveis. (Por favor, verifique a ilustração na página seguinte.)

Atração

Atenção

9. Usando suas próprias palavras, explique os estágios do nível de luz amarela de conexão emocional e por que precisamos ser cautelosas nesses estágios.

Excitação e apego emocional (apenas mulheres solteiras)

Afeição

10. Por fim, explique os estágios do nível da luz vermelha e por que precisamos parar antes de cruzar essas linhas.

Casos e hábitos emocionais

Excitação e apego emocional (apenas mulheres casadas)

📖 À medida que vai sendo prudente e evitando os estágios do sinal vermelho da conexão emocional, você recuperará o autocontrole, a dignidade e o respeito próprio que pode ter perdido ao fazer concessões em sua integridade sexual. Pode também esperar um sentimento renovado de conexão e intimidade com seu marido, e pureza em suas amizades ou relacionamentos de trabalho com outros homens. Melhor do que tudo, quando Deus observar seu coração puro e vir que o está guardando contra relacionamentos pouco saudáveis, ele a recompensará com uma revelação ainda maior a respeito dele. 📖

11. O que lhe dá o maior incentivo para evitar os estágios da luz vermelha da conexão emocional? O que você pode fazer especificamente para evitar cruzar a linha entre a integridade e a transigência?

PARA AS MULHERES SOLTEIRAS

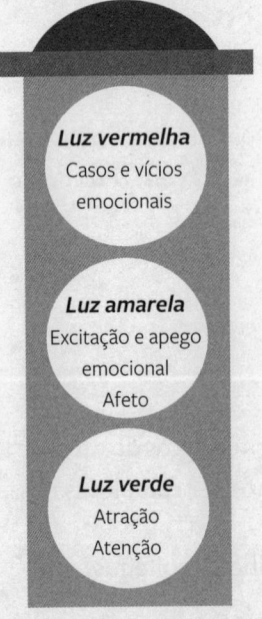

Luz vermelha
Casos e vícios emocionais

Luz amarela
Excitação e apego emocional
Afeto

Luz verde
Atração
Atenção

PARA AS MULHERES CASADAS

Luz vermelha
Casos e vícios emocionais
Excitação e apego emocional

Luz amarela
Afeto

Luz verde
Atração
Atenção

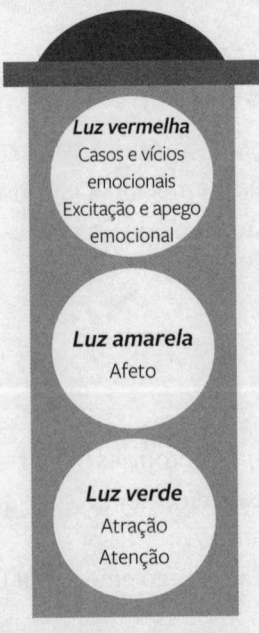

Identificando a conexão emocional nos níveis verde, amarelo e vermelho.

CRESCENDO JUNTAS
(Compartilhando a verdade em discussão em pequenos grupos)

12. O que de mais benéfico você aprendeu no capítulo 6 quanto a guardar o coração? Por que isso foi útil para você?
13. Como sua vida teria sido diferente se você tivesse aprendido a guardar o coração antes de começar a namorar?
14. Se (ou quando) você tiver filhos, como compartilhará com eles os conceitos sobre guardar o coração dos quais você teria se beneficiado em sua adolescência?

Considere a passagem a seguir, extraída de *A batalha de toda mulher*, e depois dividam-se em pequenos grupos para responder às perguntas adaptadas do encerramento do capítulo 6.

> 📖 Embora evitar vínculos e relacionamentos emocionais insalubres seja importante, não basta para garantir sucesso na proteção de nosso coração. O segredo da suprema satisfação emocional é procurar um relacionamento de amor forte e apaixonado com o Deus que fez nosso coração, o Deus que o purifica e fortalece contra as tentações mundanas. O segredo é focar seu coração em seu Primeiro Amor. 📖

15. Tenho investido tempo *de verdade* para conhecer a Deus pessoal e intimamente? O que tenho feito para conhecer a Deus?
16. Dei a Deus todas as oportunidades que ofereci a outros homens? Fantasia? Páginas da internet ou aplicativos do celular?
17. Estou disposta a optar por orar, dançar músicas de adoração ou sair para caminhar com Deus em vez de pegar o telefone para ligar para um homem quando estou sozinha?
18. Estou disposta a convidar Deus a satisfazer todas as minhas necessidades ao abrir mão de coisas, pessoas e pensamentos que uso para medicar a dor, o medo ou a solidão, de modo que me torne totalmente dependente dele?
19. Depois de responder a essas perguntas, você é capaz de dizer honestamente que Jesus Cristo é seu primeiro e verdadeiro amor? Em caso negativo, o que pode fazer para aumentar a intimidade em seu relacionamento com ele?

• • • • •

Cria em mim, ó Deus, um coração puro; renova dentro de mim um espírito firme. Não me expulses de tua presença e não retires de mim teu Santo Espírito. Restaura em mim a alegria de tua salvação e torna-me [disposta] a te obedecer. Então ensinarei teus caminhos aos rebeldes, e eles voltarão a ti. (Oração de Davi, Sl 51.10-13)

7

Cerrando os lábios

• • • • • • • • •

Leia o capítulo 7 de *A batalha de toda mulher*.

PLANTANDO BOAS SEMENTES
(*Buscando pessoalmente a verdade de Deus*)

Em sua análise do efeito que suas palavras têm sobre seu relacionamento com Deus, com os outros e consigo mesma, algumas boas sementes para plantar em seu coração são:

> Se [alguma] de vocês afirma ser [religiosa], mas não controla a língua, engana a si [mesma] e sua religião não tem valor.
>
> Tiago 1.26

> Assim também, a língua é algo pequeno que profere discursos grandiosos. Vejam como uma simples fagulha é capaz de incendiar uma grande floresta. E, entre todas as partes do corpo, a língua é uma chama de fogo. É um mundo de maldade que corrompe todo o corpo.
>
> Tiago 3.5-6

1. O que esses versículos dizem a você?

Em sua busca por integrar suas palavras com sua vida de integridade sexual e emocional, plante estas sementes em seu coração:

> Pois a boca fala do que o coração está cheio. A [mulher] boa tira coisas boas do tesouro de um coração bom, e a [mulher] má tira coisas más do tesouro de um coração mau. Eu lhes digo: no dia do juízo, vocês prestarão contas de toda palavra inútil que falarem. Por suas palavras vocês serão [absolvidas], e por elas serão [condenadas].
>
> Mateus 12.34-37

Que não haja entre vocês imoralidade sexual, impureza ou ganância. Esses pecados não têm lugar no meio do povo santo. As histórias obscenas, as conversas tolas e as piadas vulgares não são para vocês. Em vez disso, sejam [agradecidas] a Deus.

Efésios 5.3-4

2. Você concorda que as palavras que saem de sua boca são um reflexo daquilo que está em seu coração? Por que sim ou por que não?

PODANDO O ENGANO
(Reconhecendo a verdade)

📖 Qual é a palavra de cinco letras preferida da mulher nas preliminares sexuais? F-A-L-A-R!
Pense nisso. Qual caso já aconteceu sem a troca de palavras íntimas? As mulheres costumam dizer-me: "Não fui infiel a meu marido. Tudo que esse homem e eu fizemos foi falar". 📖

3. Você acha que homens ou mulheres podem ser infiéis simplesmente por causa das palavras que trocam com uma pessoa que não seja seu cônjuge? Por que sim ou por que não?

📖 Embora talvez não seja errado agir amorosamente (como se desejasse um romance) com alguém em quem você esteja interessada para iniciar um relacionamento mutuamente benéfico, flertar é outra coisa. Flertar também poderia ser chamado de "provocar", uma vez que a pessoa que flerta não tem qualquer intenção séria. 📖

4. Você acha que não há problema em uma mulher — até mesmo uma mulher solteira — flertar com um homem se ela não tiver intenção de investir em um relacionamento romântico? Explique.
5. Se você gosta de flertar com os homens, o que acha que pode estar tentando conseguir? O flerte já colocou você em uma situação desconfortável ou comprometedora? Explique sua resposta.

📖 As mulheres podem ser excessivamente atenciosas em certas situações, mesmo quando os sinais vermelhos começam a surgir. Em geral pensamos: *Mas ele precisa de mim... Estou só tentando agir como amiga... Como poderia não ajudar? Isso não seria muito cristão da minha parte!* 📖

6. Você tem a tendência de dar atenção excessiva aos homens, frequentemente desempenhando o papel de "mãe", "conselheira" ou "melhor amiga"? Em caso afirmativo, o que pode estar por trás dessa tendência?
7. Você já sofreu a tentação de fazer concessões em sua integridade sexual e emocional porque estava sendo "boa demais" a ponto de fazer mal a si mesma? Em caso afirmativo, como superar essa tendência?

COLHENDO SATISFAÇÃO
(*Aplicando a verdade*)

📖 Se desejamos ser mulheres íntegras sexual e emocionalmente, devemos compreender como nossas palavras são uma arma poderosa. As palavras nos levarão a um caso ou o impedirão de acontecer. 📖

8. Você concorda que uma mulher pode tanto começar quanto evitar um caso simplesmente por meio das palavras que permite saírem de sua boca? Por que sim ou por que não?
9. Suponha que uma amiga lhe diga: "Não quero entrar em outro caso, mas sinto que devo ser honesta com esse homem a respeito de meus sentimentos por ele". Como você responderia? Ser uma mulher íntegra significa que devemos sempre ser abertas e honestas em relação a nossos sentimentos para com o objeto de nossa tentação? Por que sim ou por que não?
10. Suponhamos que você sinta algo por um homem em particular, mas se recusa a agir de acordo com esses sentimentos ou confessá-los a qualquer outra pessoa além de Deus e de sua parceira de prestação de contas. Como você acha que se sentiria ao mostrar tal força diante da tentação? Como se beneficiaria dessa escolha em termos espirituais e emocionais?

📖 Em nossa busca por intimidade relacional, lembremos que há um Deus a quem podemos sussurrar os desejos de nosso coração e de quem recebemos ânimo sem que isso resulte em prejuízos para nossa integridade, mas em seu fortalecimento.

Se você estiver pensando: *É impossível que conversar com Deus me estimule do mesmo jeito que conversar com um homem*, então ainda não se permitiu ser cortejada por nosso Criador. O mesmo Deus cujas palavras tiveram o poder de formar todo o universo anseia por sussurrar, em seu coração faminto, palavras com poder para emocioná-la, curá-la e atraí-la para um relacionamento mais profundo do que jamais imaginou. Um homem pode dizer que você é bonita, mas a Palavra de Deus diz que o Rei "se encanta com sua beleza" (Sl 45.11). Um homem pode dizer-lhe: "É claro que amo você", mas Deus diz: "Eu amei você com amor eterno, com amor leal a atraí para mim" (Jr 31.3). Até seu marido pode afirmar: "Estou comprometido com você até a morte", ao passo que Deus diz: "Não [a] deixarei; jamais [a] abandonarei" (Hb 13.5).

11. Se você já experimentou tais afirmações da parte de Deus, como elas podem sustentá-la em momentos de desejos emocionais fora do casamento? Ou, se você nunca experimentou tal intimidade e êxtase em seu relacionamento com Deus, como poderia cultivá-los?

CRESCENDO JUNTAS
(*Compartilhando a verdade em discussão em pequenos grupos*)

12. Quais foram as lições mais valiosas que você tirou deste capítulo? Como pode manter-se firme nelas e valer-se delas em momentos de tentação?

> Dizem que o homem utiliza as conversas como meio de comunicação, enquanto as mulheres as utilizam como meio de ligação. Embora a comunicação e a ligação com nossos maridos, filhos ou amigas sejam excelentes, comunicar-se e ligar-se a homens fora do casamento ou com aqueles que não escolheríamos para namorar é perigoso e muitas vezes destrutivo. Quanto mais nos comunicamos com uma pessoa, mais nos ligamos a ela. Portanto, faríamos bem em aprender essa lição com homens e restringir-nos mais ao assunto. Podemos aprender a nos comunicar com os homens de maneira amigável mas objetiva, a fim de não prejudicar nossa integridade emocional.

13. Você já se ligou a um homem de maneira não intencional devido ao excesso de comunicação? O que aprendeu com essa experiência?
14. Que limites você definiu (ou talvez precise definir) para evitar que se ligue a homens de maneiras impróprias, seja pessoalmente, pelo telefone ou pelas redes sociais?
15. Se você nunca trocou palavras impróprias com um homem (pessoalmente, pelo telefone ou pelas redes sociais), qual é a probabilidade de sucumbir a um caso sexual?
16. Como você se sente ao saber que resistir a um caso emocional e sexual pode

ser tão fácil quanto escolher as palavras apropriadas e evitar as impróprias? Essa revelação é um alívio para você? Por que sim ou por que não?

• • • • •

Senhor, imprime sobre nós a magnitude do poder que tuas palavras possuem. Pedimos-te que santifiques nosso falar o tempo todo e com todas as pessoas. Ensina-nos a usar nossas palavras para atrair atenção para ti em vez de para nós mesmas. Ajuda-nos a declarar bênçãos sobre a vida de outras pessoas e a ouvir cuidadosamente à medida que tu declaras bênçãos sobre nós. Em nome de Jesus. Amém.

8

Construindo fronteiras mais sólidas

• • • • • • • • •

Leia o capítulo 8 de *A batalha de toda mulher*.

PLANTANDO BOAS SEMENTES
(*Buscando pessoalmente a verdade de Deus*)

Em sua busca por avaliar quais são os elos fracos que possam existir em sua armadura de proteção contra a transigência sexual e emocional, uma boa semente para plantar em seu coração é 1Coríntios 6.19-20:

> Vocês não sabem que seu corpo é o templo do Espírito Santo, que habita em vocês e lhes foi dado por Deus? Vocês não pertencem a si [mesmas], pois foram [compradas] por alto preço. Portanto, honrem a Deus com seu corpo.

1. O que Paulo quis dizer quando disse que nosso corpo é "templo do Espírito Santo"? Como esse conceito pode mudar a visão de uma mulher sobre sua conduta sexual? Como podemos honrar a Deus com nosso corpo?

Em sua avaliação a respeito de quais fronteiras pessoais talvez precisem ser solidificadas, plante Gálatas 6.7-8 em seu coração:

> Não se deixem enganar: ninguém pode zombar de Deus. A [mulher] sempre colherá aquilo que semear. [A mulher que] vive apenas para satisfazer sua natureza humana colherá dessa natureza ruína e morte. Mas [a mulher que] vive para agradar o Espírito colherá do Espírito a vida eterna.

2. Com base nas sementes sexuais ou relacionais que você vem plantando, o que pode esperar colher? Explique sua resposta.

Em sua busca por crer que seu derradeiro valor vem de sua atitude em relação a Deus e não de sua aparência, algumas boas sementes para plantar em seu coração são:

> Da mesma forma, quero que as mulheres tenham discrição em sua aparência. Que usem roupas decentes e apropriadas, sem chamar a atenção pela maneira como arrumam o cabelo ou por usarem ouro, pérolas ou roupas caras. Pois as mulheres que afirmam ser devotas a Deus devem se embelezar com as boas obras que praticam.
>
> 1Timóteo 2.9-10

> Os encantos são enganosos, e a beleza não dura para sempre,
>   mas a mulher que teme o SENHOR será elogiada.
> Recompensem-na por tudo que ela faz;
>   que suas obras a elogiem publicamente.
>
> Provérbios 31.30-31

3. O que, a seu ver, significa temer o Senhor? Que benefícios uma mulher poderia ter por se tornar uma mulher que teme o Senhor?
4. Por que, a seu ver, as mulheres costumam temer mais a opinião das outras pessoas quanto à sua aparência do que a opinião de Deus sobre seu coração? Qual dessas duas frases descreve você? Como uma mulher pode mudar seu foco, deixando de se preocupar com a aparência e se preocupando mais com a condição do coração?

PODANDO O ENGANO
(*Reconhecendo a verdade*)

📖 Embora a Bíblia não determine especificamente o comprimento de uma saia ou quais as partes de pele devem estar sempre cobertas, não custa voltar ao mandamento de Jesus como uma regra para como devemos nos vestir: ame o próximo como ama a si. 📖

5. Você tem a tendência de vestir-se em busca de atenção em vez de respeito? Por que sim ou porque não?
6. Feche os olhos e imagine-se em pé diante de seu guarda-roupa. Dentre suas roupas, quais provavelmente são uma tentação para que homens cobicem

seu corpo? Você está disposta a sacrificar o estímulo que tais roupas dão a seu ego em favor de amar seu próximo?

📖 A única maneira de proteger-se efetivamente é evitar o comprometimento sexual de todas as formas. Nenhum preservativo a protege por inteiro das consequências físicas do comportamento sexualmente imoral. Mais importante ainda, nenhum preservativo protege você das consequências espirituais do pecado (perda da comunhão com Deus). Nenhum preservativo protegerá você das consequências emocionais de um coração partido. Portanto, não pense em termos de "sexo seguro", mas em termos de "sexo certo" no casamento ou em um novo casamento. Sábia é a mulher que evita o comportamento comprometedor que pode colocar seu corpo em risco de uma doença. 📖

7. Você já colocou sua integridade sexual em risco por acreditar que o uso de preservativo durante a relação sexual constitui "sexo seguro"? Por que algumas pessoas pressupõem que, contanto que uma mulher não fique grávida nem contraia uma doença, o sexo fora do casamento é aceitável?
8. Ainda que uma mulher escape das consequências físicas do sexo pré-conjugal, que consequências emocionais e espirituais ela pode enfrentar?

COLHENDO SATISFAÇÃO
(*Aplicando a verdade*)

📖 Você provavelmente deve ter ouvido chefes de cozinha famosos dizerem que, quando se trata de comida, a apresentação é tudo. A apresentação é tudo, não apenas no que se refere à comida, mas também a seu corpo. Um dos conceitos que procuro passar às mulheres é que *ensinamos às pessoas como nos tratar.* Nós as ensinamos a nos tratar com respeito ou com desrespeito. 📖

9. Você concorda que a maneira como uma mulher se veste determina se os outros a tratarão com respeito ou desrespeito? Explique sua resposta.
10. A leitura de *A batalha de toda mulher* gerou em você convicções quanto a mudar a maneira como se apresenta com certa pessoa ou em determinada situação? Explique sua resposta.

📖 Quando você passa tempo com alguém, está dando um presente a essa pessoa: *sua presença.* É verdade. O presente de sua companhia é muito precioso, e seu valor é inestimável. Por trás de seus seios bate um coração no qual habita o

Espírito Santo. Por trás de seu belo rosto encontra-se um cérebro que possui a mente de Cristo. Tenha cuidado com os homens que veem o invólucro, mas não enxergam o valor do que está dentro do pacote. Eles podem querer brincar com o laço... desatar o nó da fita... e espiar dentro do embrulho. 📖

11. Você considera sua presença uma dádiva para aqueles com quem escolhe passar seu tempo? Por que sim ou por que não?
12. Você já sentiu que era mais apreciada por seu coração, mente e espírito do que por sua "embalagem exterior"? Como isso mudou seu jeito de ver a si própria?
13. Como você pode fortalecer sua ênfase sobre o que está "dentro do pacote" de modo que sua beleza irradie de dentro?

CRESCENDO JUNTAS
(*Compartilhando a verdade em discussão em pequenos grupos*)

📖 Lembre-se de que seu corpo é o templo do Espírito Santo, e seu coração, a habitação de Deus. Como cristã, você tem a mente de Cristo, e suas palavras são instrumentos da sabedoria e do encorajamento dele aos outros. Quando você coloca toda a armadura de Deus e vigia protetoramente seu corpo, seu coração, sua mente e sua boca sem fazer concessões, está a caminho de colher os benefícios físicos, emocionais, mentais e espirituais da integridade sexual. 📖

14. Você acredita sinceramente que seu corpo é templo do Espírito Santo? Que seu coração é local da habitação de Deus? Que você tem a mente de Cristo? Que suas palavras são instrumentos de Deus para sabedoria e encorajamento aos outros? Por que sim ou por que não?
15. Se você abraçasse essas verdades, crendo que cada uma delas é seu direito de nascença como crente em Cristo, que efeito isso teria sobre sua autoestima? E sobre seus relacionamentos?
16. Como resultado da leitura dos quatro capítulos da parte de *A batalha de toda mulher* intitulada "Esboçando uma nova defesa", que novas maneiras de guardar seu corpo, coração, mente e boca contra a transigência você aprendeu?
17. Quais são, a seu ver, os benefícios físicos, emocionais, mentais e espirituais da integridade sexual? Que benefícios você já está desfrutando? Que benefícios espera obter?

• • • • •

Deus Pai, onde estaríamos não fosse tua divina proteção? Agradecemos por nos ensinares as fronteiras físicas e relacionais apropriadas, de modo que possamos guardar o templo de teu Espírito Santo. Continua a instilar em cada uma de nós um senso de modéstia e propriedade, a fim de que reflitamos tua imagem gloriosa a todos que encontrarmos. No santo e precioso nome de Jesus oramos. Amém.

9

Doce rendição

• • • • • • • • •

Leia o capítulo 9 de *A batalha de toda mulher*.

PLANTANDO BOAS SEMENTES
(*Buscando pessoalmente a verdade de Deus*)

Em seu esforço para deixar para trás as feridas emocionais e reconciliar relacionamentos, uma boa semente para plantar em seu coração é Tiago 3.17-18:

> Mas a sabedoria que vem do alto é, antes de tudo, pura. Também é pacífica, sempre amável e disposta a ceder a outros. É cheia de misericórdia e é o fruto de boas obras. Não mostra favoritismo e é sempre sincera. E [aquelas] que são [pacificadoras] plantarão sementes de paz e ajuntarão uma colheita de justiça.

1. O que, a seu ver, significa "plantar sementes de paz"? Como a falta de disposição de perdoar afeta a vida, o casamento e a satisfação de alguém?

Em seu esforço para abandonar o orgulho, abraçar a humildade e reconhecer que nada exceto a graça de Deus ajudará você a superar as tentações sexuais, uma boa semente para plantar em seu coração é Tito 2.11-14:

> A graça de Deus foi revelada e a [todas] traz salvação. Somos [instruídas] a abandonar o estilo de vida ímpio e os prazeres pecaminosos. Neste mundo perverso, devemos viver com sabedoria, justiça e devoção, enquanto aguardamos esperançosamente o dia em que será revelada a glória de nosso grande Deus e Salvador, Jesus Cristo. Ele entregou sua vida para nos libertar de todo pecado, para nos purificar e fazer de nós seu povo, inteiramente dedicado às boas obras.

2. Você acredita que a graça de Deus para resistir ao pecado sexual está disponível a qualquer pessoa que crê em Cristo? Por que sim ou por que não?

3. Você está ansiosa para viver uma vida de sabedoria, justiça e devoção? Acredita que a graça de Deus é suficiente para uma vida assim? Por que sim ou por que não?

PODANDO O ENGANO
(*Reconhecendo a verdade*)

📖 Se você quiser vencer a batalha pela integridade sexual, deve livrar-se do sofrimento emocional do passado. Talvez um pai, emocional ou fisicamente ausente, feriu você. É possível que a distância em seu relacionamento com sua mãe deixou-a sentindo-se desesperadamente só. Quem sabe seus irmãos ou amigas nunca a trataram com dignidade ou respeito. Se você foi abusada de alguma maneira (física, sexual ou verbalmente) quando criança, talvez ainda mantenha ira e sofrimento que precisam ser reconciliados.

Antigos namorados podem ter tirado proveito de suas vulnerabilidades, enganado você ou sido infiéis. Ou talvez você nunca compreendeu porque Deus permitiu que _____ acontecesse (você preenche o espaço em branco). Qualquer que seja a fonte, temos de abandonar nosso sofrimento do passado para permanecer fortes na batalha pela integridade sexual e emocional. 📖

Use o quadro da página seguinte para processar algumas das dores emocionais passadas que você experimentou e que provavelmente a deixaram vulnerável à transigência sexual e/ou emocional. Caso haja mais de um relacionamento para reconciliar dessa maneira, você pode fazer cópias desse quadro.

COLHENDO SATISFAÇÃO
(*Aplicando a verdade*)

📖 Qual a razão de tal obstáculo? Porque o *medo* se opõe à *fé*. [...]. Como podemos nos concentrar no que sabemos a respeito da vontade de Deus, quando pensamos que estamos condenadas? Essa falta de fé diz a Deus: "Embora tenhas me trazido até aqui, provavelmente me abandonarás agora, não é?". [...].

O mesmo se aplica à nossa batalha contra a transigência sexual e emocional. A maioria das mulheres está mergulhada no medo de ficar sozinha, de não ter quem a proteja, de não ter outro homem na reserva caso o atual vá embora. Podemos ficar com tanto medo de comprometer o amanhã que deixamos de notar e celebrar o fato de que estamos firmes hoje. 📖

Quem é a pessoa que me causou dor emocional no passado? Como?	
O que isso me fez sentir?	
Como esse evento/relacionamento me tornou vulnerável à tentação?	
Como isso ainda me afeta?	
Que possível dor pessoal pode ter levado essa pessoa a me ferir?	
Como essa pessoa é afetada por minha falta de perdão?	
Como minha falta de perdão afeta a mim e as pessoas a quem amo?	
Como meu perdão afetaria essa pessoa?	
Como meu perdão afetaria a mim e as pessoas a quem amo?	
Posso cancelar essa dívida tal como Jesus cancelou a minha? Por que sim ou por que não?	
Como posso orar por essa pessoa?	
Como posso evitar causar essa mesma dor na vida de outras pessoas?	

4. É mais fácil para você imaginar intimidade em um novo relacionamento do que cultivar a intimidade no relacionamento que você já tem com seu marido ou com Deus? Por que sim ou por que não?
5. Por que, a seu ver, algumas mulheres têm medo da intimidade genuína (como a revelação de nossos pensamentos mais interiores ao marido ou a Deus), mas ao mesmo tempo anseiam por intimidade superficial (como um encontro com um estranho atraente)?
6. Como podemos cultivar a coragem de nos envolver plenamente em uma intimidade genuína com nosso marido e com Deus em vez de procurar rotas de fuga (fantasias, casos emocionais e coisas semelhantes)?

CRESCENDO JUNTAS
(Compartilhando a verdade em discussão em pequenos grupos)

📖 Certo dia, eu estava me reprovando por causa de outro caso emocional e minha melhor amiga me interrompeu com estas palavras sensatas: "Você sabe o que está dizendo sobre o sangue de Jesus quando se recusa a perdoar-se pelo seu passado? Está afirmando que o sangue dele não foi suficiente para você. Não teve poder suficiente para purificá-la". Ela estava certa. Por baixo de minha autopiedade achava-se a ideia de que o sacrifício de Jesus não tinha o poder necessário para libertar-me, e até que alcançasse esse milagre era necessário esbofetear-me em sinal de penitência. 📖

7. Por que, a seu ver, é muito mais difícil nos perdoarmos por erros de julgamento do que perdoar os outros?
8. O que você acha que Deus diria a uma mulher que não consegue se perdoar? Conhece alguém (incluindo você mesma) que precisa ouvir essa mensagem? Como transmitir os sentimentos de Deus a ela?
9. Dos três problemas discutidos neste capítulo (sofrimento emocional do passado, orgulho do presente e medo do futuro), quais problemas você reconheceu em sua vida e que precisa render a Deus? Por quê?
10. Que vitória é obtida como resultado de sua rendição? Como você será afetada por essa vitória? Como se sente diante disso, e por quê?

• • • • •

Senhor, agradecemos por nos mostrares que o caminho para a vitória passa pela rendição de nosso sofrimento emocional do passado, de nossos pecados orgulhosos do presente e de nosso medo do futuro. Ajuda-nos a deixar para trás as coisas que atrapalham nosso crescimento espiritual e nos tornam vulneráveis à tentação. Liberta-nos para desfrutarmos a satisfação sexual e emocional que tu desejas que experimentemos. Em nome de Jesus. Amém.

10

Reconstruindo pontes

• • • • • • • • •

Leia o capítulo 10 de *A batalha de toda mulher*.

PLANTANDO BOAS SEMENTES
(*Buscando pessoalmente a verdade de Deus*)

Em sua busca por cultivar um nível mais alto de intimidade genuína em seu casamento, algumas boas sementes para plantar em seu coração são:

> Por isso o homem deixa pai e mãe e se une à sua mulher, e os dois se tornam um só. O homem e a mulher estavam nus, mas não sentiam vergonha.
>
> Gênesis 2.24-25

> Este é meu mandamento: Amem uns aos outros como eu amo vocês. Não existe amor maior do que dar a vida por seus amigos.
>
> João 15.12-13

1. Seu marido é seu amigo mais próximo e mais íntimo? Em caso negativo, como especificamente você pode cultivar esse tipo de amizade? Como isso beneficiaria você? E seu casamento?

Em sua análise quanto aos muros sentimentais que separam você e seu marido, uma boa semente para plantar em seu coração é Tiago 5.16:

> Portanto, confessem seus pecados uns aos outros e orem uns pelos outros para serem curados.

2. Se a confissão é tão boa para a alma de uma pessoa, que efeito ela pode ter sobre um casal? Por quê?

PODANDO O ENGANO
(Reconhecendo a verdade)

📖 Imagine que queira dar uma cenoura a um coelho. Como você faria? Correria atrás do coelho pelo quintal, o agarraria pelo pescoço e forçaria a cenoura em suas bochechas gordinhas? Claro que não. Você não pode exigir que um coelho aceite uma cenoura de suas mãos. Todavia, pode inspirar o coelho a isso, simplesmente colocando a cenoura na palma da mão, deitando-se embaixo de uma árvore e permanecendo imóvel. Quando o coelho quiser pegar a cenoura, ele o fará.

A comunicação íntima com o marido é muito similar a dar uma cenoura a um coelho. Exigir é inútil. A intimidade, porém, pode ser inspirada. 📖

3. Você já tentou forçar a questão da intimidade em seu casamento? De que maneira específica você fez isso? Funcionou? Por que sim ou por que não?
4. Ao longo da leitura deste capítulo, que ideias você teve para uma abordagem mais eficaz do cultivo da intimidade?

📖 Descobrir um novo nível de intimidade em seu casamento pode ser muito difícil caso você não possa ser completamente transparente com seu marido. Os segredos conjugais não servem a nenhum outro propósito senão afastá-la do único que pode prover o nível de intimidade que você deseja sinceramente como um ser sexual. Se mantiverem segredos um para o outro, acabarão construindo um muro entre vocês e a satisfação sexual e emocional completa.

Todavia, mediante humilde confissão e restauração da confiança, você pode transformar esses muros em pontes que os unirão ainda mais do que antes. 📖

5. Os segredos já formaram um muro entre você e a satisfação plena em seu relacionamento conjugal? Se seu marido pudesse enxergar sua mente e seu coração, ele encontraria ali alguma surpresa ou decepção amarga? Por que sim ou por que não?
6. Se guardar um segredo faz com que você viva com medo de que seu marido descubra a verdade, que efeito isso tem sobre vocês e seu relacionamento? O que você mais teme na questão de ser honesta? Por quê?
7. Se esse medo se tornasse realidade, seria pior do que viver o resto da vida guardando segredos e minando a intimidade genuína em seu casamento?
8. Se seu marido revelasse tudo que há de ruim, de mal e de feio no coração e na mente dele, num esforço de cultivar a intimidade genuína e a prestação

de contas em seu relacionamento, você seria capaz de dar a ele a mesma graça que Deus concede a você? Seu amor e seu compromisso são incondicionais? Por que sim ou por que não?

COLHENDO SATISFAÇÃO
(Aplicando a verdade)

📖 A intimidade sexual genuína envolve todos os componentes de nossa sexualidade: físicos, mentais, emocionais e espirituais. Quando os quatro estão combinados, o resultado é um elixir que estimula a alma, cura o coração, cuida da mente e satisfaz por completo. 📖

📖 Uma vez que a mulher experimente a intimidade de estar mental, emocional e espiritualmente nua perante o marido e sinta que é amada por aquilo que realmente é por dentro, sua reação natural será desejar oferecer o embrulho a seu admirador. Note que eu disse *desejar* e não *sentir que deve*. Nosso desejo de oferecer nosso corpo como um troféu para o homem que cativou nosso coração e dedicou sua fidelidade a nós prepara o cenário para a verdadeira satisfação sexual. O sexo praticado apenas por obrigação ou dever jamais satisfará você (ou a ele) tanto quanto apresentar mente, corpo, coração e alma cheios de paixão a seu marido numa bandeja de prata, convidando-o a entrar em seu jardim e provar suas frutas saborosas (ver Ct 4.16). 📖

📖 Deus projetou o sexo para ser compartilhado entre dois corpos, duas mentes, dois corações e dois espíritos que se unem para se tornar uma só carne. Se você nunca experimentou em seu casamento essa união de uma só carne, está perdendo um dos momentos mais importantes, fundamentais e satisfatórios da sua vida!

Como então você pode passar de "apenas sexo" para a experiência de uma forma de amor que satisfaz cada fibra de seu ser? Quando compreende que o sexo na verdade é uma forma de o marido e a esposa adorarem a Deus juntos. Quando dois se tornam uma só carne, física, mental, emocional e espiritualmente, estão dizendo a Deus: "Teu plano para a satisfação sexual e emocional é bom. Preferimos teu plano ao nosso". 📖

9. A leitura dessas passagens faz você se perguntar se perdeu alguma coisa em sua vida sexual com seu marido? Em caso afirmativo, pode identificar o que especificamente acontece no quarto (seja na sua mente, seja entre vocês dois) que impede a intimidade sexual? Como superar isso?

10. O que seria necessário para você *querer* dar sua mente, corpo, coração e alma a seu marido numa bandeja de prata? Escreva sua resposta como uma oração a Deus.

CRESCENDO JUNTAS
(Compartilhando a verdade em discussão em pequenos grupos)

Leia todo o quadro "Destruidores da intimidade e incentivos à intimidade" no final do capítulo 10, na página 169. Então, responda às perguntas a seguir no grupo ou em grupos menores:

11. Com que destruidores da intimidade você já teve dificuldade no passado?
12. Como superou tais problemas, e que conselho daria a outras mulheres que vêm lutando nessas áreas?
13. Que incentivos à intimidade você considerou úteis? Que efeito eles tiveram sobre sua satisfação em última análise? E sobre seu relacionamento conjugal?
14. Que destruidores da intimidade você poderia adicionar a essa lista? Como eles afetam os casais? Como podem ser superados?
15. Que incentivos à intimidade poderiam ser adicionados a essa lista? Como uma mulher pode praticá-los em seu relacionamento? Quais seriam os benefícios?

• • • • •

Deus Pai, agradecemos pelo impressionante dom da intimidade sexual dentro do casamento. Nós te convidamos a santificar nosso quarto e a ajudar-nos a desfrutar o fato de sermos, meu marido e eu, uma só carne. Ajuda-nos a reconhecer os muros que nos dividem e ensina-nos como transformá-los em pontes que nos unam. Pedimos isso em nome do teu Filho. Amém.

11

Recuando com o Senhor

• • • • • • • • •

Leia o capítulo 11 de *A batalha de toda mulher*.

PLANTANDO BOAS SEMENTES
(*Buscando pessoalmente a verdade de Deus*)

Em sua busca por cultivar uma amizade mais íntima com Deus, plante Provérbios 22.11 em seu coração:

> [Aquela que] ama o coração puro e fala de modo agradável
> terá o rei como amigo.

1. Em uma escala de 1 a 10, quão íntima você acredita ser sua amizade com o Senhor? O que seria necessário para melhorar esse número?

Em sua análise do maravilhoso privilégio de ser uma filha do Rei, uma boa semente a ser plantada em seu coração é Gálatas 4.4-6:

> Mas, quando chegou o tempo certo, Deus enviou seu Filho, nascido de uma mulher e sob a lei. Assim o fez para resgatar a nós que estávamos sob a lei, a fim de nos adotar como [suas filhas]. E, porque nós somos [suas filhas], Deus enviou ao nosso coração o Espírito de seu Filho, e por meio dele clamamos: "Aba, Pai".

2. O que esse versículo significa para você? Por quê?

Em seu esforço para abraçar a magnitude da fidelidade, da retidão e do amor abundante de Deus por você, algumas boas sementes para plantar em seu coração são:

> Eu sou de meu amado, e meu amado é meu.
>
> Cântico dos Cânticos 6.3

Eu me casarei com você para sempre,
   e lhe mostrarei retidão e justiça,
   amor e compaixão.
Serei fiel a você e a tornarei minha,
   e você conhecerá a mim, o Senhor.

Oseias 2.19-20

Teu amor, Senhor, é imenso como os céus;
   tua fidelidade vai além das nuvens.
Tua justiça é como os montes imponentes,
   teus decretos, como as profundezas do oceano [...]
Como é precioso o teu amor, ó Deus!
   Toda a humanidade encontra abrigo
   à sombra de tuas asas.
Tu os alimentas com a fartura de tua casa
   e deixas que bebam de teu rio de delícias.

Salmos 36.5-8

3. Você se sente como se estivesse se alimentando da fartura da casa de Deus e bebendo de seu rio de delícias, ou se sente faminta espiritualmente, perguntando-se por que não está satisfeita em seus relacionamentos? Explique por que você se sente assim.

PODANDO O ENGANO
(*Reconhecendo a verdade*)

   O noivo estava sozinho num canto, com a cabeça baixa. Enquanto girava lentamente a aliança de ouro que a noiva acabara de colocar em seu dedo, lágrimas corriam pelo seu rosto e pingavam em suas mãos. Foi quando notei as cicatrizes dos pregos. O noivo era Jesus.

Ele ficou à espera, mas a noiva não olhou para ele em momento algum. Não tomou sua mão. Não o apresentou aos convidados. Agia por conta própria, independente dele.

Acordei de meu sonho, com um frio na barriga: "Senhor, foi assim que o fiz sentir-se quando procurava o amor nos lugares errados?". Chorei ao pensar em tê-lo ferido tão profundamente.

É triste dizer, mas esse sonho ilustra exatamente o que está acontecendo entre Deus e milhões de seu povo. Ele se casa conosco, usamos seu nome (como "cristãos") e depois seguimos a vida procurando amor, atenção e afeto em todas as fontes sob o sol exceto no Filho de Deus, aquele que ama nossa alma. 📖

4. Em que aspectos você se identifica com meu sonho relatado acima? Por quê?
5. Onde você procura amor, atenção e afeição? Quão bem-sucedida tem sido em encontrar satisfação verdadeira nessas fontes? O que Deus oferece que outras fontes não conseguem fazer?

COLHENDO SATISFAÇÃO
(*Aplicando a verdade*)

6. Dos seis níveis de intimidade com Deus abaixo discutidos neste capítulo, qual é o nível mais íntimo de relacionamento que você já experimentou com ele? Que nível está experimentando atualmente e por quê?
   - Oleiro/barro
   - Pastor/ovelha
   - Senhor/serva
   - Pai/filha
   - Amigo/amiga
   - Noivo/noiva

7. Se atualmente você não está no nível de relacionamento que deseja estar com Deus, que ideias deste capítulo pode incorporar à sua vida com o objetivo de cultivar tal intimidade? Que mais você pode adicionar à lista?
   ___ uma noite de encontro com Jesus
   ___ caminhar e conversar com o Senhor
   ___ um encontro relaxante com Deus
   ___ um retiro com o Senhor
   ___ outro _____
   ___ outro _____

8. Se um retiro de verdade lhe parece convidativo, faça um círculo em volta da(s) ideia(s) que mais lhe agrada(m):

   Retiro "*passado, presente e futuro*": libertar-se de feridas passadas por meio de cartas de perdão, examinar prioridades atuais e avaliar objetivos futuros nas áreas espiritual, relacional, profissional, financeira ou física.

Retiro de passatempo: fazer o que você mais gosta de fazer (pintar, ler, escrever e assim por diante) enquanto desfruta tempo sozinha com o Senhor.

Retiro de oração, louvor e paparicos: dar a si mesma um tratamento de spa espiritual em preparação para entrar na sala do trono de Deus em adoração.

Retiro de intercessão: orar por aqueles que Deus colocou em seu coração e escrever cartas de encorajamento.

Retiro de gratidão pelas lembranças: atualizar seus álbuns de fotografia e dar graças por todos os amigos especiais e familiares que adornam as páginas.

Retiro do legado de amor: refletir sobre os marcos espirituais de sua vida e comunicá-los em uma carta especial aos filhos.

9. Você tem outras ideias de retiros com o Senhor ou de maneiras específicas pelas quais poderia honrá-lo com um tempo mais amplo? Em caso afirmativo, quais são elas?
10. Quais são seus maiores impedimentos na busca por um tempo mais amplo sozinha com Deus? Como tais impedimentos podem ser superados?
11. O que especificamente você tem a ganhar ao buscar essas experiências com Jesus? Como isso lhe trará vitória na batalha pela satisfação sexual e emocional?

CRESCENDO JUNTAS
(Compartilhando a verdade em discussão em pequenos grupos)

12. O que neste capítulo foi útil para você, e como ele afetou seu modo de pensar a intimidade com Deus?

> 📖 Esse momento de resposta é parte vital de minha vida de oração. Ele já sabe o que está em meu coração sem que eu diga uma só palavra. Preciso achar tempo para ouvir o que está no coração dele, porque se não ouvir nunca saberei. 📖

13. Que percentual de seu tempo de oração é usado falando com Deus e que percentual é usado ouvindo? Se os mesmos percentuais fossem aplicados a uma amizade terrena, qual seria o resultado? Haveria intimidade mútua ou o relacionamento pareceria ser unilateral?

14. Você dispõe de um local específico, uma hora do dia ou uma atividade na qual se sente especialmente conectada com Deus? Em caso afirmativo, compartilhe isso com o grupo.
15. Se Deus falasse com você (ou com o grupo inteiro) neste momento, o que acha que ele diria? Como ele falaria? Como você responderia?

> 📖 Pense [no seu retiro com o Senhor] como um encontro emocionante. Você está fugindo com aquele que a ama e não se confinando num convento. Seja criativa e entregue-se à beleza desse tempo de intimidade a sós com Deus.
>
> Todavia, quero adverti-la: *Experimentar esse prazer incrível pode gerar um hábito.* Meus retiros anuais se transformaram em excursões muito mais frequentes. Nenhum ser humano pode satisfazer nossas necessidades mais profundas como Deus, nem devemos esperar que alguém o faça. Meu marido não se importa de conceder-me esse tempo porque volto renovada, com um sentimento de alegria revigorado por ser uma noiva de Cristo e uma nova paixão por ser a mulher e a mãe que Deus me chamou para ser. Não posso pensar num meio melhor de usar meu tempo. 📖

16. Quais são suas necessidades mais profundas que nenhum ser humano pode satisfazer completamente? Você acredita que Deus é capaz de providenciar tal satisfação? Em caso afirmativo, como permitir que ele faça isso?
17. Escreva um convite pessoal a Jesus Cristo, expressando seu desejo de um "encontro" ou retiro com ele. Quando será? Onde? O que você gostaria que ele fizesse para você em tal lugar?
18. Qual você acha que será a resposta de Jesus? Como você se sente diante da resposta dele?

• • • • •

Senhor Jesus, queremos que nosso relacionamento contigo cresça e floresça de modo a ser tudo que desejas que ele seja. Ajuda-nos a abraçar nosso papel de amigas íntimas tuas, de tuas filhas preciosas e de tua noiva escolhida. Leva-nos à tua presença a cada dia e enche-nos até que transbordemos de teu amor generoso. Em teu nome santíssimo nós oramos. Amém.

12

Tudo em paz na frente doméstica

• • • • • • • • •

Leia o capítulo 12 de *A batalha de toda mulher*.

PLANTANDO BOAS SEMENTES
(*Buscando pessoalmente a verdade de Deus*)

Em sua busca por cultivar a paz, a esperança e a alegria que vêm da integridade sexual e emocional, uma boa semente para plantar em seu coração é Romanos 15.13:

> Que Deus, a fonte de esperança, [as] encha inteiramente de alegria e paz, em vista da fé que vocês depositam nele, de modo que vocês transbordem de esperança, pelo poder do Espírito Santo.

1. O que você precisa confiar a Deus de modo a poder experimentar alegria e paz? Como a entrega dessa parte de sua vida a Deus lhe daria esperança?

Em sua busca por satisfação sexual, plante Mateus 6.33 em seu coração:

> Busquem, em primeiro lugar, o reino de Deus e a sua justiça, e todas essas coisas lhes serão dadas.

2. O que esse versículo significa para você? De que maneira você busca Deus em primeiro lugar em sua vida?
3. Seu tempo ou sua vida precisam ser rearranjados de modo que você possa buscar o reino de Deus e sua justiça acima de tudo o mais? Em caso afirmativo, como fazer isso?

Em sua busca por superar a transigência sexual e emocional, uma boa semente para plantar em seu coração é:

[A vitoriosa] se sentará comigo em meu trono, assim como eu fui vitorioso e me sentei com meu Pai em seu trono.

Apocalipse 3.21

4. Olhando para além de sua vida, para a eternidade, descreva como será, a seu ver, sentar-se como vitoriosa com Jesus Cristo em seu trono. Imaginar essa cena inspira você a continuar buscando a integridade sexual e emocional? Em que sentido? O que você pode fazer para garantir que terminará bem essa corrida rumo à retidão?

PODANDO O ENGANO
(*Reconhecendo a verdade*)

📖 Não compreendia como minha vida era intensa e caótica até que experimentei a paz de viver com integridade sexual e emocional. Durante anos eu entrei às cegas em situações comprometedoras, supliquei por bocados de afeto em mesas de jantar e vez após vez me peguei dormindo com o inimigo. Confundi repetidamente intensidade com intimidade, e a ideia de um relacionamento pacífico parecia impossível. 📖

5. Como resultado da leitura deste livro, que coisas de seu passado você reconhece como tendo sido prejudiciais à sua integridade e paz de espírito? Que efeito esses problemas estavam exercendo sobre você e seus relacionamentos?
6. Como sua vida se tornou mais pacífica em consequência de evitar tal comprometimento? Como você foi fortalecida à medida que buscou a integridade sexual?

📖 Sentei-me numa cadeira em frente a uma imaginária "Shannon aos quinze anos" (a jovem que eu fora e que estava prestes a cometer todos os erros sexuais que eu cometi). Com a orientação de minha conselheira, consegui expressar minha nova compreensão da dor e solidão que aquela adolescente sentia, simpatizar com sua ingenuidade e confusão sobre seus desejos sexuais e emocionais, e perdoá-la pelas más escolhas que fez e o sofrimento que sua falta de bom senso causou a mim e muitos outros. 📖

7. O que você sabe agora que gostaria de ter sabido na época de seus relacionamentos anteriores com homens? O que diria a si mesma se pudesse voltar no tempo e falar face a face com aquela jovem mulher?

COLHENDO SATISFAÇÃO
(Aplicando a verdade)

📖 Compreendo agora que Craig ficou tão magoado com o que eu estava pensando naqueles momentos quanto eu ficaria se ele quisesse olhar pornografia ao fazer amor comigo. A compreensão de como cada um de nós luta para manter a integridade sexual transformou nosso casamento, nosso quarto em particular.

Fiz o que você recomendou... Deixamos acesa uma luz fraca e abro os olhos sempre que sinto a mente distanciar-se do quarto. É preciso concentração, mas quando relaxo e volto-me completamente para Craig durante o sexo e no que estamos experimentando juntos, sinto-me tão próxima dele e, consequentemente, mais próxima de Deus! Na verdade, agora eu gosto mais de sexo, não mais apenas o tolero e deixo que minha mente vagueie. Nunca pensei que pudesse ser tão satisfatório. 📖

8. Como sua compreensão mais profunda das lutas singulares de homens e mulheres pela integridade sexual afetou o relacionamento com seu marido ou com o homem com quem você namora?
9. Você sente que é (ou será) capaz de tirar sua máscara e compartilhar suas lutas sexuais particulares com seu parceiro conjugal? Por que sim ou por que não?
10. Esse nível de abertura e honestidade com seu marido faz com que você se sinta mais perto de Deus? Em caso afirmativo, escreva sua própria oração de gratidão. Senão, escreva uma oração pedindo que Deus a ajude a identificar e remover quaisquer barreiras que ainda possam existir entre você e ele.

CRESCENDO JUNTAS
(Compartilhando a verdade em discussão em pequenos grupos)

11. O que (ou quem) incentivou você a ler *A batalha de toda mulher* e fazer os exercícios propostos neste caderno? O que você estava esperando encontrar nestas páginas? Quais eram suas expectativas, e onde elas foram satisfeitas?
12. O que você descobriu neste estudo que não estava esperando? Como essas descobertas mudaram sua vida, seu casamento e seu relacionamento com as mulheres de seu grupo de discussão?

📖 Você será tentada a recorrer a suas antigas fantasias, seu velho hábito de masturbação ou seus padrões disfuncionais de relacionamento. Isso não significa que não possa vencer vez após outra. A cada pensamento levado cativo, a cada palavra imprópria não pronunciada, a cada insinuação extraconjugal rejeitada e a cada experiência sexual íntima que desfrute com seu marido, você estará reforçando sua vitória e aceitando o plano de Deus para sua satisfação sexual e emocional. 📖

13. Como você reconhecerá a diferença entre experimentar tentações e cruzar a linha no futuro?
14. Como pode garantir vitória muito embora esta batalha continue enquanto você estiver viva e respirando?

📖 Para alguém que sentiu fortemente o gosto da derrota, o sabor da vitória é algo que deve ser saboreado. 📖

15. Você já sentiu o gosto da derrota? Descreva como é.
16. Você já sentiu o sabor da vitória? Descreva como é.
17. Você conhece alguém que tem o gosto da derrota em sua boca? Em caso afirmativo, como compartilhar com essa pessoa o sabor da vitória e aguçar o apetite dela pelo plano de Deus para a integridade sexual e emocional? Você se comprometerá a orar por essa pessoa e a pedir a Deus que use você para trazer vitória à vida dela?

• • • • •

Senhor, eu te agradeço porque teu plano para minha satisfação sexual e emocional é perfeito. Continua a revelá-lo a mim e a lembrar-me dele, especialmente quando minha determinação de caminhar em integridade enfraquecer. Fortalece-me nas horas de tentação e dá-me um coração que reconheça e se alegre cada vez que teu Espírito Santo me guiar na direção da retidão. Continua a cultivar a intimidade sexual genuína entre mim e meu marido e a levar-me a um relacionamento de amor mais profundo e apaixonado contigo dia a dia. Eu te agradeço por me dares paz, esperança e alegria e por me ensinares como ser vitoriosa. Desejo ansiosamente sentar-me ao teu lado no teu trono por toda a eternidade. No nome precioso e santo de Jesus. Amém.

Não guarde isto para si

• • • • • • • • •

Parabéns por terminar este caderno de exercícios! Você está no caminho certo para vencer a batalha pela integridade sexual e emocional. Oro para que tenha aprendido como guardar da transigência sexual não apenas seu corpo, mas também sua mente, coração e boca. Oro para que tenha descoberto o plano de Deus para a verdadeira satisfação sexual e que, se você for casada, esteja cultivando um nível mais profundo de intimidade com seu marido do que jamais pensou ser possível. Mas, acima de tudo, espero que tenha provado e visto que de fato o Senhor é bom e que seus planos são perfeitos.

Se você acabou de completar este caderno de exercícios sozinha e foi beneficiada por isso, permita-me encorajá-la a considerar a ideia de convidar um grupo de outras mulheres e liderá-las rumo à descoberta do plano de Deus para a satisfação sexual e emocional também. Isso pode ajudar você a prestar contas, mas também a capacitará a encorajar e ajudar outras mulheres que estão nessa batalha com você. Se, como mulheres, incentivarmos umas às outras a nos abrirmos em relação a nossas lutas nessa área, seremos capazes de conseguir a ajuda e o apoio de que precisamos.

Você encontrará mais informações sobre como começar um grupo assim nas páginas 203-205, na seção intitulada "Possíveis dúvidas sobre este caderno de exercícios".

Notas

Capítulo 1
[1] Embora este livro procure abranger as questões sexuais e emocionais mais comuns que afetam as mulheres, alguns aspectos que impedem a plena satisfação sexual e emocional podem estar além do escopo desta obra.

Capítulo 3
[1] Stephen Arterburn, *Addicted to Love* (Ann Arbor, MI: Servant, 1996), p. 122.
[2] Tim Clinton, de uma disciplina intitulada "Counselor Professional Identity, Functions and Ethics Videotape Course", External Degree Program, Liberty University, Lynchburg, VA. Usado com permissão.
[3] Stephen Arterburn e Fred Stoeker, *A batalha de todo homem* (São Paulo: Mundo Cristão, 2004), p. 45.

Capítulo 4
[1] *The New Standard Encyclopedia*, s.v. "burlesque".
[2] Tabela preparada por Jack Hill para abranger os pontos encontrados em Craig W. Ellison, "From Eden to the Couch", *Christian Counseling Today* 10, n° 1, 2002, p. 30. Usado com permissão.
[3] Kari Torjesen Malcom, *Women at the Crossroads* (Downers Grove, IL: InterVarsity, 1982), p. 78-79.
[4] *Glamour*, outubro de 2002.
[5] *Redbook*, outubro de 2002.
[6] *Cosmopolitan*, setembro de 2002.
[7] Diane Passno, *Feminism: Mystique or Mistake?* (Wheaton, IL: Tyndale, 2000), p. 7-8, 20-21.
[8] Carle Zimmerman, *Family and Civilization* (New York: Harper and Brothers, 1947), p. 776-777.
[9] Tim Clinton, de uma disciplina intitulada "Counselor Professional Identity, Functions and Ethics Videotape Course", External Degree Program, Liberty University, Lynchburg, VA. Usado com permissão.
[10] Neil T. Anderson, *Living Free in Christ* (Ventura, CA: Regal, 1993), p. 278. Usado com permissão.

Capítulo 5
[1] Adaptado de Linda Dillow e Lorraine Pintus, *Intimate Issues* (Colorado Springs: WaterBrook, 1999), p. 199-201.
[2] Dillow e Pintus, *Intimate Issues*, p. 203-204.

Capítulo 6
[1] Stephen Arterburn, *Addicted to Love* (Ann Arbor, MI: Servant, 1996), p. 46.

Capítulo 8

[1] American Social Health *Association, Sexually Transmitted Diseases in America: How Many Cases and at What Cost?* (Menlo Park, CA: Kaiser Family Foundation, 1998), p. 5.

[2] Steve Marshal, "Elderly AIDS", *USA Today*, 7 de julho de 1994, p. 3A.

[3] Sem nome do autor, HPV Press Release, Medical Institute for Sexual Health (MISH), Austin, TX, 9 de maio de 2000.

[4] Susan C. Weller, "A Meta-Analysis of Condom Effectiveness in Reducing Sexually Transmitted HIV", *UTMB News*, University of Texas Medical Branch—Galveston, 7 de junho de 1993, Social Science and Medicine, 36:36:1635-1644.

Capítulo 9

[1] Ellen Michaud, "Discover the Power of Forgiveness", *Prevention* 51, n° 1, janeiro de 1999, 110-r, 163-164.

[2] Esses passos são explicados em mais detalhes no Caderno de exercícios.

Capítulo 10

[1] Mike Mason, *O mistério do casamento* (São Paulo: Mundo Cristão, 2005), p. 128-129.

[2] Stephen Arterburn e Fred Stoeker, *A Batalha de todo homem* (São Paulo: Mundo Cristão, 2004), p, 157-158.

Capítulo 12

[1] Compartilhe os segredos da descoberta do plano de Deus para a satisfação sexual e emocional iniciando um grupo em sua igreja ou grupo de amigas para estudarem juntas o Caderno de exercícios.

Compartilhe suas impressões de leitura, mencionando o título da obra, pelo e-mail
opiniao-do-leitor@mundocristao.com.br
ou por nossas redes sociais

Esta obra foi composta com tipografia Palatino
e impressa em papel Pólen Natural 70 g/m² na gráfica Assahi